Tous Continents

De la même auteure

Contes

Contes de Noël pour les petits et les grands, Éditions Québec Amérique, 2012.

Romans

Pour les sans-voix, Tome 1 – La Jeunesse en feu, coll. Tous Continents, Éditions Québec Amérique, 2011.

SÉRIE AU BOUT DE L'EXIL

Au bout de l'exil, Tome 3 – L'Insoutenable vérité, coll. Tous Continents, Éditions Québec Amérique, 2010.

Au bout de l'exil, Tome 2 – Les Méandres du destin, coll. Tous Continents, Éditions Québec Amérique, 2010.

Au bout de l'exil, Tome 1 – La Grande Illusion, coll. Tous Continents, Éditions Québec Amérique, 2009.

Mon cri pour toi, coll. Tous Continents, Éditions Québec Amérique, 2008.

SÉRIE D'UN SILENCE À L'AUTRE

D'un silence à l'autre, Tome III – Les promesses de l'aube, Éditions JCL, 2007.

D'un silence à l'autre, Tome II – La lumière des mots, Éditions JCL, 2007.

D'un silence à l'autre, Tome I – Le temps des orages, Éditions JCL, 2006.

Jardins interdits, Éditions JCL, 2005.

Les Lendemains de novembre, Éditions JCL, 2004.

Plume et pinceaux, Éditions JCL, 2002.

Clé de cœur, Éditions JCL, 2000.

Récit

Mon grand, Éditions JCL, 2003.

PAYSAGES ÉCLATÉS

Pour les sans-voix – Volet 2

Catalogage avant publication de Bibliothèque et Archives
nationales du Québec et Bibliothèque et Archives Canada

Duff, Micheline
Pour les sans-voix
(Tous continents)
Sommaire: volet 2. Paysages éclatés.
ISBN 978-2-7644-2130-7 (v. 2) (Version imprimée)
ISBN 978-2-7644-2333-2 (PDF)
ISBN 978-2-7644-2334-9 (EPUB)
I. Titre. II. Titre: Paysages éclatés. III. Collection: Tous continents.
PS8557.U283P68 2011   C843'.54   C2011-941103-2
PS9557.U283P68 2011

Conseil des Arts
du Canada

Canada Council
for the Arts

SODEC
Québec

Nous reconnaissons l'aide financière du gouvernement du Canada par
l'entremise du Fonds du livre du Canada pour nos activités d'édition.

Gouvernement du Québec – Programme de crédit d'impôt pour
l'édition de livres – Gestion SODEC.

Les Éditions Québec Amérique bénéficient du programme de subvention globale du Conseil des Arts du Canada. Elles tiennent également
à remercier la SODEC pour son appui financier.

Québec Amérique
329, rue de la Commune Ouest, 3ᵉ étage
Montréal (Québec) Canada H2Y 2E1
Téléphone: 514 499-3000, télécopieur: 514 499-3010

Dépôt légal: 3ᵉ trimestre 2012
Bibliothèque nationale du Québec
Bibliothèque nationale du Canada

Révision linguistique: Émilie Allaire et Chantale Landry
Montage: Andréa Joseph [pagexpress@videotron.ca]
En couverture: Photomontage réalisé à partir de photographies
    de © Losevsky Photo and Video / shutterstock.com
    et de © ginger. / photocase.com

©2012 Éditions Québec Amérique inc.
www.quebec-amerique.com

Imprimé au Canada

MICHELINE DUFF

PAYSAGES ÉCLATÉS

Pour les sans-voix – Volet 2

Québec Amérique

Pour mon petit garçon, j'ai pleuré des océans, je me suis liquéfiée...

Louise Mainville

Quand on sort du brouillard qui nous enveloppe et nous obsède, on peut mieux comprendre ce que l'on vit et dédramatiser un peu. On fait alors de son mieux et on confie le reste à Dieu.

Linda Latouche

Toujours persévérer, ne jamais abandonner, travailler sans relâche, peu importe les efforts, ça vaut la peine. Il y a toujours de l'espoir pour ceux qui sont différents mais positifs.

Marc-Antoine, dysphasique

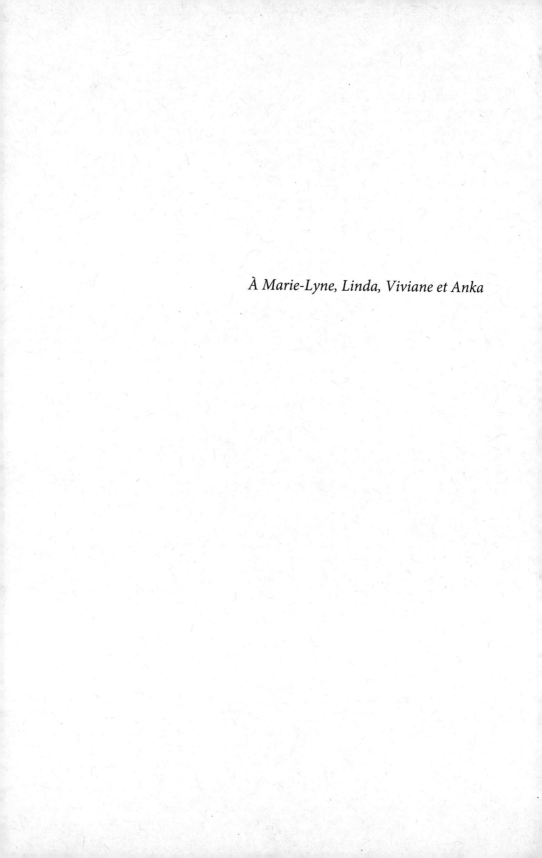

À Marie-Lyne, Linda, Viviane et Anka

CHAPITRE 1

— Madame Geneviève ! Madame Geneviève !

À peine ai-je franchi les portes battantes de la sortie du centre local de services communautaires que j'entends une voix féminine, doublée d'un étrange grognement, appeler mon nom de derrière les voitures en stationnement. De loin, je peux apercevoir une inconnue me faire signe de patienter. Avec curiosité, mais un peu contrariée à cause de mon retard au salon de coiffure, je m'approche rapidement pour entendre la jeune femme m'interpeller.

— Madame Geneviève, vous partez ? Nous venions justement vous rencontrer pendant quelques minutes. Maxime tient absolument à vous voir, car il a une surprise pour vous.

La scène dont je suis alors témoin me coupe le souffle et m'empêche de répondre poliment à la dame. Maxime Sigouin, le jeune handicapé dont je soutiens les démarches depuis trois mois se dirige allègrement vers moi en actionnant lui-même sa chaise roulante motorisée et s'arrête brusquement à quelques mètres de moi. Quoi ? Il réussit maintenant à la conduire seul ? Je n'en reviens pas ! Quel progrès fantastique !

Le garçon, surexcité et incapable de prononcer un mot, lance des cris rauques incompréhensibles, des cris inarticulés, poitrinaires comme s'il les exhalait directement de ses poumons. Et ces cris de joie à faire frémir résonnent davantage comme des cris de démence pour qui ne sait pas les interpréter. Le plus hallucinant reste son visage, tout aussi déformé que le reste de son corps. Cette bouche béante et tordue, ce sourire baveux qui ne ressemble pas à un sourire me causent toujours une vive impression.

Mais Maxime est content, je le sais, je le devine dans ses yeux rieurs brillants de lumière, ses yeux qui parlent silencieusement derrière sa paire de lunettes aux verres épais comme des fonds de bouteille. En dépit de son allure dramatique, il reste un être tout à fait intelligent et même un jeune homme fort cultivé. Grâce à ses yeux et ses oreilles, il est devenu un amateur passionné de cinéma et un dévoreur de littérature et de musique. Avec le bout de ses doigts pourtant malhabiles, il arrive même à écrire de courts textes et des poèmes à vous chavirer l'âme. À vrai dire, il ne cesse de m'épater.

Je me félicite de mes initiatives prises lorsque ce grand garçon atteint de cette terrible maladie a déboulé dans mon bureau après le décès de sa mère. J'ai alors contacté un hebdomadaire local du quartier dans le but de lui procurer un travail pour la première fois en vingt-cinq années d'existence. Maintenant, Maxime gagne un petit montant d'argent en faisant parvenir à ce journal, chaque semaine, soit ses commentaires sur certains événements de l'actualité, soit ses critiques d'un livre, d'un disque, d'un film ou d'une émission de télévision. Il doit une fière chandelle, il faut bien le dire, à la bénévole d'une patience d'ange qui lui consacre une demi-journée par semaine pour taper les mots de ses textes, dictés laborieusement par Maxime sur son tableau alphabétique, un à un et du bout du doigt, une lettre de l'alphabet à la fois.

Et voilà que, grâce aux services de l'ergothérapeute vers laquelle je l'ai aiguillé, il arrive maintenant à conduire seul son petit véhicule.

— Wow! Maxime, quelle belle surprise! Dis donc, te voilà de plus en plus autonome. Je suis très fière de toi, mon grand, tu viens de remporter une superbe victoire.

Je suis fière et pourtant tellement désolée pour toi, mon beau Maxime, mais je ne te le dirai jamais. Quelle tragédie, quelle cruauté du destin quand on a vingt-cinq ans et qu'une superbe victoire se résume à atteindre une liberté minimale de mouvements, c'est-à-dire la capacité de se déplacer maintenant seul le long d'un corridor ou entre les pièces d'une institution.

Avec ses mains rigides ouvertes en éventail, le garçon gesticule pour me laisser entendre qu'il a quelque chose à dire. Maladroitement, il essaye de désigner la personne qui l'accompagne.

— Wâââ… nne!

Je finis par comprendre que la bénévole se nomme Anne. Timidement, elle me salue d'un signe de tête et je tente de la taquiner en souriant afin de détendre l'atmosphère.

— Ainsi, c'est toi le nouvel ange gardien de Maxime! Il se montre toujours gentil et patient, j'espère?

— Oui, il est un amour.

Son visage empourpré et la tendresse du regard qu'elle lui lance ne m'échappent pas, mais Maxime réclame de nouveau mon attention. Avec force gestes mal dirigés, il réussit à poser son majeur droit sur chacune des lettres imprimées sur le tableau de bois posé devant lui à la manière d'une tablette de chaise haute d'enfant. Lentement, je découvre les mots et les laisse s'inscrire les uns à la suite des autres jusqu'au fond de mon âme. Des mots que je n'oublierai jamais.

Merci de m'avoir permis de grandir. Joyeux Noël!

Bien malgré moi, je sens les larmes embrouiller mon regard. Spontanément, j'ouvre les bras et presse contre moi ce grand corps d'homme rigide et tendu qui n'arrive même pas à se ramollir.

Ce merci de Maxime vaut pour moi mille fois tous ceux que je reçois si rarement ou ne reçois pas du tout dans l'exercice de ma profession de travailleuse sociale. J'ai appris avec le temps qu'il faut non seulement faire preuve d'altruisme et avoir développé une véritable conscience sociale, mais aussi posséder des reins solides pour pratiquer ce dur métier où je dois côtoyer quotidiennement la misère humaine. Je ne dois surtout pas attendre de la reconnaissance. « Ta récompense, tu la trouveras en toi-même, m'avait dit ma mère, le jour de ma graduation. Elle proviendra de ta satisfaction de remporter des petites victoires quotidiennes. Cela s'appelle la fierté. Et la fierté, ça se gagne au mérite, ma fille ! »

Ma mère avait raison. Elle se trouvait bien placée pour le savoir, elle qui travaillait et travaille toujours comme préposée aux bénéficiaires dans une résidence pour personnes âgées. Des victoires, elle en a remporté, surtout celles de réussir à allumer des sourires sur des visages fripés et trop souvent impassibles. Mais combien de fois ne l'ai-je pas vue ébranlée à la suite de la perte d'un patient, si malcommode fût-il ?

La faillite de l'entreprise de mon père, il y a de nombreuses années, a constitué sa plus grande épreuve. Nous avons tout perdu : la maison, la voiture, les économies, tout ! J'étais adolescente à l'époque et, faute d'argent, mes parents ont dû déménager dans une autre ville et nous retirer du collège privé, mon frère et moi. Nous nous sommes alors retrouvés dans l'obligation de quitter non seulement nos amis de toujours, mais aussi le quartier cossu où nous avions grandi. Quelle horreur, quand on y pense ! Et comme si ça ne suffisait pas, le paternel s'est lâchement mis à boire.

Maman, elle, a alors remporté la victoire de sa vie : elle s'est courageusement déniché un nouvel emploi et a porté seule sur ses épaules le fardeau de deux enfants et d'un mari en dépression profonde. Sans cesse, elle nous a encouragés et remonté le moral. Elle semblait imperméable au malheur et restait debout, solide comme le roc. C'est du moins l'impression qu'elle me donnait, jusqu'au moment où je l'ai surprise, une nuit, en train de verser toutes les larmes de son corps, la tête entre les mains et appuyée sur la table de la cuisine.

Estomaquée, je n'ai pas su comment réagir à ce moment-là. Elle m'a alors dit : « Ne t'en fais pas à mon sujet, Geneviève, je pleure seulement de fatigue. La satisfaction de maintenir la famille la tête hors de l'eau suffit à me donner la force d'aller de l'avant. Je ne change pas le monde, je le sais, mais je contribue à améliorer votre condition et j'en suis fière. »

Douze ans se sont écoulés dans ma vie, depuis ce temps. Douze ans, un diplôme universitaire en travail social en poche, un emploi dans un centre local de services communautaires, un conjoint et un enfant, sans oublier la mort de mon père, il y a trois ans.

— Attendez, madame, Maxime vous a aussi apporté un cadeau de Noël.

Qui prétendait que la reconnaissance n'existe pas dans ce métier ? Évidemment, Maxime n'a pas la capacité de me tendre lui-même la grande enveloppe brune ornée d'un ruban rouge glissée dans le sac suspendu derrière son dossier. Sa dépendance envers les autres me crève le cœur.

Avec insistance, j'invite le jeune homme et la bénévole à venir prendre un café dans mon bureau fermé à clé depuis à peine quelques minutes pour le congé de Noël. Tant pis pour ma mise en plis au salon de coiffure où j'ai rendez-vous dans moins d'un quart d'heure, on me verra coiffée au naturel au réveillon de ce soir. Tant pis aussi pour mes premiers instants de vacances, la misère des autres n'a pas de vacances ! Je ne doute pas que Maxime, confiné à son fauteuil roulant dans une résidence pour handicapés, passera un Noël moins excitant que le mien. Viens-t'en, mon grand, on va vivre un petit moment agréable ensemble.

Après avoir annulé mon rendez-vous chez la coiffeuse à l'aide de mon téléphone portable, nous nous acheminons avec entrain vers mon local. La secrétaire à l'accueil à qui je viens de souhaiter de joyeuses Fêtes me regarde d'un air surpris, mais je lui fais comprendre d'un signe de tête qu'il ne se passe rien de grave. Je veux seulement offrir quelques minutes de plaisir à un brave garçon et à la généreuse jeune fille qui l'accompagne.

Réfugié dans une immobilité muette et déconcertante au milieu de la pièce, Maxime me regarde décacheter l'enveloppe d'une main fébrile. J'en retire une série de feuilles dont la première présente un court poème. Je me mets à le lire à voix haute, émue de prendre moi-même la voix de celui qui l'a écrit.

> *Ma chère madame Martin,*
> *Vous m'avez donné des lendemains.*
> *Quand je regarde par la fenêtre,*
> *Grâce à vous, je me sens renaître.*
>
> *Je serai toujours en prison,*
> *Pour moi, pas de libération.*
> *Mais je suis devenu quelqu'un*
> *Et ça en surprend plus d'un.*
>
> *Maintenant je peux écrire*
> *Les mots que je veux dire.*
> *Moi qui ne parle pas,*
> *J'ai enfin trouvé une voix !*
>
> *Acceptez ce conte de Noël,*
> *Écrit pour votre Gabrielle.*
> *Pour elle, je l'ai intitulé :*
> *Le petit agneau handicapé.*
>
> *Joyeux Noël,*
> *Maxime Sigouin*

Le jeune homme voit-il ma main trembler en épluchant les deux pages suivantes sur lesquelles est rédigé un émouvant conte de Noël pour ma petite fille? Remarque-t-il ma gorge serrée incapable de prononcer une parole et mon cœur chaviré au point de me mettre à brailler comme un bébé? Le conte se termine bien pourtant, et l'agneau handicapé finit par s'endormir auprès du petit Jésus de la crèche.

Une fois de plus, je tente d'entourer de mes bras le grand corps figé, suspendu à ma réaction devant son bouleversant cadeau. Avec toute la tendresse du monde, je dépose un baiser sur la joue rugueuse du garçon qui risque de ne pas connaître, au cours de son existence, bien d'autres plaisirs charnels que ceux d'innocents baisers posés sur son visage par ceux qui l'aiment.

— Sois heureux, Maxime, tu le mérites tellement! Et continue d'écrire, tu le fais merveilleusement!

Aussitôt, la main ouverte recommence à s'agiter et le majeur à rechercher les lettres de l'alphabet sur le tableau.

Je suis heureux.

Il est heureux! J'avais toujours pensé que le bonheur faisait des envieux, mais, à part sa capacité à s'épanouir, le sien n'en fait certainement pas beaucoup! Quel étrange bonheur que celui de Maxime Sigouin… Qui prendrait la place de l'homme heureux en train d'essayer de s'exprimer en face de moi?

— Moi aussi, mon ami, je vais t'offrir un cadeau bien spécial. Tant pis pour les règles de conduite professionnelle, tu seras le premier à connaître mon secret. J'ai l'intention d'annoncer cette nouvelle à ma mère et à mes frères au réveillon de ce soir: je suis maintenant enceinte de trois mois bien comptés, après trois fausses couches successives. Gabrielle a bien des chances de recevoir un petit frère ou une petite sœur pour son troisième anniversaire de naissance, l'été prochain. Tu n'as pas idée comme je suis contente! Pour l'instant, tu es le premier et le seul à le savoir, à part le papa, naturellement!

Maxime porte alors les yeux sur mon ventre et se met à faire la fête à sa manière en se secouant la tête et en lançant des cris stridents. La joie peut prendre parfois une voix bien particulière…

Lorsque je reviens en tenant à bout de bras mes trois cafés, Anne, la bénévole, tout aussi émue que son client, m'informe que Maxime ne peut boire autrement qu'à l'aide d'une paille. Hélas, je n'en possède aucune dans mon bureau. J'arrive finalement à en dénicher une attachée aux petites boîtes de jus vendues dans les machines distributrices du corridor menant à la salle d'attente. Maxime préfère boire le jus et la bénévole sirote son café en placotant avec moi. Jeune Marocaine qui vit seule, sa famille habitant de l'autre côté de l'Atlantique, elle a préféré se rendre serviable et exercer son bénévolat la veille et le jour de Noël au lieu de s'ennuyer platement entre les quatre murs de son logement.

Elle me raconte qu'on célébrera une messe au centre d'accueil et qu'un petit goûter suivra. Et, événement particulier et attendu de tous, le fameux conte de Noël écrit par Maxime, dont il vient de me remettre la copie, y sera lu par la directrice du foyer, même s'il s'agit d'un conte pour les tout-petits.

— Vous imaginez son excitation !

Et la mienne, donc ! Certes, le jeune homme savait lire et écrire quand je l'ai connu, l'année dernière, mais personne n'avait jamais pu lire ses écrits. Aujourd'hui, le chroniqueur de journal, Maxime Sigouin, est enfin devenu quelqu'un aux yeux de la société. Il possède un lectorat, et on apprécie et attend ses textes chaque semaine. Et voilà qu'il partagera ce soir son conte de Noël avec les résidants de sa maison d'hébergement. Quelle bonne nouvelle !

Je les regarde partir non sans un serrement de cœur.

La fierté, m'avait dit ma mère…

CHAPITRE 2

« Petit papa Noël… »

Tout le monde, un verre de vin mousseux à la main, chante à qui mieux mieux. Décidément, à entendre s'égosiller et fausser Simon, je crois que mon frère a bien fait d'abandonner jadis ses cours de musique !

Une heure plus tard, blottie dans les bras de son père et les yeux encore bouffis de sommeil, ma petite Gabrielle met un certain temps avant de remarquer le père Noël qui tend les bras afin de lui remettre ses multiples cadeaux déposés sous le grand sapin lumineux. Non sans crainte, elle accepte finalement de s'asseoir sur ses genoux sans reconnaître son oncle Simon à moitié dissimulé derrière la perruque et la barbe blanches. Pour les besoins de la cause, mon frère use d'une tonitruante voix de baryton et cela nous donne le fou rire.

Dans un coin du salon, je vois ma mère jeter un œil attendri sur le vieux bonhomme. Il y a plus de vingt ans, c'était mon frère et moi qu'on réveillait au milieu de la nuit de Noël pour nous offrir des étrennes. Comme le temps a passé ! Vingt-quatre ans, maintenant, le frérot ! Toutes ses dents, une paire de lunettes sur le nez, une tignasse à faire rêver un barbier, une jolie blonde à son bras. La fierté de ma mère… Maman qui, pour une fois et à mon grand soulagement, ne pleure pas l'absence de papa comme elle en a l'habitude chaque Noël.

En début de soirée, Simon et sa belle Fanie nous ont annoncé, tout émus, leur projet de mariage pour l'été prochain. J'adore cette fille, secrétaire à l'école où mon frère enseigne l'éducation physique. Je n'ai pu m'empêcher de lui sauter au cou en lui donnant déjà du « chère belle-sœur »! Quelle bonne nouvelle! Oh là là! C'est la nuit des bonnes nouvelles, on dirait! Dans quelques minutes, maman sera appelée sur les genoux du père Noël pour recevoir le cadeau que nous lui offrons, Jean-Patrick et moi. Il s'agit d'un toutou en forme de petit agneau blanc entre les pattes duquel j'ai glissé une enveloppe blanche dont le contenu la fera, sans contredit, éclater en sanglots : « *Maman, si tout continue de bien aller, tu seras grand-mère de nouveau l'été prochain.* »

Ma pauvre mère… Je me demande bien ce qui va arriver quand mon frère va quitter la maison. Va-t-elle demeurer toute seule dans son trop grand logement? Depuis le décès de papa, emporté en quelques heures des suites d'un accident de la route provoqué par sa conduite en état d'ébriété, ma mère est devenue silencieuse et renfermée. Cette perte aurait pourtant dû la soulager, car le cher homme lui en a fait voir de toutes les couleurs, ces dernières années. Mais au contraire, depuis ce deuil, elle semble se replier de plus en plus sur elle-même.

J'ai beau multiplier mes invitations à souper à la maison en compagnie de ma petite famille, cela ne suffit pas à la rendre joyeuse. Je la vois se jeter à corps perdu dans son travail pour combler l'ennui et la solitude. Combien de temps cela durera-t-il encore? Ces heures supplémentaires à l'hôpital, ces remplacements acceptés inconditionnellement sans tenir compte de l'épuisement et de l'usure de ses cinquante-cinq ans m'apparaissent comme une aberration.

Tout cela pour oublier quoi? Les épreuves des temps passés? Le grand vide du présent? L'horizon plat et grisâtre de l'avenir? Que sont devenus ses rencontres avec ses amies, son goût pour la musique, les arts, l'aventure? Son fameux bonheur alimenté de «petites victoires, un jour à la fois», comme elle me l'avait si bien enseigné, ne semble plus l'habiter. À croire qu'elle a radicalement perdu le secret de la fierté! Je ne reconnais plus celle que je considérais autrefois comme ma thérapeute, ma psychologue, ma conseillère, ma copine, mon amie, ma consultante, ma lumière dans la noirceur où je m'égarais parfois, surtout à l'adolescence. Je vois maintenant les rôles renversés avec l'impression que ma mère est celle de nous deux qui a le plus besoin de l'autre.

Avec les années, après la fin de mon secondaire, nous sommes pourtant demeurées de bonnes amies. Toutefois, nos barques se sont inévitablement éloignées, celle de maman continuant de voguer sur les eaux tumultueuses de sa vie de femme d'alcoolique, et la mienne, d'abord emportée par le torrent des connaissances à acquérir dans l'univers fascinant de l'université et ensuite, dans celui du monde du travail. Puis, le bel étudiant en pharmacie, Jean-Patrick Lapierre, est apparu dans le décor et il m'a tendu la main pour une captivante aventure sur un navire en forme de cœur appelé «Future famille Lapierre». Sans hésitation, j'ai accepté de m'y embarquer, et me voilà maintenant conjointe d'un homme merveilleux et mère de la plus mignonne bambine de la terre.

Dieu merci, maman adore son gendre, tout comme elle apprécie Fanie, sa future belle-fille. Après mon départ pour aller vivre avec mon amoureux, nous nous sommes de nouveau rapprochées, ma mère et moi, autant pour échanger des recettes de cuisine et des idées de décoration que pour partager des confidences de femme.

La venue de Gabrielle, sa première petite-fille, très peu de temps après le décès de papa, a contribué à maintenir le moral de maman. À vrai dire, Gabrielle, avec ses sourires et ses minauderies, sa grâce de bébé, nous a tous consolés de la perte d'un être aimé en dépit de ses impardonnables écarts de nature éthylique. La vie et la mort venaient de se donner la réplique, et chacun a assisté à la victoire de la vie et a vu la descendance de papa assurée par cette petite princesse innocente et pure, pleine de promesses d'avenir. Notre paternel ne nous avait pas quittés complètement, sa vie, son sang, une partie de ses gènes continueraient de vivre en sa petite-fille.

Au cours de cette période, j'ai véritablement saisi la force et la grandeur des liens unissant une famille et l'intensité prodigieuse de l'attachement inconditionnel entre ses membres.

— Vite, ...and-maman... Toi, pas peur, père Noël... Cadeau, cadeau... hi! hi! Cé pou toi. Viens, ... and-maman, viens!

Gabrielle, plus impatiente que sa grand-mère de découvrir la surprise dissimulée sous le papier d'emballage, insiste en tirant sur sa jupe. Avec émotion, je vois maman s'approcher de mon frère Simon et déposer un tendre baiser au-dessus de sa barbe postiche. Elle m'apparaît toujours aussi belle avec sa taille fine, ses cheveux bouclés aux rares fils d'argent, son élégance, son allure de femme sage et rangée, quoique ce soir, je lui trouve un petit air coquin inhabituel.

Enfin, elle déballe son paquet d'une main nerveuse, sans remarquer le papier rayé rose et bleu qui n'a rien à voir avec le papier traditionnel de Noël. Je jette un coup d'œil à Jean-Patrick et le vois, tout comme moi, suspendu à sa réaction. Que dira ma mère en voyant la reproduction de mon échographie passée avant-hier, accompagnée d'un mot du médecin? : *Treizième semaine de grossesse. Poids et état physique du fœtus satisfaisants, conditions de grossesse normales.*

Je pousse un soupir discret. Je ne suis pas superstitieuse, mais une coïncidence me frappe soudain de plein fouet entre le titre du conte de Noël de Maxime Sigouin reçu cet après-midi, *Le petit agneau handicapé*, et mon choix de la semaine dernière, dans un magasin pour enfants, d'un adorable agneau de laine pour annoncer à ma mère la venue d'un autre petit-enfant. Effet du hasard ou prémonition? Je n'aime pas ce genre de coïncidence. Personne ne saura jamais avec quelle douleur morale j'ai vécu mes trois dernières fausses couches. Donner la mort et non la vie s'avère, pour une mère, la plus répugnante, la plus horrible des expériences. Seule une femme ayant déjà vécu ce cauchemar peut le comprendre. Je n'oublierai jamais, lors de ma première fausse couche, l'infirmière de l'urgence me disant avec indifférence, quelques jours à peine après ma date de menstruations: «Quand vous verrez passer le fœtus dans la toilette, vous n'aurez qu'à tirer la chasse. Puis, arrêtez de brailler, vous avez déjà une fille, la fin du monde n'est pas arrivée! Vous n'aurez qu'à faire un autre bébé, voilà tout!» Et le respect de la vie, madame? Et le deuil d'un petit, vous en faites quoi? Je ne lui ai jamais pardonné son indifférence.

Ce jour-là, j'étais retournée à la maison avec le sentiment qu'un petit corps mort flottait dans mon ventre, «une affaire de la grosseur d'une bine» comme m'avait avisée la maudite infirmière. J'avais une peur bleue de retourner aux toilettes, de voir encore du sang. Eh bien, du sang, j'en ai vu! Ça n'a pas pris de temps pour que Jean-Patrick me ramène à l'hôpital en pleine hémorragie. Dire que j'ai vécu cela à trois reprises…

«Trois avortements à exactement huit semaines de grossesse», ont-ils écrit à la clinique dans mon volumineux dossier. Presque un rituel, quoi! Au moins, ils auraient pu ajouter «totalement involontaires» au terme médical «avortements», c'aurait été plus juste! Ce mot comporte trop de connotations volontaires pour moi. Quoique dans le moment présent, dans cette ultime tentative pleinement délibérée par mon conjoint et moi pour procréer un deuxième enfant, je ne saurais évaluer les doses de notre témérité et de notre acharnement obstiné, ni distinguer entre «volontaire» et «involontaire» comme s'il s'agissait de prendre un risque volontaire d'un éventuel avortement involontaire. Heureusement, cette fois, ça semble réussir. Nous avons largement dépassé le cap fatidique des huit semaines, et le bébé semble toujours en place, vivant et en excellente forme depuis maintenant treize semaines. Je me croise les doigts… et les jambes !

Maman plonge ses yeux mouillés dans les miens et prononce, d'une voix vibrante, des mots qui resteront fixés à jamais dans ma mémoire.

— Je suis fière de toi, ma grande. Tu as eu le courage et la force de recommencer, tu mérites de réussir, cette fois. Ce petit-là ira loin, aucun doute là-dessus !

Je me retiens d'ajouter : en autant qu'il soit en santé et n'arrive pas handicapé comme le petit agneau… Mais mieux vaut éviter de tenter le diable et ne pas laisser cette idée saugrenue s'incruster et gâcher mon bonheur. Si jamais cela se produit, j'y ferai face en temps et lieu, pas avant ! Le conte de Noël de Maxime se termine joyeusement, après tout ! Mon bébé sera parfait comme ce toutou de laine dont la douceur caresse ma joue.

Au même moment, toute la famille se jette sur moi pour m'embrasser. Avec quel bonheur je reçois les témoignages d'encouragement de tout un chacun. Enfin, notre secret est dévoilé et Jean-Patrick et moi ne nous sentons plus seuls dans cette nouvelle aventure. Quelle nuit merveilleuse ! Fiançailles pour l'un et naissance pour l'autre… Je flotte ! Mais le dicton n'annonce-t-il pas « Jamais deux sans trois » ? Il ne manquerait donc qu'une autre agréable surprise en cette nuit de Noël bénie entre toutes, une autre surprise de taille pour nous mener à l'apothéose.

Nous nous apprêtons à passer à table quand, de loin, j'entends mon téléphone portable professionnel jouer le thème d'un menuet de Bach, toujours le même. Une heure du matin… Qui donc peut appeler ?

— Madame Geneviève ? C'est Natasha. Je vous appelle pour vous dire que ça va très bien. J'ai résisté à toutes les tentations et réussi à ne pas consommer de drogue de la soirée. Savez-vous que je suis rendue à dix-huit jours d'abstinence? Je me sens tellement fière de moi, je voulais vous le dire.

Sans m'en rendre compte, je répète à l'adolescente exactement les mêmes mots dont m'a gratifiée ma mère quelques minutes auparavant.

— Natasha! Je suis fière de toi, ma grande. Tu as eu le courage et la force de recommencer ta vie, tu mérites de réussir, cette fois. Tu iras loin, ma petite, aucun doute là-dessus! Euh… je te souhaite un joyeux Noël! Et… à demain!

Il y a quelques semaines au bureau, quand Natasha m'a suppliée de la laisser m'appeler deux petites minutes chaque jour pour me dire qu'elle tient bon et réussit à demeurer abstinente, je n'ai pas eu le courage de lui refuser ce service, dut-il outrepasser mes fonctions de travailleuse sociale.

En rangeant mon appareil dans mon sac à main, je vois tout le monde suspendu à mes lèvres.

— Pas une mauvaise nouvelle, toujours?

— Non, non, au contraire! Une cliente m'a appelée pour me dire que ça va bien.

Simon, toujours déguisé en père Noël, me darde d'un clin d'œil taquin.

— Tu fais du travail social même la nuit de Noël, la sœur? Oh là là! Quel zèle!

— Les bonnes nouvelles, je les prends en tout temps, tu sauras, le frère!

— Tu me fais penser à quelqu'un. Cette personne travaille depuis une trentaine d'années, et ces derniers temps, au lieu de ralentir, elle accepte des gardes de nuit dans le foyer d'hébergement pour personnes âgées qui l'embauche, imagine-toi! Les gènes, ça ne pardonne pas, il faut croire!

Évidemment, tous les regards convergent vers maman qui se contente de sourire timidement sans répliquer. Je la vois, par contre, rougir jusqu'aux oreilles quand la sonnette de la porte retentit brusquement en faisant taire toutes les conversations. Ah? Le téléphone, passe encore, mais un visiteur inconnu à cette heure-ci? Pas encore Natasha, tout de même? Impossible, elle ne connaît pas mon adresse! Curieuse, je m'empresse d'aller ouvrir. À ma grande surprise, je découvre un magnifique géant dans la cinquantaine dont le visage se trouve à moitié dissimulé derrière un énorme bouquet de roses.

— Pourrais-je voir madame Nicole Martin, s'il vous plaît?

— Maman, c'est pour toi!

Ma mère bondit sur ses pieds et s'approche de la porte à la hâte. Je ne peux m'empêcher de songer à la surprise numéro trois. Elle saute alors au cou de celui qui lui souhaite un « Joyeux Noël, ma chérie! » d'une voix chaude et chantante.

— Philippe! Tu es venu! L'homme se secoue les pieds et, avant de remettre les fleurs à maman, il dépose un léger baiser directement sur sa bouche. Je retiens à peine un cri.

Un grand et frénétique cri de joie.

CHAPITRE 3

En ce vingt-six décembre où j'ai accepté de remplacer une compagne, treize heures n'ont pas encore sonné au grand cadran du hall d'entrée que la salle d'attente du centre de services communautaires paraît déjà bondée. Tous des gens venus pour la plupart sans rendez-vous. Je me console en recevant la liste de mes clients, car celle du médecin de la clinique sans rendez-vous m'apparaît deux fois plus longue que la mienne! Trop mangé? Trop bu? Trop fêté? Trop peu dormi? Trop de baisers contaminés par la grippe? Tous semblent requérir des soins médicaux, en ce lendemain de la veille.

En service social, les clients ne fixent pas toujours un rendez-vous et préfèrent se présenter à leur convenance. En effet, comment un locataire pourrait-il prévoir, en dépit de ses loyers impayés, que son propriétaire le mettrait à la porte au lendemain de Noël et que, le pauvre, il se retrouverait sur le trottoir avec ses quatre enfants suite à son chahut de la veille ayant alarmé tous les voisins? Ou encore, quelle mère de famille se douterait que son mari la plaquerait le matin de Noël, en emportant tout l'argent du ménage? Quel sans-abri est suffisamment articulé pour planifier une visite à une heure précise, le 26 décembre, avec une travailleuse sociale, alors qu'en chevalier de la liberté, il affronte la vie au jour le jour, une heure à la fois, et qu'il ne sait même pas à quel endroit il va dormir chaque soir ?

La plupart de mes clients assis dans la salle d'attente possèdent déjà un dossier fort documenté dans les archives du centre. Habituellement, ils se pointent ici en dernier recours, à la recherche d'une oreille attentive et surtout d'une main tendue, sinon caressante, à tout le moins dépanneuse. D'autres viennent demander un service précis ou cherchent uniquement à se faire rassurer. L'écoute constitue une denrée rare en ces temps caractérisés par l'individualisme. Heureusement, même offerte dans un cadre professionnel par les travailleurs sociaux, elle pose inéluctablement un baume sur la terrible solitude de certains individus. Hélas, elle ne s'avère pas suffisante, en général, pour les aider à développer une gamme de solutions. Il faut aller plus loin et dans le concret.

À peine ai-je le temps de pénétrer dans mon bureau et d'ouvrir mon ordinateur que la secrétaire appelle déjà pour m'envoyer un premier client.

— Si vous ne voulez pas travailler très tard, ce soir, madame Martin, vous feriez mieux de commencer à les recevoir dès maintenant.

— C'est bon, lançons-nous, puisqu'il le faut !

Denis se pointe, le visage en feu, la tuque enfoncée jusqu'aux oreilles, le foulard remonté sur le nez. Comme d'habitude, il affiche un regard empreint d'anxiété.

— Bonjour, Denis. Enlève ton manteau, sinon tu vas crever.

— Jamais de la vie ! Les microbes, y avez-vous pensé ? J'ai pas envie d'attraper une pneumonie ! Vous avez pas entendu le monde tousser dans la salle d'attente, vous !

— Comment vas-tu ? As-tu passé un beau Noël ?

— Pas vraiment. J'ai passé la journée à fouiller dans mon logement pour chercher par où le type me regarde.

— Quel type te regarde, Denis ?

— Ben, celui qui m'épie tout le temps ! Et je l'ai enfin trouvé. Il a installé une fibre optique dans le plafond, imaginez-vous donc ! Elle passe à travers la plaque de métal d'où on suspendait autrefois un plafonnier, j'en mettrais ma main au feu. Quelqu'un m'observe à travers cet orifice, madame Martin, et je ne peux pas tolérer ça. Il y a un homme derrière le trou et ça me rend fou, comprenez-vous ? Complètement fou ! Je compte sur vous pour agir au plus vite. Il faut faire enlever le mécanisme et aviser les policiers pour démanteler le réseau d'espionnage. Vous devez vous en occuper parce que moi, personne ne veut me croire !

— Hum ! je trouve ça un peu fort, ton histoire de fibre optique. En es-tu certain, Denis ? Y a-t-il un logement au-dessus du tien ?

— Comment ça, un logement au-dessus du mien ? Je ne vois pas le rapport !

— N'habites-tu pas au dernier étage de ton immeuble ?

— Euh… oui ! Pis après ?

— Le toit est plat et il n'existe pas de grenier dans ton édifice. Je le sais, je passe devant chaque jour !

— Et alors ? On vient m'épier par le toit, voilà tout ! D'ailleurs, j'ai réveillé mon propriétaire très tôt ce matin pour lui en parler et il ne veut rien savoir. J'ai pas envie de mourir assassiné, moi ! Il m'a même traité de fou, le gros épais ! Pourriez-vous l'appeler pour moi, s'il vous plaît, madame ? Sinon, je vous avertis, je vais m'en occuper moi-même, de ce plafond-là. Vous allez voir qu'elle va disparaître, la fibre optique ! Je me suis trouvé une pelle, une grosse pelle. Ça démolit bien un plafond, des coups de pelle, vous savez.

— J'ai une idée : si tu collais simplement du ruban gommé sur la plaque, ça boucherait l'orifice et ça ne détruirait rien. Qu'en penses-tu ?

— Ouais, c'est pas bête… Mais je voudrais que vous lui téléphoniez quand même, à cet imbécile.

Le propriétaire a raison. Denis a perdu la carte. Début de la quarantaine, bel homme, relativement intelligent et s'exprimant bien, il possède un diplôme collégial en design qui aurait pu lui permettre de gagner sa vie honorablement. Hélas, depuis quelques années, la détresse psychologique semble en train de le détruire sournoisement.

Denis souffre d'un grave complexe de persécution de plus en plus intense. Constamment plongé dans un délire paranoïaque et sans cesse persuadé qu'un complot le menace, il invente des scénarios où tout le monde lui veut du mal. Le malheureux homme se montre incapable de faire confiance à qui que ce soit et il vit dans une perpétuelle détresse, enseveli dans une solitude abyssale. Comme il n'arrive pas à garder ses emplois plus de quelques jours, il vit maintenant à la solde de la société. J'imagine avec effroi sa souffrance intérieure absolument incomprise et aucunement partagée par son entourage.

Maintes fois, on a tenté de le diriger vers une psychothérapie qu'on aurait pu jumeler à la prise de médicaments neuroleptiques prescrits par un médecin. Hélas, il néglige de prendre ses pilules ou, n'en voyant pas la nécessité, il oublie de renouveler ses prescriptions. Quant au psychiatre, Denis refuse de le rencontrer la plupart du temps, car il ne se sent pas malade mais seulement incompris. Égocentrique et convaincu de détenir la vérité, il repart habituellement d'ici consolé, avec la certitude d'avoir été enfin entendu par quelqu'un de compatissant grâce à ses arguments qu'il juge impossibles à mettre en doute.

Cependant, cet après-midi, il me pose problème en menaçant de détruire le plafond de son logement à coups de pelle. Dieu sait s'il possède vraiment une pelle et a réellement l'intention de mettre son plan à exécution. Devrais-je avertir son propriétaire ? Le type va alors le mettre à la porte sans hésitation. Ou encore, ferais-je mieux d'aviser les autorités policières pour des menaces de voie de fait prononcées par un malade mental, projet ridicule et probablement sans fondement ? Ou bien faire interner Denis pour danger public ? S'acharner sur un plafond avec une pelle représente-t-il un risque pour quelqu'un ? Comme d'habitude, il y a fort à parier que demain, il aura oublié la fibre optique et capotera sur autre chose.

— Très bien, Denis, je vais appeler ton proprio, mais auparavant, je vais te fixer une date de rendez-vous dans un avenir très rapproché. Je veux que tu me promettes de t'y rendre absolument.

— Pas encore une rencontre avec la vieille folle de l'autre jour ?

— La vieille folle de l'autre jour est une excellente psychologue qui travaille ici, au CLSC[1]. Mais cette fois, je vais te diriger vers une équipe spécialisée qui va exercer un suivi intensif auprès de toi, d'accord ? Eux vont vraiment t'aider, tu vas voir.

— Moi, je fais confiance seulement à vous, madame Martin. Vous êtes mon amour et je veux vous demander en mariage.

Quoi ? Je lève la tête, ahurie. Le fou rire de mon interlocuteur me rassure : Denis rigole et se moque gentiment de moi. Pas si fou que ça, le mec !

Je le pointe du doigt en me déridant à mon tour.

— Toi, mon espèce de vieux *chnoque*… Tu peux bien rire ! A-t-on idée de m'en faire voir ainsi de toutes les couleurs, un lendemain de Noël ! Voici donc le jour et l'heure de la fameuse rencontre dont je te parle. Maintenant, donne-moi le numéro de téléphone de

---

1. Centre local de services communautaires.

ton propriétaire. On va l'appeler ensemble, d'accord? Il y a autre chose aussi: j'ai justement besoin d'une pelle chez moi. Peux-tu me prêter la tienne?

Denis n'a pas sur lui le numéro de son propriétaire. Malgré ses promesses, il ne me rappellera pas pour me le donner, j'en suis convaincue, et il ne se présentera pas à son rendez-vous. Mais il repart content et rassuré d'avoir simplement trouvé une oreille attentive. Dans une semaine ou deux, il reviendra encore, mort de peur, avec une autre histoire abracadabrante où il interprétera encore un fait divers comme une menace à sa vie.

Au cas suivant, je crois reconnaître le jeune homme qui pénètre dans mon bureau en titubant. Étienne. Même pas vingt ans et déjà brisé par la vie. Ou plutôt brisé par ses parents, ou par ceux qui ne l'ont pas suffisamment aimé, élevé, encadré, compris. Sans demander la permission, il s'affale de tout son long dans l'un des fauteuils, blanc comme un drap et pris de tremblements. Puis il murmure, d'une voix faible et chevrotante:

— Chus venu parce que chus pus capable. J'ai pas mangé depuis trois jours, pis chus trop faible pour aller quêter au coin de la rue. J'pense, madame, que je vas mourir. Je veux mourir... Ça s'rait fini enfin, toute c'te marde-là!

— Où as-tu passé Noël, Étienne?

— Ché pas. Dans la rue, je pense.

— As-tu consommé?

— Euh... Madame, faites quequ'chose, je vas m'écraser!

Le garçon se met à tousser comme un défoncé. Je lui tends ma boîte de papiers-mouchoirs et, ahurie, je le vois cracher du sang. Du sang rouge, épais, abondant. Du sang, emblème de vie mais aussi indice de mort, mes fausses couches me l'ont largement démontré. J'avise aussitôt la secrétaire de demander au médecin sur place de recevoir d'urgence un de mes clients pour une consultation.

Une demi-heure plus tard, mon jeune dopé quittera le centre en ambulance après ses aveux au médecin d'avoir ingurgité d'importantes et dangereuses mixtures de je ne sais combien de cochonneries hallucinantes.

Ainsi se succèderont-ils dans mon bureau jusque tard dans l'après-midi, ces humains aux paysages éclatés, ces naufragés de l'âme en quête d'une main tendue avec compassion. Trop brisés, trop démunis, trop désorientés, trop vieux, trop souffrants ou l'esprit trop dérangé pour mener eux-mêmes leur barque contre vents et marées ou même naviguer paisiblement en eaux calmes.

En fin de journée, avant de fermer boutique, je jette un œil distrait sur les courriels reçus au cours du congé de Noël. À peu près rien de particulier ni d'intéressant. Seuls les deux derniers messages retiennent mon attention, entrés dans ma boîte, il y a à peine une heure.

Le premier provient de Maxime Sigouin, le quadriplégique :

Bonjour, madame Geneviève, j'espère que vous avez passé une belle fête de Noël. Moi, oui, tout le monde a apprécié la lecture de mon conte après la messe. Et chez vous, l'a-t-on aimé ? Hier, ma bénévole est venue passer la journée de Noël avec moi.

Bien sûr, Maxime, qu'on l'a aimé, ton conte ! Moi-même, je l'ai adoré et relu de nombreuses fois. Il m'a même fait pleurer. Je m'en veux de ne pas t'avoir téléphoné pour t'en reparler. Je me promets de le faire avant de partir, tantôt. Il n'y a que la malformation de l'agneau qui m'a quelque peu tourmentée, je l'avoue, compte tenu de ma condition de femme enceinte. Mais cela, tu ne pourrais pas le comprendre.

À ma grande surprise, le second message provient de mon beau Jean-Patrick :

À quelle heure prévois-tu rentrer pour le souper, mon
amour? J'ai tout préparé, Gabrielle et moi, nous
t'attendons. Que dirais-tu d'un petit repas familial devant
la cheminée? J'ai mis une bouteille de vin au frais.

Je t'aime,
Jean-Patrick

Le bonheur est là, chez moi et à portée de la main, si vivant, si
vrai. Si intense. Instinctivement, je caresse à travers mon ventre
cette frêle vie qui grandit en moi. Vite, quitter le centre pour oublier
toutes les misères humaines, ces cas lourds pour lesquels je ne possède pas toujours de solution magique. Vite, aller me ressourcer au
cœur de mon foyer afin de continuer à croire au bonheur avec assez
de force et de profondeur pour poursuivre, encore longtemps et à
ma manière, mon travail de reconstruction des horizons perdus
pour les égarés de ce monde. À mon humble et imparfaite manière
à moi... Et que le diable emporte les agneaux handicapés des contes
de Noël!

En actionnant le démarreur de ma voiture, je réalise soudain
que Natasha, la jeune droguée en cure de désintoxication qui m'a
téléphoné durant la nuit de Noël, n'a pas rappelé, ni le jour de Noël
ni aujourd'hui. Ah? Même confiée à un centre spécialisé en dépendance, elle avait demandé la permission de m'appeler chaque
jour. Tant pis pour moi si je m'inquiète! Je n'avais qu'à ne pas dé-
roger au code de déontologie en succombant à mes sentiments
maternels hypertrophiés.

CHAPITRE 4

En ce petit jour gris et neigeux du début de janvier, harassée par une grosse somme de travail, je passe instinctivement la main sur mon ventre à tout moment. Le ventre le plus nerveusement caressé du monde… Avant longtemps, je sentirai le bébé bouger. Aujourd'hui, je me retiens pour ne pas accourir, même sans rendez-vous, au bureau de mon gynécologue comme j'aurais envie de le faire chaque semaine. « S'il vous plaît, docteur, dites-moi seulement que tout va bien, que tout continue de se passer normalement. »

Je sais, je sais, toutes les futures mères connaissent tôt ou tard ce genre d'appréhension. Mais elles n'ont pas toutes perdu trois bébés à huit semaines de grossesse, elles ! Qui sait si les gènes de Jean-Patrick et les miens ne font pas mauvais ménage au point de fabriquer des enfants incompatibles avec la vie et bons seulement à retourner dans le néant d'où ils proviennent ? Ou dans le bol de toilette sous la forme « d'une bine », comme le disait méchamment l'infirmière de l'urgence.

Mais non ! Il y a Gabrielle, ma belle Gabrielle parfaitement, entièrement et totalement en santé, débordante de vitalité et d'intelligence. Gabrielle, ma consolation, ma garantie de normalité, la preuve qu'un enfant en santé peut encore grandir en moi. Comme toujours, ce matin, je l'ai déposée chez sa gardienne avec un pincement au cœur, même si elle n'a pas protesté et s'est dirigée allègrement, en oubliant de me dire au revoir, vers le groupe d'enfants affairés dans la salle de jeu. Chère petite bonne femme ! Ma vie, mon amour, ma douceur depuis presque trois ans.

Allons, ma vieille, cesse donc de fabuler, ton enfant sera en bonne santé, voyons ! L'enfant le plus normal et le plus beau du monde. Aujourd'hui, je ne peux cependant m'empêcher de confier ces craintes obsessives à Jean-Patrick dès mon retour à la maison. Je le trouve déjà occupé à préparer une salade. En éternel optimiste, il se contente de hausser les épaules en m'entendant lui répéter sempiternellement mes appréhensions. Mais j'insiste.

— Tu te rends compte, Jean-Patrick, s'il fallait qu'un enfant malade nous arrive ?

— Oh, franchement ! Cesse donc de t'énerver pour rien !

— Qui te dit que nos trois bébés perdus ne souffraient pas d'une maladie génétique ou d'un handicap majeur incompatible avec la vie ? Et si le prochain, atteint lui aussi, réussissait à y survivre par je ne sais quel caprice de la nature ? Et s'il nous arrivait amoché comme un petit agneau handicapé, hein ?

— Tu te tourmentes pour rien, Geneviève. Tu devrais prendre un rendez-vous chez un psychologue, il te calmerait peut-être les nerfs !

Il a raison, je le sais, mais j'aurais voulu l'entendre articuler affectueusement les mots magiques « Je te comprends », ces mots garants de partage et de complicité, ces mots réconfortants, ceux-là même que je prononce si souvent au cours de ma vie professionnelle, en dépit des recommandations des experts.

L'automne dernier, lors d'une formation sur la communication, on insistait sur l'importance des mots et on conseillait d'éviter la formule « Je vous comprends ».

— Dites plutôt : « J'entends ce que vous me dites. »

J'avais sourcillé et, sous le regard réprobateur de l'assistance, je m'étais lancée dans une discussion perdue d'avance.

— Excusez-moi, mais un vrai « Je vous comprends » sincère et spontané m'apparaît davantage significatif. Pour moi, il représente un gage d'empathie.

— Madame, il faut éviter, de la part des clients, des répliques du genre : « Tu ne peux pas me comprendre, toi, la travailleuse avec ta grosse job, ton gros salaire et ta belle vie ! »

— Certes, on entend ce que l'interlocuteur nous dit dans les deux sens du terme, soit ouïr et comprendre, c'est l'évidence même ! Cependant, quand une personne en difficulté éprouve un réel besoin de compassion, elle ne prend pas le temps d'analyser les mots. Je me trompe peut-être, mais un « Je te comprends » spontané qui vient du cœur a certainement plus d'impact et m'apparaît beaucoup plus significatif et réconfortant qu'un rationnel « J'entends ce que tu dis ».

— Désolé, mais ce sont les experts qui l'affirment.

— Dois-je en conclure que des êtres humains fort différents l'un de l'autre ne peuvent pas se comprendre ? Comme nous sommes tous uniques et différents…

Outrée, je me suis levée et ai quitté la salle de réunion plus convaincue que jamais de mes arguments. On ne m'empêchera pas d'essayer de comprendre les autres et de le leur dire avec mes mots et dans le blanc des yeux. Qu'ils aillent là où je pense, les experts ! Et tant pis pour l'argent dépensé pour subventionner de telles séances de perfectionnement !

Bref, il semble que mon homme appartienne davantage à la catégorie des « J'entends avec mes oreilles ce que tu me dis, mais pas certain que j'y porte attention » qu'à celle des « Je te comprends ». Ces deux dernières années, Jean-Patrick a vécu mes fausses couches comme s'il avait subi une crevaison à sa voiture : « Rien de grave, ma chérie, on change de bébé comme on change de pneu, puis on redémarre, voilà tout ! » Pour les épanchements, les états d'âme, les frustrations et craintes partagées, je peux repasser ! Je vis avec un rationnel, le roi de l'efficacité ! Amoureux de sa compagne de vie, certes, mais à sa manière. Fidèle, bon travailleur, père de famille irréprochable, calme, stoïque. Mais l'anti-romantique par excellence ! Quoique parfois, les chandelles sur la table et la bouteille de vin mise au frais… Et je ne parle pas de sa salade toujours réussie !

Ce soir, nous recevons ma belle-mère à souper, femme acariâtre s'il en est et dont je me méfie. C'est pourtant moi qui prends toujours l'initiative de l'inviter, plus par sens du devoir que par attachement. Elle a élevé Jean-Patrick seule et, depuis que nous vivons ensemble, lui et moi, elle arrive difficilement à admettre qu'une autre femme ait raflé son emprise sur la vie de son fils unique. Notre union hors du mariage a fait déborder la coupe. Même Jean-Patrick supporte mal les intrusions de sa mère dans notre vie de couple et dans notre façon d'élever Gabrielle.

Un fumet de ragoût de bœuf aux légumes émane de la mijoteuse et j'ai rapporté une tarte aux petits fruits de la pâtisserie en sortant du centre de services communautaires. Belle-maman n'aura pas à se plaindre comme la dernière fois, car son repas se conformera aux règles les plus strictes de la diététique. Il faut préciser qu'en dépit de sa soixantaine avancée, madame prend soin de sa ligne et se pomponne à qui mieux mieux.

Contrairement à ses habitudes de ponctualité militaire, la belle-mère accuse ce soir plus de vingt minutes de retard dues sans doute à l'accumulation de neige sur la chaussée. Pourtant, en ces derniers jours du congé de Noël, l'achalandage sur les routes a dû ralentir passablement.

Gabrielle, vient se coller le nez à la fenêtre, car elle attend son arrivée avec impatience. Ayant passé le temps des Fêtes dans le Sud, sa grand-mère lui remettra probablement, en guise de cadeau de Noël, un souvenir rapporté des îles.

— And-maman, and-maman, ze la vois !

En effet, je m'approche et découvre madame Lapierre tournée vers la maison, à l'intérieur de sa voiture, le poing en l'air et klaxonnant à tour de bras à toutes les trente secondes.

— Jean-Patrick, ta mère est arrivée et je la vois s'impatienter. Elle a besoin d'aide, je crois.

Sans protester, mon homme s'empresse de chausser ses bottes et de revêtir son anorak pour aller chercher sa mère blême de rage. En pénétrant dans la maison, le premier salut de Norma Lapierre refroidit l'atmosphère dans tous les sens du mot.

— Vous auriez pu venir avant ! J'attends à la porte depuis quinze minutes. C'est comme ça que vous recevez vos invités ?

— Nous nous trouvions dans la cuisine et n'avons rien entendu. Mais… il ne neige pas tant que ça, et Jean-Patrick avait dégagé l'entrée ! On n'a jamais pensé que…

— Ça aurait pu être glissant !

— Bonne et heureuse année, belle-maman ! Vous avez fait un bon voyage ? Qu'est-ce qu'on vous souhaite pour le nouvel an ?

— Une bonne année, ça me suffit.

Tant pis pour les vœux de sa part. Elle se reprendra l'année prochaine, je suppose.

— Et si on vous souhaitait un petit-fils, belle-maman ?

— Quoi ? T'es pas enceinte, toujours ? Mais êtes-vous devenus fous tous les deux ? T'aimes ça faire des fausses couches, toi, ma fille !

Je me mords les lèvres pour ne pas répliquer vertement à cette mégère de se mêler de ses affaires. Jean-Patrick sauve la face en brandissant les trois mois de grossesse déjà écoulés et en affirmant bien haut que, selon les médecins, la situation semble tout à fait normale, cette fois.

Incapable d'en supporter davantage et avant d'assassiner ma chère belle-mère, j'allume la télé du salon afin de créer une diversion pendant l'apéritif. Sur le tapis, Gabrielle tente, sans grand entrain, de rassembler les morceaux du casse-tête qu'elle vient de recevoir, vingt pièces illustrant le drapeau de la Jamaïque.

Sur l'écran apparaît soudain une chorale d'enfants sourds et muets[2]. Un sourire émouvant sur le visage malgré leur silence pathétique, ils miment avec des gestes précis une chanson[3] dont les mots chantés par une femme invisible apparaissent au bas de l'écran:

Il y a une place pour un enfant en vous,
En autant que vous croyiez aux contes de fées…

Des enfants handicapés, beaux comme des anges. Des enfants sourds et muets qui chantent avec leurs bras et leurs mains… Leur silence est à faire frémir, je ne peux retenir mes larmes.

La belle-mère se lève brusquement et en profite pour aller retaper son maquillage dans la salle de bain, tandis que son fils voit soudainement une urgence à brasser sa salade dans la cuisine, sans doute pour me laisser le temps de me ressaisir. Cette chère Norma ne restera pas longtemps après le repas plutôt silencieux, et je ne protesterai pas de l'heure hâtive à laquelle elle sonne son départ.

Après s'être inutilement habillé de nouveau pour donner le bras à sa mère afin de l'aider à franchir les dix pas entre la porte de la maison et sa voiture, Jean-Patrick vient me rejoindre dans notre

---

2. Dana Winner & Trans Oranje School for the Deaf.
3. *Let the Children Have a World.*

chambre. Il me trouve reniflant sur le bord du lit, incapable de chasser l'image poignante des enfants malentendants aperçus à l'écran. Des enfants déchirants d'émotion, des enfants merveilleux.

— Te rends-tu compte, Jean-Patrick, j'ai vu ces enfants chanter, je ne les ai pas entendus. Ils n'avaient pas de voix…

— Mon amour, quand donc vas-tu cesser de t'inquiéter de la sorte pour notre petit? Tu te rends malheureuse pour rien. Si jamais le destin nous affuble d'un bébé handicapé, on avisera en temps et lieu. On traversera la rivière quand on sera rendu à la rivière, pas avant! Tu entends ce que je te dis, Geneviève Martin?

— Oui, je t'entends, mais surtout, je te comprends.

CHAPITRE 5

Les jours se suivent et ne se ressemblent pas toujours. Si la misère humaine reste omniprésente dans mon bureau, elle prend différents visages selon qu'elle se faufile au coin des rues, au détour des ruelles et dans l'intimité des maisons, ou au fond des cours d'école quand ce n'est pas dans le va-et-vient sinistre des corridors d'hôpital, ou encore parmi la clientèle indifférente des bars du centre-ville. Cependant, le vagabond sans adresse, la mère abandonnée, le toxicomane sans volonté, l'étudiant sans le sou, la maîtresse rejetée, le jeune bafoué à l'école, le vieillard exploité, le déficient intellectuel mal soigné, quand ils franchissent ma porte et se trouvent devant mon bureau, ont tous en commun un espoir momentanément ravivé d'améliorer leur sort. Espoir parfois frêle et mince, dissimulé derrière une façade de tristesse ou camouflé sous un masque d'impassibilité trompeuse et pathologique, ou au contraire, espoir démesuré et utopique, exprimé, réclamé, exigé haut et fort. Trop haut et trop fort.

Alors, moi, armée de mon ordinateur, de mon téléphone, de ma pile de listes de services d'aide sociale, psychologique et médicale ainsi que de la tonne de documents encombrant ma table de travail, moi, dis-je, avec mes connaissances, mon écoute, mon mince pouvoir de persuasion, moi, avec mon cœur et ma raison, j'essaye de les aider et de répondre à leurs attentes. Si certains tiennent des propos émettant le doute, « Aidez-moi, mais vous n'y arriverez pas ! », d'autres me croient toute-puissante, détenant la clé de tous les organismes sociaux que des milliers d'années de civilisation ont abouti à mettre sur pied par nécessité afin de gérer ou d'amoindrir les problèmes développés par ces mêmes milliers d'années de civilisation. Dernier Recours, Maison du père, foyers d'accueil, cliniques, refuges, soupes populaires, popotes volantes, organismes d'entraide et d'écoute téléphonique, centres de thérapie de toutes sortes, services communautaires de dépannage, tous ces services pratiquent une médecine palliative contre les maux du siècle.

Pour tous ces démunis et ces sans-voix qui frappent à ma porte, j'incarne la planche de salut, la voie d'échappement, la solution. Hélas, mon unique pouvoir consiste, en général, à les diriger, en leur souhaitant bonne chance, vers des organismes trop souvent débordés par l'ampleur des problèmes générés par notre société actuelle.

Dieu merci, je dispose d'un remède de sorcière, une potion magique dont ma mère m'a un jour révélé le secret et qui soulage inconditionnellement ces infortunés : je les écoute avec compassion, première étape de toute remise en état. Quand ils s'en retournent avec en main une ébauche d'intervention, un rendez-vous ou l'adresse d'une personne-ressource, ils se sentent moins seuls. Quelqu'un, quelque part, les a compris et s'occupe d'eux. Ils ne se sentent plus seuls et peuvent enfin entrevoir une éclaircie de soleil dans leur misérable paysage. À tout le moins y rêver ! N'est-ce pas là le début de la solution ?

Ce matin, Richard s'est arrêté en passant juste pour me dire qu'il a réussi à rester sobre durant tout le temps des Fêtes, même si sa fille, dont il attendait follement des nouvelles, ne lui a pas donné signe de vie. Tout content, il arbore bien haut le bail qu'il vient de signer pour la location d'un appartement.

— J'ai apporté le document juste pour vous le montrer, madame Martin. Le croiriez-vous, c'est le premier vrai appartement de ma vie! Et je suis en train de tomber en amour, en plus! Une femme extraordinaire, et bonne cuisinière par-dessus le marché! Un de ces soirs, je vais vous inviter à souper, vous allez voir.

— Mais non, mais non, mon cher Richard. Amenez-la plutôt ici pour me la présenter.

L'homme a passé vingt-cinq ans de sa vie en prison. À sa libération, sans ses proches, tous perdus de vue à part sa fille qui ne veut plus entendre parler de lui, sans racines et sans emploi, il n'a trouvé rien de mieux que de sombrer dans l'alcool pour contrer son effroyable solitude. Il s'est alors mis à quêter sur le coin des rues, sale et repoussant, pour gagner sa maigre pitance mais surtout ses flacons de gin.

Un jour, un travailleur de rue nous l'a amené, et Richard a accepté d'aller en thérapie et de participer régulièrement aux rencontres des AA[4]. De notre côté, nous l'avons aidé à dénicher un emploi de concierge. Ce faisant, il est devenu un tout autre homme, sans doute celui qu'il est en réalité, sensible et joyeux, avec le cœur grand comme le monde. Arrivera-t-il jamais à recréer des liens avec les siens et à vivre une relation heureuse et normale avec sa nouvelle conquête? L'avenir nous le dira, mais s'il reste debout et la tête solide, qui sait s'il ne trouvera pas une forme de petit bonheur paisible et tranquille? Pour tous ses efforts, il le mériterait bien. Je le regarde partir, l'air tout content, portant son bail à bout de bras comme s'il s'agissait d'un trophée. Son avenir lui appartient enfin!

Lui succède dans mon bureau une femme éplorée, Catherine Lecours. Je la rencontre pour la première fois. Elle m'apparaît fort sympathique malgré ses traits tirés, son teint blafard et ses cheveux en bataille. L'image parfaite d'une femme rendue au bout de son

---

4. Alcooliques Anonymes.

rouleau. Ses premiers mots, avant même de s'asseoir, ne manquent pas de confirmer mon impression.

— Mon mari et moi, on n'en peut plus. Ma résolution pour la nouvelle année est de venir demander de l'aide ici. Alors, me voici !

— Assoyez-vous, ma bonne dame, et dites-moi ce qui ne va pas.

— Nous avons emménagé dans la région, l'automne dernier, avec nos trois enfants de huit, quatorze et seize ans. Je n'arrive plus à m'occuper d'eux toute seule, car mon mari travaille dans le Grand Nord sur un contrat d'Hydro-Québec et il revient à la maison seulement pour trois ou quatre jours, toutes les deux fins de semaine. Julien, notre fils aîné, est handicapé. Il est rendu plus grand que moi, vous comprenez, et il me faut lui donner son bain toute seule, en plus de l'habiller matin et soir. Les vacances de Noël se terminent demain, et les enfants vont reprendre le chemin de l'école. Julien, lui, va retourner dans son centre de jour pour handicapés intellectuels où j'ai réussi par moi-même à le faire admettre. Pourtant, je sens que je vais devenir folle.

— Oui, j'entends bien ce que vous dites, mais je voudrais davantage d'explications.

Je me pète intérieurement les bretelles, fière d'avoir observé, en dépit de mes résolutions, la consigne du centre de formation et d'avoir brandi un « J'entends bien ce que vous dites » bien placé. Mais mon interlocutrice s'empresse de poursuivre, coupant court à mes soupirs de satisfaction.

— Les plus jeunes prennent deux autobus scolaires différents et Julien, lui, doit attendre devant la porte le passage de la voiture de transport adapté qui l'amène à son centre. Imaginez un peu : les sacs d'école, les lunches, les collations, les vêtements, tout doit être fin prêt sinon les autobus passent tout droit leur chemin. Le soir, la même frénésie recommence : les devoirs, les leçons et le transport aux activités des deux plus jeunes, le repas, les bains, le coucher pour les trois…

— Et vous, occupez-vous un emploi?

— Oui, je fais du secrétariat pour un avocat, à temps partiel et à la maison. Je faisais, devrais-je dire, car je viens de lui remettre ma démission. Je n'en peux plus, madame, je n'en peux plus! Et je ne veux plus envoyer Julien à ce centre de jour. Il n'y fait aucun progrès, car les bénéficiaires sont tous plus fous que lui! Beaucoup, énormément plus fous que lui! Julien possède tout de même un certain potentiel de conscience et même de raisonnement qu'il faudrait exploiter davantage. De l'installer dans un coin pendant des heures et des heures comme dans un stationnement s'avère néfaste pour lui, à n'en pas douter.

— Vous avez parfaitement raison.

— De plus, imaginez-vous que l'autre jour, l'autobus l'a déposé par erreur à l'hôpital pour enfants au lieu de le mener au centre. Mon pauvre petit gars a passé là presque trois heures, assis dans le hall d'entrée sur sa chaise roulante, incapable d'expliquer ce qui lui arrivait et sans que personne ne s'occupe de lui. Si je n'avais pas appelé au centre par hasard, ce matin-là, je n'aurais jamais su qu'il n'était pas encore arrivé. Ma foi, je pense qu'il se trouverait encore là, dans l'entrée de l'hôpital! Ah oui, il faudrait lui trouver autre chose, madame, et ça urge, croyez-moi!

— Euh… vous parlez de fauteuil roulant. Dois-je en déduire qu'il est à la fois handicapé intellectuellement et physiquement?

— Exactement!

La femme se réfugie soudain dans le silence et essuie discrètement une larme, de toute évidence exténuée, dépassée par l'ampleur de ses problèmes et de sa trop lourde tâche. Une femme forte, pourtant, je n'en doute pas un instant. Instinctivement, je porte les mains sur mon ventre et prononce la question qui s'impose, même si ce sujet-là me cause actuellement des frissons d'angoisse.

— Parlez-moi de Julien. Souffrait-il déjà de son handicap à sa naissance ?

— Mon fils souffre de paralysie cérébrale. Selon les docteurs, à cause d'une naissance difficile, son cerveau aurait manqué d'oxygène, et il est né paralysé des deux jambes en plus d'accuser un certain retard intellectuel. Et parce que, jusqu'à l'âge de cinq ans, il réussissait malgré tout à se traîner par terre, il a développé une grave allergie à la poussière. Évidemment, à l'époque, cela déclenchait continuellement de terribles crises d'asthme. Vous n'avez pas idée du nombre de nuits blanches que j'ai passées à cause de cet enfant-là, madame ! Vers l'âge de six ans, on l'a opéré pour lui déplier les jambes et l'aider à se mettre debout. Je ne compte plus les séances de physiothérapie où j'ai dû le mener et le mène encore, même à seize ans. Des centaines de fois, sinon plus ! Et ce n'est pas fini !

— Peut-il se déplacer par lui-même ?

— À la maison, il circule avec l'aide d'une marchette. Autrement, on utilise une chaise roulante, mais il éprouve toujours de la difficulté à se lever et à s'asseoir à cause d'un problème de tonus musculaire.

— Et mentalement, comment ça va ?

— Dès son enfance, on a diagnostiqué une déficience intellectuelle. On l'a donc orienté vers une école spécialisée pendant quelques années. Toutefois, il a à peine réussi à apprendre à lire et à écrire. Rendu à la première année du secondaire, mon mari et moi avons décidé de le retirer de l'école. Ça ne servait à rien de s'acharner. Là où nous habitions, notre médecin de famille a toujours joué à la fois le rôle de médecin et de psychiatre. Il m'a souvent donné l'impression de s'en ficher. Mon fils aurait eu besoin de voir un spécialiste, il me semble ! Même chose, maintenant, concernant le fameux centre pour personnes souffrant de déficience intellectuelle où il passe ses journées. Ils ne font rien pour l'aider à progresser.

On me farcit continuellement de belles promesses, mais il ne se passe jamais rien.

— Peut-être faudrait-il insister davantage auprès d'eux? Je pense que vous êtes mal tombée. Il existe des ressources mieux adaptées à votre fils et certainement plus efficaces. Je ne connais pas ses forces et ses limites, mais je me demande si votre Julien ne serait pas plus apte à exécuter, dans une manufacture, un petit travail qui le valoriserait et lui rapporterait quelques sous. Il faudrait le faire évaluer. Quoique, à seize ans, il me paraît plutôt jeune pour entrer sur le marché du travail. Il va falloir vous armer de patience pendant encore un bout de temps, j'en ai bien peur.

À mon étonnement, je vois Catherine Lecours bondir sur ses pieds et se rapprocher pour venir appuyer ses deux mains sur le bord de mon bureau.

— J'ai tout essayé pour cela, madame, tout! Et ça n'a rien donné. Écoutez-moi bien: je viens ici en dernier recours. Un nouveau problème est en train de se développer et celui-là, il me dépasse et me fait peur, je l'avoue, même si je suis une femme intelligente et débrouillarde.

— Expliquez-vous davantage, je vous en prie.

— Mon fils Julien tolère de moins en moins la présence de son père et il devient violent dès que mon mari revient du chantier. Je crains qu'un jour, il ne survienne un malheur. Ou encore que mon mari ne me mette, moi, sa femme, au pied du mur: ou on place définitivement Julien en institution à temps plein, vingt-quatre heures par jour et sept jours par semaine, ou bien il me plaque avec les trois enfants.

— S'il s'agit sérieusement de violence, il faut y voir immédiatement.

— Comprenez-moi bien. Oui, quelque chose doit changer et, oui, il s'agit d'une urgence, madame, d'une urgence sérieuse. Mais je ne veux pas perdre mon fils, mon pauvre petit garçon… Grâce à moi, et à son frère et sa sœur qui ne cessent de le stimuler, Julien fait des progrès malgré tout, je vous le jure. S'il s'en va vivre à temps plein dans une institution pour des déficients comme lui, on va lui enlever toutes ses chances de continuer à se développer.

Je prends nerveusement des notes : *Programme de soutien à la famille qui finance du répit à domicile – Nouvelle évaluation requise sur l'état mental du jeune homme et sur sa relation avec le père – Référence au centre de réadaptation en déficience intellectuelle pour un soutien éducatif spécialisé et voir si possibilité d'un travail adapté – Revoir de nouveau l'ergothérapeute.* Je songe surtout à la longueur des listes d'attente pour obtenir ces services. Si seulement je pouvais faire des miracles ! Lentement, je trace et souligne sur ma feuille le mot *Urgent* en souhaitant qu'il accélérera le processus.

— Pour le moment, ma pauvre dame, je ne peux vous promettre qu'une seule chose : le nom de votre fils figurera sur les listes de demande d'aide dès aujourd'hui. Quant à vous, soyez assurée qu'avant longtemps, quelqu'un viendra à la maison une ou deux fois par semaine pour vous donner un coup de main pour les repas et la douche de votre fils. Quant à son état mental, puisque vous craignez réellement des actes d'agressivité de sa part, il faut revoir votre médecin sans hésiter et le plus tôt possible. Il lui changera ses médicaments et l'aiguillera vers des soins psychiatriques appropriés. S'il ne peut vous recevoir bientôt, insistez auprès de sa secrétaire ou présentez-vous avec Julien à une clinique sans rendez-vous ou à l'urgence de l'hôpital de votre quartier en brandissant bien haut le danger dont vous et les vôtres vous sentez menacés. Vous comprenez bien ce que je vous dis ? Il faut user de prudence, cela s'avère primordial pour votre sécurité et celle de votre famille. Vous me comprenez ?

— Oui, madame. Merci, madame. Cette visite me fait du bien !

— Tant mieux, madame Lecours… Pour l'aide domestique, on vous rappellera sous peu, c'est promis. Et prenez un autre rendez-vous, je veux vous revoir. Il faut faire bouger les choses. Voyez-vous un psychologue pour vous-même ?

— J'en ai déjà eu un mais plus maintenant. Mes moyens financiers ne me le permettent plus.

— Ça me semble pourtant nécessaire. J'en prends note. Au revoir madame et à bientôt.

J'ajoute sur ma liste : *Évaluation familiale et rencontres indispensables pour la mère avec un psy.* Puis je la regarde s'éloigner, la tête un peu moins basse qu'à son arrivée. Pauvre femme, avec son boulet à traîner jusqu'à la fin de ses jours… Je ne lui ai rien apporté, pourtant, à part de vagues promesses et propositions.

Soudain, mes fausses couches sans séquelles m'apparaissent comme des problèmes disparus d'eux-mêmes avant de se concrétiser. Des vétilles à côté de ceux de cette sympathique Catherine Lecours. Interloquée, je vois tout à coup la femme rebrousser chemin pour revenir me lancer, sur un ton incisif :

— Vous savez quoi ? Heureusement que cet enfant-là m'a comme mère ! Moi, et personne d'autre ! Je vais tout faire pour le garder auprès de moi.

— Je vous comprends, madame, je vous comprends tellement ! Des femmes comme vous mériteraient d'être citées en exemple dans les médias et sur la place publique pour leur courage et leur détermination. Pour leur fibre maternelle extraordinaire aussi… Allez ! Je suis certaine que tout va aller pour le mieux, maintenant.

Cette journée s'étire jusqu'à l'heure du souper. Je quitte le CLSC à la hâte. Vivement ma petite oasis, mon paradis familial ! Une neige fine a transformé le stationnement en un paysage féerique, un monde de blancheur et de silence. Allons, ma vieille, remercie le ciel. La pureté, la paix, le bonheur existent quelque part pour toi.

Comme si mon bébé comprenait mes pensées, je le sens s'agiter légèrement au creux de mon ventre.

CHAPITRE 6

Par une nuit d'été chaude et humide, Félix est venu au monde avec une facilité relative, en présence d'un papa heureux et d'une grand-maman ravie. Et, bien sûr, d'une mère à la fois comblée et soulagée.

Dès son premier cri, j'ai enfin senti s'ouvrir les portes des terribles écluses de l'appréhension et de la frayeur, ces barrières malsaines retenues depuis des mois au fond de mon jardin secret. Dieu soit loué, le médecin m'a remis dans les bras un bébé magnifique et en bonne santé. Mon fils possédait «tous ses morceaux», il respirait, il bougeait, il hurlait à fendre l'âme. Et moi, je me suis mise à crier avec lui, et nos cris emmêlés ont constitué le plus grand hymne à la vie jamais chanté, la fin d'une épouvantable névrose de mère. Jean-Patrick, quant à lui, est resté fidèle à lui-même et a joué au père au-dessus de ses affaires, prenant placidement des photos. Il n'a semblé nullement surpris d'hériter d'un fils tout à fait normal comme il se doit.

L'obsession du manque d'oxygène à la naissance, cette tragédie qui a rendu Julien, le fils de Catherine Lecours, incapable de marcher seul et surtout de porter un regard lucide sur le monde, m'aura hantée, telle une épée de Damoclès, jusqu'à la fin de ma grossesse.

Cette femme, pourtant de compagnie agréable, est revenue à quelques reprises au CLSC, tout au long de l'hiver, pour signer des papiers, accompagnée de son fils affalé au fond de sa chaise roulante. Malgré mon travail m'amenant souvent à rencontrer différents handicapés, la vue de ce grand jeune homme aux yeux bleus vides me confrontait chaque fois au drame que je craignais tant, soit celui de mettre au monde, moi aussi, un enfant souffrant d'une anomalie après mes trois fausses couches inexpliquées. L'une de ces visites a donné le signal de mon départ pour un congé de grossesse bien mérité. Je n'en pouvais plus, il me fallait changer d'air.

Jean-Patrick, lui, n'a jamais partagé mes folles inquiétudes et n'a cessé de me répéter la même rengaine.

— Arrête donc de t'énerver avec ça, Geneviève! Toutes les femmes prennent ce genre de risques en donnant naissance à un enfant. Il faut faire confiance à la nature, voyons! On dirait que tu as oublié notre Gabrielle rayonnante de santé physique et mentale. Un peu d'optimisme, que diable!

J'ai cessé de lui confier inutilement mes craintes. Seule ma mère, Nicole, m'écoutait, me rassurait, me berçait. Jamais je ne me suis sentie aussi proche d'elle. Un jour, elle m'a raconté ma propre naissance. À mon grand étonnement, elle se souvenait des moindres détails de l'accouchement dit naturel, donc sans injection d'analgésique. Quand elle s'est mise à mimer la technique respiratoire pour soulager la douleur, je n'ai pu résister à l'envie de l'inviter à assister à la naissance de son deuxième petit-enfant. Sa présence et sa compréhension allaient me rassurer et me calmer durant ce grand moment.

— Mais... que va dire Jean-Patrick? Cet événement vous concerne tous les deux, pas moi!

— Il ne dira rien, maman. Ton appui et ton expérience ne peuvent que nous faire du bien à tous les deux.

En effet, la présence de ma mère, toute discrète fût-elle, s'est avérée fort précieuse. Et quel bonheur de partager avec elle ce moment unique !

Deux semaines après l'accouchement, lors du mariage de mon frère Simon avec sa belle Fanie, j'ai offert aux mariés, en accompagnement de notre cadeau de noces, de devenir parrain et marraine, ce qu'ils ont accepté avec plaisir. Lors du banquet qui a suivi la cérémonie du mariage, j'ai eu, bien sûr, la fière intention de présenter mon *petit poucet* aux invités.

Mais fâcheusement, le bébé a hurlé à fendre l'âme pendant les trois heures durant lesquelles Jean-Patrick et moi, quelque peu décontenancés, nous sommes entêtés à demeurer sur place. J'ai eu beau présenter maintes fois le sein au bébé, le cajoler, le promener, lui chanter des chansons et lui redonner sans cesse sa sucette, rien n'y a fait. Félix Lapierre ne semblait pas d'accord avec cette première sortie et il a persisté à manifester sa colère à sa manière, sans nous laisser de répit.

Or, depuis sa naissance, il faut bien le dire, cet enfant-là pleure presque continuellement. Je le soupçonne d'avoir faim, car il arrive mal à saisir le mamelon et à boire goulûment et à satiété comme le faisait sa sœur Gabrielle. Je ne manque pas de lait, pourtant, et les interminables séances de tétage sont devenues plutôt pénibles, avec le lait répandu partout, le bébé affamé et époumoné à force de brailler et sa mère totalement épuisée. À force de ne pas dormir, je sens mes nerfs à fleur de peau.

De son côté, je me doute bien que Jean-Patrick compte les jours avant la fin de son congé parental afin de pouvoir retourner à son laboratoire pharmaceutique où il pourra enfin respirer l'air libre et travailler paisiblement. Quant à Gabrielle, notre sage petit bout de femme, elle est devenue méconnaissable. Dans le but évident de réclamer l'attention dont on la prive bien involontairement depuis un certain temps, elle se comporte en véritable petite peste rebelle et capricieuse.

Bref, en l'espace de quelques semaines, Félix, notre tyran national de trois kilos et demi, a transformé la réalité calme et sereine de la famille Lapierre en une existence infernale.

Devant cet état de choses, ma mère a offert de venir nous donner un coup de main.

Ma chère maman, toujours en lune de miel avec son Philippe, s'est transformée depuis Noël. Je la trouve tellement plus joviale et sereine. Ce charmant ingénieur à la retraite a comblé sa solitude et révolutionné son existence. J'en ressens un grand soulagement. Grâce à ce monsieur Beausoleil, le soleil brille effectivement de mille feux, au moins de ce côté-là.

— Va, ma fille, va souper au restaurant et ensuite au cinéma avec ton amoureux. Ça va vous changer les idées, vous en avez rudement besoin, tous les deux.

— Je ne peux pas, maman. As-tu pensé à mes montées de lait? Le bébé demande à téter toutes les deux heures quand ce n'est pas davantage.

— Je vais lui préparer un biberon de lait maternisé commercial, à ce petit-là. Pour une fois, ça ne va pas le faire mourir! Tu te désengorgeras les seins dans les toilettes si c'est nécessaire, voilà tout!

Au restaurant, l'espace de quelques heures, j'ai eu l'impression d'avoir déboulé sur une autre planète et d'être redevenue la jeune femme d'autrefois, insouciante et détendue. L'atmosphère feutrée, les bougies sur les nappes blanches, la musique en sourdine, le léger tintement des verres et des ustensiles, les conversations à mi-voix, tout m'a emportée dans une dimension que j'avais presque oubliée. Soudain, le reste de l'Univers n'existait plus. Une fois nos coupes remplies par le serveur – celle de Jean-Patrick, de vin et la mienne, d'eau glacée – mon homme m'a regardée avec des yeux plus brillants qu'à l'accoutumée, puis il a pris ma main par-dessus la table et y a déposé une petite boîte enrubannée. Ça alors! Moi qui, l'autre jour, le traitait d'anti-romantique!

— Tiens, ma belle Geneviève. Ta mère ne pouvait mieux tomber pour garder les enfants car, ce soir, j'avais l'intention de t'offrir un petit cadeau pour te remercier de m'avoir donné un fils.

Sidérée par une si délicate pensée, je suis restée muette. La boîte contenait de fort jolies boucles d'oreilles en or judicieusement choisies.

— Alors, mon amour, elles te plaisent? Peut-être aurais-tu préféré une bague de fiançailles?

— Quoi? Une bague de fiançailles! Comment ça, une bague de fiançailles?

— Eh bien, nous avons deux enfants maintenant. Peut-être devrions-nous légaliser notre union... Tu sais, signer un contrat, un acte notarié et, pourquoi pas, consacrer une promesse à l'église.

— Oh là là! Jean-Patrick, dois-je considérer ça comme une demande officielle en mariage? N'avions-nous pas convenu qu'une union libre suffirait, avec toute la confiance et la complicité qui existent entre nous?

— Oui, oui, je sais, mon amour. Mais à cause des enfants, peut-être devrions-nous y songer sérieusement, un de ces jours.

Abasourdie et sans doute trop épuisée pour réfléchir sérieusement à un tel projet pour le moment, je n'ai pu que répondre, avec ferveur et d'une voix brisée par l'émotion:

— Je t'aime, Jean-Patrick, et je veux vivre avec toi pour le reste de mes jours, mariée ou non, tu le sais bien!

Puis, bêtement, j'ai senti monter les larmes. Hélas, quelques heures plus tard, je n'ai pas mis de temps à pleurer pour une tout autre raison, une fois de retour à la maison où ma mère semblait m'attendre avec un certain désarroi.

— Écoute, Geneviève, Félix a un problème, j'en mettrais ma main au feu. Il n'a pas plus réussi à boire au biberon qu'il n'arrive à prendre ton sein. C'est bien simple, cet enfant-là ne sait pas téter! Depuis votre départ, il n'a pas cessé une seule minute de brailler en se tortillant de tous les côtés. Je ne suis pas spécialiste, mais ce petit-là a l'air d'avoir mal au ventre. À ta place, je retournerais le faire examiner par le médecin dès demain. Il m'inquiète. Et puis, sans stimuli suffisants, tes montées de lait risquent de diminuer rapidement.

— Tu as raison, maman. On me reproche de m'être inquiétée pour rien, mais je pense moi aussi qu'il se passe quelque chose d'anormal.

Comme si le ciel venait de me tomber sur la tête, je me suis alors mise à sangloter. Même ma mère se faisait du mauvais sang maintenant… Pleurer ne règle rien, je le sais et je me demande parfois pourquoi les larmes viennent inonder si souvent mon visage. J'envie Jean-Patrick pour sa capacité d'envisager froidement n'importe quelle situation. Mais providentiellement, ces ruissellements, si involontaires et imprévus soient-ils, me vident d'un trop-plein qui risquerait de me submerger, de me noyer l'âme, et le cœur, et l'esprit, et…

Et toi, mon petit Félix, pourquoi pleurer autant? De quel droit le destin t'impose-t-il déjà les douleurs d'un mal de vivre alors que tu ne connais même pas la joie de vivre? Tes pleurs sans larmes, secs et arides à cause de ton âge précoce, et tes cris sans mots m'égratignent à cœur de jour et de nuit. Pourquoi souffrir autant quand on a à peine vingt-sept jours?

Le pédiatre Sansoucy porte bien son nom: il ne se fait pas de souci pour un bébé qui pleure. D'ailleurs, comment arrive-t-il à entendre avec son stéthoscope, à travers les borborygmes, la détresse d'un nouveau-né? Félix ne devrait, ne doit pas souffrir, il est trop petit, cela n'a pas de sens. Vite, je vous en prie, docteur, réparez cette horrible injustice du destin.

Le médecin entend-il ma muette supplication ? Il se contente de me lancer froidement les mots banals qu'il prononce sans doute à cœur de jour aux mères éplorées inutilement.

— Bon, je ne vois rien de grave, madame, à part des coliques bien normales à cet âge-là. Il peut arriver chez certains bébés que les intestins ne soient pas complètement formés et ne peuvent remplir parfaitement leur rôle avant quelques semaines après la naissance. Ça va lui passer, ne vous inquiétez pas.

— Ne venez pas me dire qu'il s'agit seulement de coliques. J'ai une autre enfant, docteur, et ça ne s'est pas passé du tout de cette manière avec elle.

— Chaque enfant a son propre rythme de développement et réagit différemment, madame. Je vais lui prescrire des gouttes, ça devrait sans doute le calmer. Et vous devez absolument persévérer à l'allaiter naturellement. Votre bébé n'a pas pris suffisamment de poids.

— Ah mon Dieu ! C'est grave ?

— Non, non, rien d'alarmant encore. Tout va rentrer dans l'ordre d'ici peu, je vous l'assure.

— Je veux bien, docteur, mais il boit deux ou trois minutes et il se met à hurler à tous coups par la suite. Et ça recommence au bout de quelques minutes. Je suis en train de devenir folle.

— Avec le temps, il va s'habituer, vous verrez. La nature s'imposera forcément. Même les nourrissons ne se laissent pas mourir de faim. Faites-moi confiance.

— Je n'en peux plus, je n'en peux plus…

Soudain, je réalise que je suis en train de prononcer une phrase entendue des centaines de fois au cours de ma carrière de travailleuse sociale, ce travail présentement enfoui si loin de mon quotidien que je me demande s'il a vraiment existé. À mon tour d'afficher mon désespoir et d'appeler au secours, dépassée par une insignifiante histoire d'enfant qui braille et réclame maintenant continuellement le sein. Je me sens soudainement ridicule et m'empresse de ramasser mes affaires pour sortir au plus vite du bureau de consultation.

— Le temps arrangera les choses, ma chère dame.

Moi, au moins, je ne lance pas cette phrase passe-partout à mes clients, docteur. Moi, je ne me fie pas au temps et je fournis les efforts nécessaires pour arranger concrètement les choses le plus rapidement possible. Allez là où je pense, docteur! Au lieu d'exprimer ces pensées vitrioliques, je m'empare de mon bébé recroquevillé et hurlant sur la table d'examen et je franchis la porte la tête haute. Viens-t'en, mon Félix, on va affronter la vie ensemble, toi et moi, main dans la main. Le bébé saisit-il ma pensée? Il se calme momentanément et je peux enfin ramener à la maison l'enfant détendu et heureux que je rêvais de mettre au monde.

Je retrouve alors une grand-mère endormie sur le divan du salon et un Jean-Patrick ronflant son insouciance dans notre lit avec Gabrielle blottie contre lui. Sur la table m'attend une enveloppe livrée par la poste et adressée à mon nom. Elle porte le sigle du centre local de services communautaires.

À mon grand plaisir, je découvre une courte lettre accompagnée d'une photo de Maxime Sigouin.

Bonjour, madame Geneviève. Le centre local de services communautaires a refusé de me dévoiler votre adresse personnelle, mais on m'a promis de vous faire parvenir ce message. Je suppose que la naissance de votre bébé a maintenant eu lieu et je vous en félicite. Longue vie heureuse à

votre enfant! Il a la chance d'avoir la maman la plus mer-
veilleuse de la terre.

Pour ma part, en plus d'écrire abondamment pour le
journal local, toujours grâce à l'aide de ma chère bénévole,
j'ai le plaisir de vous annoncer que le populaire magazine Les
Carnets de Chez-nous a accepté de publier mes textes à
chaque mois. Cela me tient très occupé en plus de me rendre
heureux. Je vous dois encore mille mercis pour m'avoir ou-
vert cette porte sur l'écriture. Cette activité extraordinaire
me prête enfin une voix, moi qui n'en possédais pas. J'ai bien
hâte de vous revoir. Comment ça va avec votre bébé et à
quand votre retour au centre? Voici une photo que ma béné-
vole a prise de moi, exprès pour vous.

Amicalement,
Maxime Sigouin

Sur la photo, Maxime, assis devant son ordinateur, me sourit de
toutes ses dents, la bouche un peu tordue. Et ce sourire, plus que
n'importe quoi d'autre au monde, donne le courage à «la mère la
plus merveilleuse de la terre» d'aller de l'avant et d'affronter l'avenir
avec un cœur plus léger. Si lui le fait, moi aussi, je le peux!

CHAPITRE 7

Jusqu'à un certain point, le docteur Sansoucy n'avait pas tort. Depuis quelques mois, les choses se tassent un peu. Si peu… Félix a finalement surmonté ses difficultés de succion et réussi à boire normalement à mon sein, parfois même au biberon. Par contre, il est encore à des décennies de faire ses nuits, mais son estomac mieux rempli lui permet tout de même de prolonger ses trop courtes siestes. Cela n'empêche pas ses nombreux réveils nocturnes de me rendre dingue.

Parfois, je songe aux histoires cauchemardesques d'enfants secoués ou violentés par leurs parents sur lesquelles enquête ma cousine Isabelle dans l'exercice de ses fonctions de sergent détective pour des causes de maltraitance rapportées par la DPJ[5]. Des cas à faire dresser les cheveux sur la tête et à donner envie de crucifier ces parents tortionnaires et irresponsables. Maintenant, je comprends mieux ces hommes et ces femmes épuisés, dépassés, rendus à bout au point de perdre le contrôle de leurs pulsions.

---

5. Direction de la protection de la jeunesse.

Je n'en viendrai jamais jusque-là, je suis certaine, mais combien de fois, les nerfs en boule, n'ai-je pas maintenu Félix à bout de bras en lui criant par la tête: «Ça suffit, là, Félix, c'est assez! Arrête de brailler, parce que j'en peux plus, moi! As-tu compris? J'en peux plus!»

De là à poser un geste fatal, il ne reste qu'un mince pas à franchir pour une jeune mère célibataire démunie et sans aide, ou pour une femme déjà aux prises avec mille autres problèmes. Ou encore, pour un père qui désirait plus ou moins cet enfant qui lui empoisonne l'existence. Maintenant, même si je ne les excuse pas, je comprends mieux ces agresseurs agissant la plupart du temps involontairement. C'est trop facile de leur jeter la pierre!

Les premiers temps, grâce à mon sac porte-bébé constamment accroché à mes épaules, même pour passer l'aspirateur, j'ai découvert le moyen d'apaiser Félix. Lors de ses multiples périodes de crise, ma main chaude posée sur sa petite tête duvetée et des mots de tendresse murmurés d'une voix douce contre son oreille suffisaient habituellement à le consoler et à ramener un calme dont j'étais en train de perdre la notion.

Par contre, j'ai réalisé à la longue que le geste affectueux de ma main, bien plus que mes paroles, produisait l'effet escompté, ce qui a eu pour conséquence de réveiller mes anciennes appréhensions au sujet de ses capacités intellectuelles.

— Regarde, Jean-Patrick, Félix ne tourne pas les yeux vers moi quand je lui parle. Ça m'énerve… S'il fallait qu'il n'entende pas!

— Ah! tu ne vas pas recommencer à t'en faire pour rien, tout de même! Donne-lui donc le temps, à ce petit-là!

— Mais il ne sourit pas non plus. À quatre mois, Gabrielle nous gratifiait depuis longtemps des plus beaux sourires édentés du monde, tu te rappelles? Elle avait même commencé à gazouiller et à rire aux éclats.

— Chaque enfant a son rythme de croissance, voyons! Tu fabules, Geneviève. Avec tes chimères, tu empoisonnes ton existence...

Et la sienne, je le sais! Mais mon homme s'est bien gardé de terminer sa phrase. Est-ce le déni ou la désaffection qui, depuis quelque temps, éloigne mon conjoint de son fils et même de moi? D'où lui vient un tel détachement envers le bébé et même cette indifférence soudaine à mon égard, lui qui voulait m'épouser, il n'y a pas si longtemps? Il n'en a que pour Gabrielle. Combien de fois n'est-il pas parti avec elle, au parc ou en excursion, sous prétexte de «laisser maman tranquille» alors qu'au contraire, j'aurais souhaité sortir en famille? Une virée dans la campagne derrière la poussette pour admirer les couleurs de l'automne ou un petit lunch dans un restaurant familial, histoire de m'évaporer, de sortir de mon antre et de sentir que la terre continue toujours de tourner, Dieu que j'en ai besoin! Pourquoi ne pas m'évader et oublier, durant quelques heures, ma condition de prisonnière d'un amour maternel fou et inconditionnel à l'intérieur de ce terrible cocon tissé de cris et de pleurs? Des cris et des pleurs que Jean-Patrick ne peut plus, ne veut plus entendre en dépit de mes tentatives, je le sens bien.

— Dis donc, mon chéri, si on faisait une petite sortie en famille?

— Cet enfant-là n'est pas sortable, il braille tout le temps!

— Et si tu t'en occupais pour quelques heures, histoire de me donner un peu de répit?

— Hum... m... ouais...

Pas une seule fois, depuis le début de notre union, mon conjoint n'était allé dormir chez sa mère en banlieue, mais voilà que maintenant, tout devient prétexte pour s'y réfugier: la proximité de son bureau situé tout près de la résidence de Norma Lapierre ou encore, la mauvaise température, le trafic, la nécessité de bien dormir à cause d'un rendez-vous important le lendemain matin. La pire excuse consiste à me faire croire qu'il veut simplement «faire plaisir

à maman » ! Allons donc, la belle affaire ! Et moi, je dois gober ça !
Sa relation avec sa mère ne s'est pourtant jamais révélée très chaude,
j'en sais quelque chose pour avoir tenté moult fois de résoudre des
disputes insignifiantes entre la mère et le fils. Pour avoir moult fois,
aussi, traîné Jean-Patrick « en laisse » pour qu'il rende, de temps
à autre et par devoir filial, une visite obligée à la chère Norma. À
croire que les temps ont changé !

Comment interpréter ce revirement, sinon par un ras-le-bol de
l'atmosphère irrespirable de la maison ? Et moi, alors ? N'ai-je pas
droit aussi à des moments d'évasion ? Quelques sorties, des virées
avec les copines ou même un petit dodo chez ma mère de temps
en temps ? Mais, moi, je ne découche pas pour aller dormir chez
maman, moi, je reste sagement à la maison pour m'occuper de
NOS enfants et donner la tétée à NOTRE petit monstre de fils !

Une seule fois, Dieu les bénisse, mon frère Simon et sa belle
Fanie ont offert de jouer leur rôle de parrain et de marraine, et de
venir garder leur filleul et sa sœur à la maison, l'espace de quarante-
huit heures, pour offrir du repos aux parents de notre « braillard
national ». Cette fin de semaine d'amoureux dans une auberge cam-
pagnarde a heureusement rapproché notre couple et ramené
momentanément les choses à la normale. Pendant ces deux jours
au septième ciel, j'ai retrouvé mon amoureux, mon trésor, mon
amant. L'homme de ma vie et ma vie de femme ordinaire, quoi !

Toutefois, lorsque j'ai voulu parler de Félix entre deux apéritifs,
Jean-Patrick m'a vertement répondu que nous nous trouvions dans
cette auberge justement pour l'oublier, celui-là. Il avait raison. J'ai
ravalé ma salive et refermé mon écrin de silence sur mes angoisses
à son sujet.

Heureusement, au fil des mois, les sourires de Félix ont fini par
apparaître, fugaces et rares, mais combien rassurants ! Enfin il pouvait entrer en contact avec quelqu'un, enfin il pouvait sourire et, à
sa manière, communiquer son plaisir et son contentement. Mon fils

réagissait intelligemment, normalement, correctement. Enfin, ce n'était pas trop tôt! Je jubilais.

À la longue, il a pris de la maturité. Par contre, maintenant âgé de presque un an, cela ne l'empêche nullement d'éclater encore de colère quinze à vingt fois par jour, ce qui a le don, chaque fois, d'attiser en moi les braises encore incandescentes du doute et de l'inquiétude. D'un autre côté, les otites à répétition diagnostiquées par le docteur Sansoucy, de même que les nombreux changements de régime alimentaire et la recommandation de différentes sortes de lait me rassurent jusqu'à un certain point. Tout le mal provient sans doute de quelconques allergies alimentaires et de nombreuses infections aux oreilles communes à un grand nombre d'enfants. Rien de grave, en quelque sorte.

Malgré tout, une pensée, toujours la même, ne cesse de remonter à la surface pour venir à la fois m'obséder au creux de mes nuits blanches, mais aussi me consoler: « Si Félix souffre d'un mal mystérieux, j'ai tout ce qu'il faut, moi, sa mère, pour m'en occuper... » À l'instar de Catherine Lecours, j'arrive à renverser la vapeur et me convaincre que non, je ne suis pas malchanceuse d'avoir mis au monde un enfant difficile. Au contraire, c'est mon malheureux petit garçon qui a la chance de m'avoir comme mère!

Félix a maintenant seize mois. Après son premier anniversaire de naissance, j'ai commencé à songer à mon retour au travail, tant désiré et envisagé comme une libération. Mais rien ne s'est avéré facile. Compte tenu des problèmes de comportement de mon fils, de ses cris stridents encore lancés à répétition durant des heures, de son peu de compréhension des messages, même les plus simples, de sa façon de s'étouffer avec les aliments, étant donné surtout ses intolérables maux d'oreilles, j'ai décidé d'embaucher une gardienne à la maison plutôt que de confier le bébé à la garderie où Gabrielle semble pourtant heureuse.

La première gardienne engagée, une très jeune Roumaine, n'a pas tenu plus de trois jours.

— Bébé pas correct, m'dame. Moi, plus capable.

La deuxième, une Québécoise plus mature, m'inspirait davantage confiance. Avec son expérience, elle saurait prendre grand soin du petit et l'aider à se développer normalement. Hélas, elle n'a pas fait vieux os, elle non plus, et m'a remis sa démission sans explication la semaine suivante.

Moi, la travailleuse sociale habilitée à dépanner les autres, je me suis retrouvée Gros-Jean comme devant. Un vrai cordonnier mal chaussé! J'ai dû user de toutes les cordes à mon arc pour dénicher une place dans une garderie familiale où Félix serait gardé en même temps que cinq autres petits.

J'ai mis là tous mes espoirs: la présence d'autres enfants contribuerait sûrement aux progrès de mon fils. Là, il ferait son petit bonhomme de chemin et se développerait « à son rythme à lui », comme l'affirme son père à ses bonnes heures, non sans une certaine aigreur dans le ton. Félix ne connaît pas encore son nom et n'arrive pas à prononcer deux mots, même pas « papa » et « maman », mais il s'est mis à émettre des sons, à se déplacer à quatre pattes et à s'intéresser aux jouets.

J'ai pu enfin fixer une date pour recommencer à travailler dans quelques semaines. À vrai dire, je préférais m'assurer que Félix se trouvait parfaitement adapté à une gardienne avant de récupérer ma place au CLSC. Hélas, hier, la responsable de la garderie, quelque peu mal à l'aise, m'a retenue sur le pas de la porte pour me dire sur un ton confidentiel et hésitant:

— Je trouve étrange, madame, que Félix ne s'intéresse qu'à un seul jouet durant toute la journée, toujours le même: un petit chien de peluche qui lance des aboiements perçants quand on lui tire la queue. À la longue, ça devient énervant pour tout le monde, vous savez. J'ai beau lui présenter d'autres choses, il s'entête à jouer uniquement avec celui-là. Pardonnez-moi de vous le dire, mais je me demande si cela est normal. Peut-être devriez-vous en parler à votre pédiatre?

Mon pédiatre, le fameux Sansoucy? Il ne veut rien entendre, mon pédiatre! Devant lui, je n'ai pas de voix! Aucune voix! L'autre jour, je lui ai pourtant payé une dégelée et il n'a pas eu le choix de l'entendre, ma voix, le cher docteur!

— Quand vous avez devant vous une mère inquiète, ni droguée ni alcoolique, et qui par surcroît a réussi à élever normalement une autre enfant, sortez donc le nez de vos livres et allez donc voir plus loin, monsieur le savant docteur!

Mon ton caustique ne l'a même pas fait broncher.

— Votre enfant est trop jeune pour poser un diagnostic précis pour le moment, madame. Son léger retard ne m'inquiète nullement. Rien ne sert de vous énerver de la sorte. On va voir comment les choses vont évoluer et on en reparlera plus tard.

Plus tard, plus tard... Il en a de bonnes, lui! Plus tard, qui sait s'il ne sera pas trop tard! Pour masquer son incompétence, le monsieur ne cesse de me reprocher, avec un brin d'impatience, de trop couver mon fils, alléguant que je me suis mal remise de mes craintes excessives sur son état de santé tout au long de ma grossesse et durant les premiers mois de son existence. Comme si c'était moi la coupable, la responsable du retard de Félix! Allons donc!

Néanmoins, mon cœur s'est serré en entendant les dires de la gardienne, car ils confirment le bien-fondé de mes suppositions. Quelqu'un d'autre voit quelque chose d'anormal chez mon enfant... Hier soir, de retour à la maison, je me suis mise à l'observer de façon plus attentive. Avec effarement, je l'ai vu agir exactement de la même manière qu'à la garderie, obsédé par un camion de pompier et son ding-ding tonitruant. Ce vacarme me tapait sur les nerfs depuis quelques jours sans que j'en prenne vraiment conscience. Que se passe-t-il donc avec Félix? D'où lui vient ce nouvel intérêt pour le tapage? Cette obsession du bruit? Cette idée fixe? Il n'est pas sourd, pourtant, j'en suis convaincue. Mais alors?

Comme s'il l'avait fait exprès, c'est hier soir, exactement deux semaines avant la fin de mon trop long congé de grossesse, que Jean-Patrick m'a fait asseoir pour m'annoncer la nouvelle du siècle. Je n'aimais pas son air mystérieux teinté d'un certain sentiment de culpabilité. Cet air de petit garçon pris en défaut…

— Ne capote pas, Geneviève, j'ai quelque chose d'important à te dire. Tu vas garder ton calme, jure-le-moi!

— Aboutis, pour l'amour du ciel!

— Eh bien… voilà: ma compagnie a décidé de m'envoyer, pour une période indéterminée, organiser un laboratoire de recherche à Jolicœur, une petite municipalité située à cent cinquante kilomètres d'ici. Leur décision semble irrévocable car je suis leur seul employé, semble-t-il, capable de rendre cette mission à terme.

— Quoi?

— T'en fais pas, je vais revenir tous les vendredis soirs. Et on va me donner une augmentation de salaire.

— Et moi, je vais rester seule, le reste de la semaine, avec les deux enfants! As-tu pris ça en considération, Jean-Patrick?

— Il s'agit d'une situation temporaire. Ça ne devrait pas durer très longtemps. La fin du monde n'est pas encore arrivée, crois-moi.

Impulsivement, j'ai lancé par terre la tasse que je tenais en main. Son éclatement sur le plancher de céramique m'a fait l'effet d'entendre exploser ma vie en mille miettes. Je me suis mordu les lèvres pour résister à l'envie de protester haut et fort et de crier mon indignation. Jean-Patrick a bien tenté de me prendre dans ses bras pour me calmer, mais j'ai réussi à me défaire de son étreinte et à monter à l'étage en courant pour me jeter désespérément sur notre lit en serrant les poings de rage. Quand il est venu me retrouver, quelques instants plus tard, il s'est allongé près de moi sans prononcer une parole. Le silence venait de s'installer entre nous, ce lieu cynique de fuite et de dérobade…

Je ne saurai jamais si mon conjoint a eu le droit d'accepter ou de refuser l'initiative de ses patrons ou, à tout le moins, s'il a contesté leur décision en s'appuyant sur son rôle essentiel de père de famille. Chose certaine, s'il a éprouvé quelques hésitations, il s'est bien gardé de m'en parler et de me consulter. Le chéri a préféré me mettre devant le fait accompli. Dans quinze jours, précisément le lundi de mon retour au centre de services communautaires, – certaines coïncidences m'apparaissent cruelles – Jean-Patrick prendra la route de la Montérégie et ne rentrera plus à la maison que pour les fins de semaine.

Incapable de dormir, j'ai tourné et tourné dans le lit jusqu'à l'entendre ronfler comme une toupie à mes côtés. Je suis alors descendue au sous-sol pour composer le numéro de téléphone de ma mère.

— Maman… tu sais pas quoi ?

J'ai alors éclaté en sanglots, n'arrivant pas à en dire davantage.

CHAPITRE 8

Ma première journée de retour au travail ne s'avère pas de tout repos. Ce ne l'est jamais, d'ailleurs, mais aujourd'hui, malgré la coïncidence avec le départ définitif de Jean-Patrick pour son nouvel emploi à Jolicœur, je la vis tout de même comme une bénédiction du ciel. Enfin sortir de chez moi trois jours par semaine, enfin voir du monde, enfin redevenir Geneviève Martin et pas seulement la mère des deux petits Lapierre, cette femme qui n'existe pas pour elle-même et doit se consacrer, telle une chargée de mission, au service exclusif de sa famille depuis plus d'un an et demi. Et cette mission requiert le total oubli de soi exigé par une véritable vocation.

Je l'ai pourtant choisi volontiers, ce rôle de mère, et en toute connaissance de cause. Je l'ai même désiré depuis ma plus tendre enfance, à l'âge où je m'y entraînais déjà joyeusement avec mes poupées. Mais jamais je n'aurais pu imaginer un tel accaparement, une invasion aussi harassante, au point de considérer l'exercice de mon autre profession hors de la maison comme un soulagement et un répit où reprendre mon souffle et m'appartenir enfin.

À la vérité, les absences hebdomadaires de Jean-Patrick ne feront pas beaucoup de différence dans mes journées. Le soir, au retour du travail, avant de se coller le nez sur l'écran de son ordinateur ou de la télévision, il se contentait dernièrement de passer quelques instants avec Gabrielle qui lui faisait la fête, naturellement ! Hélas, il négligeait de porter attention à Félix réfugié dans mes bras en train de lui jeter des regards hostiles. À cause de ce masque d'indifférence sans cesse affiché par son père, notre fils semble avoir développé une certaine animosité envers lui. Jamais il n'accepte de se laisser prendre et caresser par lui. Ni par personne d'autre, d'ailleurs. Cet état de fait me rend hors de moi. Bref, ces derniers temps, Jean-Patrick ne redevenait mon tendre conjoint qu'au milieu de la soirée, une fois les enfants couchés et endormis. Une fois débarrassés des enfants, devrais-je dire. Et adieu la vie de famille ! Dorénavant, je devrai me contenter d'un amoureux de fin de semaine seulement.

Dans un certain sens, je peux comprendre les frustrations du père dont la fierté masculine s'irrite de la présence d'un enfant différent de la norme et de plus en plus marginal, braillard et presque impossible à élever. Un enfant étrange, incompréhensible… D'un autre côté, au même titre que Gabrielle si brillante et attachante, Félix est notre fils. SON fils. Un enfant tellement beau, doux et potelé qu'on aurait envie de le dévorer de baisers. Un enfant pur aux yeux magnifiques remplis d'innocence. Et cet enfant a probablement davantage besoin que sa sœur de parents empressés et conciliants, constamment présents auprès de lui. De parents l'aimant inconditionnellement. Besoin d'un père adéquat surtout.

J'ai donc accepté sans broncher le fait de voir partir Jean-Patrick chaque dimanche soir vers une région lointaine, en dépit de mon sentiment de payer le gros prix pour être en mesure d'apprécier une nouvelle paix. Supporter chaque jour l'insouciance de mon homme, surtout son déni au sujet de Félix, me tapait sur les nerfs et grugeait, mine de rien, mes sentiments d'amoureuse, je l'avoue. Certes, sa présence me manquera tout au long de la semaine, et j'attendrai avec impatience ses retours du vendredi soir, mais cet éloignement, cette sorte de rupture intermittente et, je l'espère, temporaire, arrangera peut-être les choses. Certaines choses en tout cas !

Quand, selon les prédictions du fameux docteur Sansoucy, Félix aura rattrapé le temps perdu et sera devenu un sage petit bonhomme, son père maladroit se rattrapera lui aussi et il se rapprochera plus facilement de son fils, je n'en doute pas. À tout le moins, je le souhaite très fort. Pour le moment, mes rôles de mère et de travailleuse sociale associés à nos fins de semaine tout de même agréables en famille me suffiront amplement.

Au travail, la misère des autres à laquelle mon métier ne cesse de me confronter ne me laisse pas indifférente, mais jamais elle ne pourrait m'envahir comme mes propres problèmes, comme cette crainte insupportable d'avoir mis au monde un enfant à part des autres, sinon carrément anormal, en plus de la peur irraisonnée de voir mon conjoint s'éloigner à jamais de moi.

Le premier rendez-vous de la matinée ramène la jeune Natasha dans mon bureau.

— J'avais tellement hâte de vous revoir, madame Geneviève !

— Moi aussi, ma belle enfant. Hum ! Tu n'as pas l'air dans ton assiette, toi ! Parle-moi donc de cette dernière année, puisque tu as brusquement cessé tes appels sur mon cellulaire.

— Euh…

— Tu as recommencé à consommer, n'est-ce pas ?

La jeune fille, méconnaissable, baisse la tête à la manière d'une enfant prise en flagrant délit. Sur son dossier, ma remplaçante a indiqué l'avoir obligée à retourner en thérapie, à la suite des recommandations empressées de la DPJ. Natasha, après une période d'abstinence louable mais très courte, est retombée de plus belle dans son vice. En ultime recours pour la sortir de là, un long séjour en cure fermée a été prescrit. Parfois, le dernier recours se résume à croire au miracle.

Hélas, le miracle ne s'est pas produit puisque la revoilà devant moi, plus décharnée que jamais, les yeux cernés et le regard éteint, la main tremblante. La dégénérescence suit son cours. À l'avilissement ont succédé la corruption des mœurs et les perversions. Si rien ne change, le crime suivra, car elle coûte drôlement cher, la cocaïne! Et, qui sait si la mort, comme dans de trop nombreux cas, n'éteindra pas le dernier des espoirs en remportant une victoire finale?

Je crains que rien n'arrêtera Natasha vers la déchéance totale. La vie l'a brisée en bas âge et elle possède si peu de ressources intérieures. Comment croire en la vie quand on n'a jamais connu la joie de vivre? Comment croire en l'amour quand on n'a jamais été aimée? Comment regarder l'horizon quand on ne sait même pas relever la tête? L'amour absent d'une mère détraquée et d'un père agresseur ne peut se rattraper ni se réinventer. Les blessures graves et mal soignées laissent parfois des cicatrices éternellement purulentes.

Et je me demande si le discours conventionnel recommandant d'oublier le passé et de regarder en avant, ce fameux « Tourne la page » soit-disant miraculeux, peut tenir la route dans la tête d'une jeune fille qui n'a connu, dans le livre de son enfance, que des pages sombres et salement barbouillées. Sur quoi peut-elle se baser pour entrevoir des pages d'avenir colorées de rose et de jaune soleil?

Seule la drogue trompeuse réussit à allumer momentanément en Natasha un véritable sentiment de bien-être. Sournoisement, la coke la convainc de l'impossibilité de vivre une vie supportable sans sa consommation. D'une « sniffe » de poudre blanche à l'autre, puis de l'injection d'une seringue à l'autre, sans faire de bruit, la dope traîtresse possède la jeune fille corps et âme pour mieux la détruire, pauvre marionnette désarticulée, sans volonté et sans voix. Si elle ne trouve pas en elle-même la force d'y renoncer, Natasha périra, j'en ai bien peur.

Soudain, je porte un regard effaré sur son ventre et je sens les cheveux me dresser sur la tête. Non, non, ce n'est pas vrai, je me trompe! Il n'est pas aussi protubérant que ça, voyons! Juste un peu enflé, voilà tout! J'ai l'imagination trop fertile. J'ose quand même poser la question.

— Serais-tu enceinte, Natasha?

Son signe affirmatif et silencieux de la tête me laisse pantoise. Un enfant vit en elle et elle prend de la drogue. Un pauvre petit être innocent qui n'a pas demandé à exister et dont la vie semble déjà hypothéquée par sa mère… Je retiens ma respiration et serre les dents pour ne pas bondir et l'accabler de reproches.

— Qui est le père du bébé?

— Mon chum, mais il m'a déjà laissée tomber pour une autre fille. Et il ne veut pas reconnaître sa paternité. Madame Geneviève, j'ai besoin d'argent, c'est… c'est urgent! Je suis venue vous voir pour ça. C'est que… voyez-vous, avec mon ventre, je ne peux plus aller danser et si ça continue, je ne saurai plus où aller.

— Tu consommes encore de la drogue?

— Bof… de temps en temps, quand j'ai la chance, je me paye une traite, mais sans exagérer. Ça me fait du bien, vous comprenez.

— Une traite de temps en temps? J'espère que tes « de temps en temps » ne sont pas trop fréquents… Si tu es incapable de t'en passer complètement, ma belle, il faudrait à tout le moins diminuer ta consommation, c'est trop dangereux pour toi et le bébé. On va essayer de t'aider à contrôler ça. Et tu dois bien t'alimenter. Ça aussi, tu y penses « de temps en temps », je suppose?

— …

— Et l'avortement, y as-tu songé?

Le regard de dédain que la jeune fille plonge dans le mien veut tout dire : oui elle y a songé, et non, elle ne veut pas en discuter.

Dire que moi, enceinte, je me refusais un verre de vin et même une aspirine pour donner toutes les chances du monde à mon enfant. Natasha, elle, drogue son petit à la cocaïne ! En songeant à ce pauvre bébé, je sens la moutarde me monter au nez. Du calme, ma vieille, du calme. Cette jeune fille absolument immature ne réalise pas la gravité du drame. Contente-toi de bien faire ton travail, et pas de jugement, s'il te plaît ! Natasha a besoin d'aide et ça urge. Point à la ligne !

— Bon, je t'envoie immédiatement à une représentante de la DPJ pour te trouver une maison d'hébergement, un centre mère-enfant, où on va s'occuper de toi jusqu'à la fin de ta grossesse. Après, on verra.

— Non, ça m'intéresse pas. Ils… ils vont se montrer trop sévères envers moi. Je ne veux pas y aller. Moi, c'était de l'aide pour payer mon loyer que je venais chercher. Rien que ça…

— Désolée, Natasha, que ça t'intéresse ou non n'a pas d'importance. Tu es mineure, ne l'oublie pas, et la société a le devoir de veiller sur toi et ton bébé. Si tu veux absolument rester chez toi, tu peux t'attendre à un solide suivi. Je préférerais t'envoyer dans un endroit sans risques et où ça ne te coûtera rien. Dans moins d'une heure, quelqu'un va venir te chercher et t'amener dans un centre où des thérapeutes qualifiés s'occuperont de toi.

Je la regarde s'essuyer silencieusement les yeux. Pauvre, pauvre petit oiseau blessé… La compassion prend bientôt le pas sur ma colère, et l'instinct maternel de la prendre dans mes bras est plus fort que moi. Un peu plus et je l'emmènerais chez moi ! Je me lève spontanément et la serre contre moi, cette petite fille qui n'a pas connu de mère. J'ai l'impression de tenir dans mes bras toute la souffrance du monde. Cette maudite souffrance sur laquelle je ne détiens qu'un pouvoir minime. Un pouvoir infinitésimal. Natasha se laisse aller contre moi en sanglotant. La reverrai-je jamais ? Fasse le ciel que le fameux miracle s'accomplisse. Mais je ne sais plus lequel...

Le reste de l'après-midi me ramène Richard, l'ancien prisonnier actuellement en déroute parce qu'il a perdu son précieux emploi de concierge à cause d'une altercation avec des locataires.

— Richard, croyez-vous que régler les problèmes avec ses poings constitue une bonne idée ?

— J'avais raison. Ces gens-là sont des emmerdeurs de la pire espèce !

Ah ! Seigneur ! Apprendra-t-il jamais ? Il paraissait pourtant sur la bonne voie lors de notre dernière rencontre, l'année passée. Je le vois encore, tout content de brandir bien haut son formulaire de bail.

— Pendant que j'ai encore toute ma tête, je suis venu vous voir parce que des fois... des tites fois... j'aurais envie d'aller m'acheter quelques grosses bières au dépanneur. Si jamais je recommence ça, je vais perdre la carte et ne pourrai plus répondre de moi, je le sais. Tout ça me fait peur, vous pensez bien ! Je possède encore mon logement, mais il suffirait d'une seule rechute pour que tout bascule, je me connais ! J'aurais besoin de retourner en thérapie, je pense. Pourriez-vous m'aider, s'il vous plaît, madame Martin ?

— Richard, je vous admire pour votre courage et votre bonne volonté.

Heureusement, cet homme s'avère assez intelligent et mature pour venir chercher de l'aide. Encore plus que moi, il connaît le danger menaçant, sachant bien qu'un seul petit geste insensé, une seule soirée arrosée d'alcool l'entraînerait sur la pente dangereuse, peut-être bien au fond de l'abîme. Il ne me sert à rien de lui débiter un long discours pour lui faire la morale, il les connaît tous par cœur, les sermons ! Je veux bien lui offrir l'attention et l'écoute dont il a besoin, mais cela ne suffit pas. À sa demande, je m'empresse de lui redonner les adresses de centres de crise et de maisons de thérapie qu'il connaît sans doute déjà. Puis, je lui propose une nouvelle série de rencontres avec un psychologue, sans oublier de lui remettre la liste des meetings des AA dans les alentours, en lui recommandant d'y assister dès aujourd'hui. Cher Richard! Un autre que je pourrais serrer dans mes bras en récitant une prière…

— La dernière fois que je vous ai vu, Richard, juste avant de partir pour mon congé de maternité l'an passé, vous pétiez le feu. Vous vous étiez même fait une blonde, une excellente cuisinière, si je me rappelle bien. Elle ne se trouve plus dans le décor?

— Euh… non! Je la trouvais trop dépensière et je l'ai mise à la porte. Je me sens mieux tout seul, à bien y penser.

— Bon. Il existe certainement d'autres emplois dans cette ville… et d'autres femmes! Tenez, je vous donne l'adresse du centre régional d'Emploi-Québec. Là, ils vont vous aider à trouver autre chose. Rien n'est perdu en autant que vous soyez prêt à vous aider vous-même en allant chercher du soutien tel que vous me le demandez. Réfléchissez bien à tout cela et prenez un autre rendez-vous avec moi pour la semaine prochaine.

— Et le psychologue?

— Ah… pour ça, il faudra peut-être attendre un certain temps avant d'obtenir une rencontre. Les listes d'attente n'en finissent plus, mais je vais inscrire votre nom sur la liste prioritaire.

— Merci, madame.

Richard se lève lentement et me quitte en silence, visiblement déçu. À bien y songer, il n'avait pas besoin de moi pour connaître toutes ces adresses qu'il possède déjà et le lieu de la prochaine rencontre des Alcooliques Anonymes dans son quartier. Quant au psy, si seulement on augmentait les effectifs d'aide… Ma simple écoute empathique suffira-t-elle à lui fournir la bouée dont il a besoin? Il va sans dire qu'il incombe à lui, et à lui seul, de ne pas reprendre de l'alcool. S'il le veut vraiment, avec l'aide qu'il ira chercher, Richard réussira. Je le souhaite ardemment.

La dernière cliente de la journée n'est pas pour me remonter le moral. Divorcée et mère de trois enfants dont le plus jeune de vingt ans souffre d'autisme, la femme, dans la quarantaine avancée, vient me solliciter en dernier recours. La communication avec son fils s'avère de plus en plus difficile. Depuis le départ de son frère et de sa sœur du domicile, le garçon se montre plus violent que jamais quand il se sent incompris ou contrarié.

— Ses colères sont devenues ingérables et j'ai maintenant peur de lui. Il m'a déjà cassé un bras, je ne veux plus que ça se reproduise. Mais je ne sais plus vers qui me tourner. Avant ses cinq ans, il était suivi par un pédopsychiatre qui l'avait inscrit à un centre spécialisé. Une fois d'âge scolaire, il n'a jamais reçu le nombre d'heures d'intervention comportementale promis à cause d'un manque de personnel à l'école, semble-t-il. Maintenant devenu adulte, il est laissé pour compte et n'a plus aucune ressource. Personne ne veut le prendre. Je suis désespérée, il faut faire quelque chose, madame.

— Et le père?

— Disparu à jamais. Il y a quinze ans, il m'a dit, un jour de crise: «Choisis, c'est le petit ou moi!» Quand il a compris que je n'abandonnerais jamais notre fils, il a claqué la porte et n'est jamais revenu.

Les ressources pour autistes adultes s'avérant plutôt rares, une fois de plus, je songe au miracle. Une maison pour jeunes délinquants n'accepterait certainement pas ce jeune homme, car on ne saurait pas l'encadrer.

— Bon! Il existe les ressources publiques offertes par des centres pour la réadaptation en déficience intellectuelle, en plus des centres privés spécialisés en troubles envahissants du développement. On n'a rien à perdre à essayer de ce côté-là.

— Non, non, je ne viens pas pour ça ! J'ai une autre solution à laquelle j'ai songé depuis quelque temps.

À mon grand étonnement, je vois soudain le visage de la femme s'illuminer, les yeux pleins de rêve.

— J'ai bien envie d'acheter une maison à deux logements. Mon fils habiterait à l'étage et moi, au premier plancher. Il pourrait vivre sa vie à sa manière et le danger d'altercations entre nous deviendrait moindre. Qu'en pensez-vous, madame Martin ? Dans ce cas, le gouvernement pourrait-il me fournir une aide quelconque ? Voilà pourquoi je suis venue : je voudrais une subvention.

— C'est à voir. Avant tout, il faudrait faire évaluer l'autonomie du jeune homme. Mais mon devoir est d'abord de vous mettre en garde. Il s'agit d'un projet à long terme, vous savez, sans savoir si cette double existence à proximité ne tournera pas au vinaigre. Cela augmenterait évidemment votre charge de travail, vous auriez à faire deux ménages, deux lavages, deux commandes à l'épicerie, etc. De plus, un simple escalier entre vous deux suffira-t-il à prévenir les agressions ? Et puis, il va désirer sortir à l'extérieur de temps à autre, ce garçon ! Il faut réfléchir à tout cela sérieusement, ma chère madame, et évaluer tous les risques. On ne prend pas ce genre de décision à la légère. D'un autre côté, qui sait s'il n'y a pas là un début de solution… L'important est de penser à vous et à votre qualité de vie.

— Ma qualité de vie ? C'est quoi, ça ? Je n'en ai plus, de qualité de vie, depuis la naissance de cet enfant, moi, madame. Vingt ans que ça dure ! Mais il est mon enfant, vous comprenez ? Je ne vais tout de même pas le mettre à la porte et l'abandonner sur le trottoir ou dans l'un de vos centres pour les fous ! IL EST MON FILS !

— Si vous vous sentez prête à assumer les aléas d'une telle entreprise, eh bien, il faut tenir le coup, alors. Nous allons essayer de vous aider et travailler ensemble pour l'améliorer, cette fameuse qualité de vie. Je vais voir pour la subvention. Mais avant tout, nous allons commencer avec l'évaluation par une équipe spécialisée.

— Oh! merci, merci, merci!

Un peu plus et la femme me sauterait au cou. Je ne lui donne pas facilement ma bénédiction pour autant et j'exige d'abord une garantie.

— Promettez-moi d'appeler la police si jamais votre garçon se montre trop agressif, ou présentez-vous avec lui à l'urgence d'un hôpital, on l'enverra alors en psychiatrie. Vous me comprenez bien, n'est-ce pas, madame? C'est très sérieux et j'insiste! Il y va de votre sécurité, peut-être même de votre vie. Cela doit passer avant tout. D'ailleurs, je vous conseille de revoir son médecin pour une réévaluation de sa médication. Il ne faut pas jouer avec le feu, madame. Et puis... je vous souhaite la meilleure chance du monde pour la réussite de votre entreprise. Votre générosité est louable. J'espère de tout cœur que ça va marcher.

Quelqu'un m'aurait battue que cela ne m'aurait pas autant jetée par terre que cette dernière visite. Je mets au moins une demi-heure à me ressaisir avant de quitter le centre.

Félix, mon amour, mon trésor, tu ne souffres pas d'autisme, hein?

CHAPITRE 9

En trois ans, cet enfant-là m'a désappris tout ce que je savais, ou plutôt tout ce que je croyais savoir sur l'art d'élever un enfant. Il m'a amenée ailleurs, au pays de l'incertitude et du doute, dans cette contrée sauvage de la terreur dont les limites me paraissent reculées, voire inaccessibles. Un vaste territoire perdu au bout du monde, au bout de la souffrance humaine. Une lande inhabitée, balayée par le vent glacial de la solitude. Une lande où seul le silence répond à mes incessants appels au secours de mère affolée. Une lande où mourir d'angoisse...

Isolée comme une fleur perdue parmi les orties, isolée au milieu de mes amis, de ma famille, de mes compagnons de travail, de mon médecin, de mon conjoint, de tous ces insensibles dépourvus de compassion. Isolée et mordue par les vents de froideur, asséchée par l'indifférence, rongée par le ver de l'incompréhension, deviendrai-je fleur morte ?

Au secours, quelqu'un ! Mon fils est malade dans sa tête. Je ne cesse de le crier jusqu'aux confins de cette lande, mais nul ne répond. Personne ne semble me croire. Oh ! sans doute par pitié, certains daignent bien me gratifier d'une vague réplique, sempiternellement la même : « Tu t'en fais pour rien, Geneviève. Les choses vont se tasser avec le temps. Ton fils est seulement un peu agité, rien de plus. » Agité ? Vous appelez ça de l'agitation, vous, quinze crises de colère par jour, à se rouler par terre et à hurler comme une bête ?

Et vous, docteur Sansoucy, vous l'expert, le spécialiste, le grand connaisseur, ne détectez-vous pas un problème chez mon petit garçon ? Je ne suis pas folle, pourtant ! Pourquoi ne m'écoutez-vous pas ? Vous avez le doctorat, mais moi, j'ai l'instinct, non ? J'ai, en outre, l'expérience d'une travailleuse sociale même si je côtoie surtout des adultes !

Oui, vous avez raison, Félix démontre certains progrès et me regarde maintenant droit dans les yeux quand je lui parle ; oui, il pointe le robinet du doigt quand il a soif ; oui, il arrive à prononcer le mot « lait », parfois même le mot « maman » ; oui, il manifeste de l'intelligence, je n'en doute aucunement. Mais à trois ans, non, il n'a pas encore remplacé sa couche par un sous-vêtement propre ; non, il n'arrive pas facilement à sortir de sa bulle ; non, il ne s'exprime pas clairement ; non, il ne prononce pas de phrases complètes ; non, il ne distingue pas la sonnerie de la porte d'entrée de celle du téléphone ; non, il ne fait pas la différence entre « aller faire dodo » et « aller prendre son bain » ; non, il ne détient aucun contrôle sur lui-même quand il fait ses crises nerveuses.

Eh oui, mon très savant docteur, si vous attendez qu'il se fasse éclater la tête sur un mur avant de le soigner, ça finira par venir, ne vous inquiétez pas ! Donnez-lui encore quelques années, un peu plus de force musculaire, mais pas plus de plomb dans la tête, et vous verrez, il va se la fracasser, sa belle petite tête frisée. À moins qu'il n'assassine auparavant sa sœur devenue maintenant son souffre-douleur. Au fait, connaîtriez-vous une garderie où on accepterait un ti-cul de trois ans pas encore propre, colérique, agressif, désobéissant et enragé vingt fois par jour, qui ne comprend pas grand-chose aux consignes, mais est considéré comme en parfaite santé mentale par son savant pédiatre ?

Non, Jean-Patrick, je ne m'inquiète pas pour rien. Notre fils, TON fils n'est pas normal. Non, tu ne veux pas le reconnaître, je ne le sais que trop! Comme une autruche, tu te plantes lâchement la tête dans le sable. C'est facile de ne rien voir, à cent cinquante kilomètres de la maison, cinq jours par semaine depuis bientôt deux ans, alors que tes escapades ne devaient durer que quelques mois! Mais tu risques de t'étouffer dans ce sable-là, mon cher, et de tout perdre à la longue. Tout! Et tu peux craindre que ce «tout» englobe ta femme et tes deux enfants. Et ce sera tant pis pour toi, je t'aurai averti! Non, maman, je ne le gâte pas trop. Tu te trompes, maman. Même toi, tu ne sembles plus rien comprendre. Et non, madame la psychologue que je visite depuis un certain temps pour trouver la force de le supporter, je ne transpose pas sur mon fils mes craintes antérieures non guéries de mettre au monde un enfant anormal. Elles n'ont pas eu à guérir, ces frayeurs, puisque la réalité les a justifiées. Sachez-le, grands dieux! Et vous, Simon et Fanie, de grâce, ne me croyez pas incapable d'élever votre filleul. Regardez Gabrielle, si sage et adorable, ne prouve-t-elle pas mes compétences d'éducatrice? Et vous, la belle-mère, quand allez-vous cesser de me prendre pour une mère folle et indigne?

MON FILS, FÉLIX LAPIERRE, SOUFFRE D'UN HANDICAP, EST-CE CLAIR? EXISTE-T-IL ENCORE UN ÊTRE COMPRÉHENSIF SUR LA PLANÈTE TERRE POUR ME CROIRE?

Et puis, allez donc tous vous faire foutre! Au secours! Que l'on me sorte de cette contrée de l'épouvante, sinon c'est ma tête à moi qui va bientôt rencontrer un mur... Au secours, quelqu'un!

Et puis, non! Je ne vais pas me laisser emporter par la folie, moi, la travailleuse sociale susceptible de trouver des solutions aux problèmes de tout un chacun. Une solution, je vais en trouver une toute seule. Ah! Geneviève Martin n'a pas dit son dernier mot. Oh que non!

La belle-mère, Norma, m'a-t-elle entendue? Notre famille a reçu une invitation à souper chez elle, en ce beau dimanche de l'anniversaire de Jean-Patrick. Oh là là! Elle s'aventure pour la première fois depuis la naissance de Félix à nous introduire, mes petits et moi, dans son nouveau château, le nec plus ultra des condominiums, luxueux, savamment décoré et… parfaitement aseptisé. Les autres fois, une rencontre chez nous ou bien au centre commercial, au parc ou encore à son vieux chalet lui suffisaient.

Je m'y prépare depuis deux semaines. Les enfants devront se tenir sages et tranquilles. Ouf! Si je ne me retenais pas, je refilerais, avant de partir, la moitié de l'un de mes somnifères à Félix. Vivement, j'inclus ses jouets préférés dans un sac. Pour Gabrielle, son cahier, ses crayons à colorier et quelques livres l'occuperont pendant un grand laps de temps. Puis, je me croise les doigts et invoque tous les saints du ciel afin que tout se passe bien.

En pénétrant dans la somptueuse demeure, je constate avec dépit que grand-maman Norma a joué d'imprudence et pris le risque fou de laisser en place ses nombreux bouquets de fleurs séchées et ses précieux bibelots. Allons, ma chère Geneviève, ce n'est pas le temps de baisser les bras. Je devrai redoubler ma surveillance pendant que nous ferons la conversation avec l'exécrable grand-mère. Évidemment, compter sur la vigilance de mon conjoint serait courir à la catastrophe à coup sûr.

Pour faire plaisir à son fils, belle-maman a mis au feu des rognons de veau dont le fumet de cuisson ne trompe pas. Je doute de l'appréciation des enfants… et de la mienne! Yark! Dès notre arrivée, Félix s'est mis à pointer du doigt le sac de jouets en poussant des cris.

— Épée, épée…

Je m'empresse aussitôt de sortir son assortiment de petits soldats porteurs d'une épée dans la main et tente d'installer mon fils par terre dans un coin éloigné du grand salon. Mais le petit trépigne du pied et continue de crier en désignant le sac.

— Épée, épée!

Il accepte de se taire seulement quand je lui présente le château fort sur lequel il peut installer les soldats. La scène n'échappe pas à ma belle-mère.

— Si je comprends bien, ton fils de trois ans désigne son château par le mot « épée ».

— Que voulez-vous, il s'exprime de cette manière pour l'instant.

— Mais c'est bien simple, Geneviève! Apprends-lui à nommer les choses par leur vrai nom, voyons! Viens ici, mon garçon, et répète à grand-maman: château. CHÂTEAU…

— Épée.

— Félix, regarde-moi bien: ça, c'est un château. Les soldats ont des épées, pas le château. Dis à grand-maman: château.

— Épée.

Après plusieurs tentatives, Norma s'avoue vaincue et hausse les épaules. Mais au lieu de me manifester sa compréhension sur mes difficultés à faire progresser cet enfant-là, elle préfère retourner silencieusement à ses casseroles. Déçu lui aussi du résultat, Jean-Patrick s'efforce de créer une diversion, et je lui sais gré de réduire ma tension psychologique en proposant de faire manger les enfants avant nous. Sa mère ne semble pas condescendre à cette idée.

— Désolée, mais la viande n'est pas tout à fait cuite.

— T'en fais pas, maman, on va leur préparer des sandwiches. Ils pourront ensuite jouer durant notre repas et, s'ils se montrent trop turbulents, on pourra les coucher. Ce sera bientôt l'heure de leur dodo, de toute façon. Geneviève et moi, on fait ça souvent chez nous, histoire de prendre un repas d'amoureux en paix, plus tard dans la soirée. N'est-ce pas, mon amour ? On appelle ça un souper coch… euh… un souper d'amoureux ! Par hasard, aurais-tu du poulet ou du jambon dans ton frigo ?

Je réprime un fou rire en entendant mon conjoint éviter de justesse de prononcer notre expression de « souper cochon », repas qui ne se termine pas nécessairement de façon impudique, et je le gratifie d'un sourire rempli de reconnaissance. Cher Jean-Patrick, il voudrait tant que tout se passe à la perfection au cours de cette visite. Hélas, même si je ne quitte pas Félix des yeux, dans un soudain mouvement de rage parce que sa sœur veut s'installer à côté de lui pour colorier, il réussit à lancer l'un de ses soldats sur un ange de porcelaine montant la garde sur le dessus du bahut de l'entrée.

C'en est fait du bibelot, il éclate aussitôt avec un bruit retentissant sur le plancher de marbre. Oh là là ! Cela ne va pas améliorer la relation déjà boiteuse entre ma belle-mère et moi ! Le visage fermé de Norma et son absence de réaction en disent plus long sur sa froide colère qu'une poignée de bêtises. Cette femme voit en moi la coupable de tous les maux, je n'en doute aucunement. Pour elle, je ne sais pas élever mon garçon, voilà d'où vient tout le trouble. Tant bien que mal, j'essaye tout de même de réparer un peu les choses.

— Oh, mon Dieu ! Quel dommage ! Mais ne vous en faites pas, belle-maman, nous allons tenter de remplacer votre ange.

— Bonne chance, ma fille ! Il s'agit d'un *Lladro*[6] rapporté d'Espagne, il y a au moins vingt-cinq ans. Il vaut des centaines de dollars !

Sans dire un mot, Jean-Patrick s'empare aussitôt d'un balai et d'un porte-poussière pour ramasser les dégâts. Plein de bonne

---

6. Collection exclusive et réputée de figurines de porcelaine en Espagne.

volonté, Félix vient aider son père et se coupe le bout du doigt avec un éclat de porcelaine. Nous nous retrouvons, mon conjoint et moi, dans la salle de bain à la recherche de désinfectant et de diachylons. Je n'ai qu'une idée en tête : m'en aller immédiatement pour me trouver ailleurs.

Pour une fois, Jean-Patrick saisit ma détresse et me presse une seconde contre lui pendant que Félix hurle à fendre l'âme.

— Geneviève, je t'aime, je t'aime tant ! Tu n'as pas idée comme je t'admire…

Pourquoi avoir choisi ce moment précis, là, dans cette salle de bain étrangère et parmi les cris de Félix, pour me faire une telle déclaration ? Hélas, je n'ai pas le temps de m'attarder à la douceur de ces paroles prononcées à mi-voix, je dois me pencher sur le petit pour panser sa plaie pendant que mon conjoint va rejoindre sa mère à la cuisine. Je n'arrive pas à entendre leur conversation, mais je manque de tomber par terre quand Norma vient me dire, avec un demi-sourire :

— Ce n'est pas trop grave, j'espère ?

— Non, non, ça va vite guérir ! Félix, montre ton doigt à grand-maman.

Évidemment, le petit ne bronche pas d'un poil. Je m'empresse de faire diversion.

— Quant au bibelot…

— Oublie ça ! J'aimais plus ou moins cet ange. Les anges et moi, tu sais… Au fond, me voilà bien débarrassée !

Derrière elle, Jean-Patrick me décoche un clin d'œil. Le clin d'œil le plus chouette du monde.

Une fois leur repas avalé, je suggère fortement de mettre les enfants au lit, sous prétexte de l'heure matinale à laquelle ils doivent se lever demain matin, Gabrielle devant se rendre dans sa classe de maternelle et Félix, chez sa gardienne. J'ai tout prévu : la petite dormira dans le lit de sa grand-mère et son frère s'étendra dans le parc pliant que nous avons apporté. Pour quelques heures, l'étroitesse du parc ne devrait pas le déranger. Je préfère le savoir entouré, ne serait-ce que d'une barrière en mince filet, plutôt que de le voir s'enrouler dans les draps de sa grand-mère ou, pire, déambuler dans la chambre en toute liberté et à notre insu.

Hélas, ce que je craignais le plus se produit environ une heure plus tard. Pendant que je mâchouille mes insipides bouchées de rognon, un bruit insolite survient dans la chambre vers laquelle nous nous précipitons tous les trois. En ouvrant la porte, ce n'est pas la vue du parc vide ni celle de Félix à genoux dans le lit aux côtés de sa sœur endormie qui me jette par terre, mais l'odeur… Oh ! mon Dieu, l'odeur…

Nauséabonde et insupportable, l'émanation qui nous prend à la gorge… Elle ne trompe personne ! Félix a fait une crotte, a réussi à retirer sa couche et il est en train de jouer avec comme il jouait plus tôt avec ses soldats. Il en a mis partout, sur les draps, le couvre-lit et la table de chevet, partout !

Anéantie, je ne peux retenir un cri de désespoir en enfouissant ma tête entre mes mains. Jean-Patrick, faisant preuve de plus de sang-froid, s'empare brutalement de son fils et va le déposer dans le bain en me demandant de le laver pendant que lui et sa mère nettoieront la chambre.

J'arrive difficilement à me ressaisir, même si je vis parfois des scénarios identiques à la maison. Mais c'est chez nous et il s'agit de nos affaires. Cette fois, c'en est trop, le vase déborde. Ou bien j'embrasse Félix, ou bien je l'étripe. Une fois de plus, le visage de ma cousine Isabelle, enquêteuse sur la maltraitance des enfants, m'effleure l'esprit. Surtout, ne pas perdre le contrôle…

Heureusement, les sentiments maternels ne mettent pas de temps à se manifester. Après l'avoir bien douché, je caresse tendrement Félix en pleurant, puis je le laisse jouer dans le bain. Longuement, désespérément, je regarde mon pauvre petit garçon. Le fléau de ma vie… Mon fils est beau, pourtant. Il possède un corps parfait, un visage parfait, et ses grands yeux reflètent une telle candeur. Je l'adore !

Non, Félix n'est pas fou, il est même intelligent ! Loin de se montrer perdu, il paraît toujours conscient du moment présent, il arrive même à absorber des connaissances. Alors, quoi ? « Les otites peuvent causer un certain degré de surdité, a dit le pédiatre, et cela peut influencer sa compréhension et altérer son langage. Cela peut même agir sur son comportement. Rien ne sert pour le moment d'investiguer plus loin, madame. Et cessez donc de le devancer et de dire les choses à sa place ! »

Et la merde, docteur, ça vous dit quelque chose ? Pour la merde dans le lit et sur les meubles de ma belle-mère, et pour celle qu'il répand chez nous et à la garderie, vous avez une solution dans vos beaux grands livres, docteur ? Vous appelez ça comment, déjà ? Encoprésie ? M'en contrefiche, moi, de vos grands mots ! Je veux une solution aux problèmes de mon fils, vous comprenez ? Une SOLUTION. Et comme vous refusez de le soigner, eh bien, c'est moi, maintenant, qui me fais soigner à gros prix chez la psychologue à raison d'une fois par semaine. Belle réussite, n'est-ce pas ? Mais vous ne gagnerez pas. Félix a la chance de m'avoir comme mère, et rien au monde ne va m'empêcher de l'aider, m'avez-vous comprise ?

En cet instant précis, en train de laver mon fils souillé de merde dans la salle de bain de ma belle-mère, je décide fermement de prendre un rendez-vous, dès demain, chez une psychologue pour enfants. Elle va évaluer Félix et établir un diagnostic clair, net et précis. Et dresser un plan pour le soigner. La solution, je vais la trouver ! Tant pis, ça coûtera ce que ça coûtera !

Au moment du départ, Norma se contente de me saluer poliment en gardant pour elle les commentaires sans doute cinglants dont elle affublera certainement son fils lors de sa prochaine visite en célibataire. Cette fois, elle aurait pourtant raison de me lancer des propos acerbes. Après tout, elle devra faire le lavage de ses draps et de son couvre-lit, même si nous avons nettoyé minutieusement le reste de la chambre. Ce soir, elle dormira sans contredit dans le salon et, demain, elle achètera un nouveau matelas qu'elle fera installer dans sa chambre lavée, nettoyée, lessivée, stérilisée, désinfectée par la meilleure équipe de nettoyage de la ville, j'en mettrais ma main au feu! Néanmoins, je la remercie intérieurement de se taire, tout en me jurant de ne pas revenir de sitôt dans cette maison.

Sur le chemin du retour, Jean-Patrick ne dit mot et presse nerveusement dans ses mains les deux romans policiers reçus en cadeau de sa mère. Comme elle, il se garde bien de commenter les derniers événements et se contente de poser soudainement une main chaude sur mon genou pendant que je conduis la voiture. Je l'envie de pouvoir reprendre, dès demain matin à l'aube, la route vers son travail. La route de l'oubli devenue, selon moi, celle du déni… «Tu dramatises trop, Geneviève!» Voilà, depuis quelques années, sa sempiternelle réponse à tous nos problèmes. Ou plutôt à tous mes problèmes. Quoique tantôt, dans la salle de bain, il semblait aussi dérouté que moi. Une fois la voiture stationnée dans l'entrée, Jean-Patrick reste sur son siège sans ouvrir la portière. Dans quelques minutes, après m'avoir aidée à transporter les enfants et les bagages dans la maison, je suppose qu'il s'endormira à mes côtés sans avoir prononcé une parole. Mais non! À mon grand étonnement, il me prend la main et plonge son regard dans le mien. Un regard à la fois désespéré et amoureux.

— Toi, mon amour, tu n'en peux plus, je le vois bien! Que dirais-tu de déménager là-bas, à Jolicœur, avec les enfants? J'en ai encore pour une grosse année, tu sais. Au moins, nous serions ensemble durant la semaine.

— Une autre grosse année? Comment ça? Au début, c'était pour quelques mois qui ont viré à près de deux ans, et maintenant, tu viens me parler d'une grosse année! Et tu as attendu cet instant précis pour me l'annoncer, là, maintenant, après cette soirée d'enfer et la veille de ton départ? Bon *timing...*

— J'attendais un moment propice.

— Eh bien, si tu considères ce moment-ci comme propice, tu fais royalement erreur! De toute manière, Jean-Patrick, il n'est pas question d'abandonner mon emploi au CLSC pour une si longue période. Ce travail représente mes seules bouffées d'air frais de la semaine. M'imagines-tu là-bas, isolée et sans emploi, enfermée à cœur de jour avec les deux enfants dans un logement étroit d'une petite ville inconnue où je ne connais personne?

— Tu pourrais te trouver un emploi.

— Le temps de dénicher une garderie pour Félix, une autre école pour Gabrielle et un travail intéressant pour moi, et l'année serait sans doute terminée. Et au retour, tout serait à recommencer ici. Non! T'en fais pas, mon chéri, je trouverai la force de me passer de toi durant la semaine comme je le fais déjà depuis longtemps. Et je continuerai à compter les heures jusqu'à ton arrivée, le vendredi soir. Je t'aime et j'ai tant besoin de toi, sais-tu ça?

— Oui, je le sais, Geneviève. C'est cet enfant qui nous tue...

— Va au diable, Jean-Patrick Lapierre!

CHAPITRE 10

La « grosse année » pèse lourd sur mes épaules de mère « monoparentale » durant les jours ouvrables de la semaine. Trop lourd… Je vois les mois s'écouler un à un avec une lenteur mortelle. En y réfléchissant, je me demande pour quelle raison j'en attends le terme avec autant d'empressement. Est-ce l'impatience de voir mon homme rentrer définitivement à la maison ? Je doute pourtant qu'une fois au bercail sept jours sur sept, il acceptera la condition singulière de son fils mieux qu'il ne le fait lors de ses visites de fin de semaine.

À vrai dire, seul l'espoir de voir enfin une date fixée sur mon agenda pour un rendez-vous de Félix avec une orthophoniste me garde alerte et optimiste. Un an et demi d'attente sur la liste, m'a-t-on dit, même au privé ! « On vous téléphonera le plus vite possible. » Vite ? Quelle farce ! À ce rythme-là, on en sera rendu à l'année prochaine, et Félix aura alors pratiquement atteint l'âge d'aller à l'école.

J'ai dû, en premier lieu, attendre plusieurs mois avant de rencontrer une spécialiste en psychologie de l'enfance, pour l'entendre tout d'abord répéter à peu près le même discours que ce cher docteur Sansoucy : « Un peu jeune pour poser un diagnostic précis et définitif. D'après mes tests d'évaluation, votre fils me paraît dans la norme au point de vue intelligence. »

La suite, cependant, m'a fait sursauter : « Peut-être quelques traces d'autisme, mais rien de majeur. Je pourrais le rencontrer de temps à autre, à cet effet. Par contre, je soupçonne un problème de compréhension du langage, car il n'arrive pas bien à saisir le sens de tous les mots, ni à parfaitement s'exprimer. Il ne souffre pas de surdité, pourtant. Vous devriez certainement le faire voir par une orthophoniste. Voici une liste de spécialistes que vous pourrez joindre. »

Une orthophoniste ! Enfin une lueur au bout du tunnel ! Si les traces d'autisme sans gravité m'ont fait quelque peu tiquer, le « par contre » prononcé par la psy au sujet du langage a semé la terreur dans mon esprit, comme s'il s'agissait de la confirmation officielle de mes doutes. Ainsi, je ne me trompais pas, mon fils est un enfant qui souffre d'une anomalie. Mais... est-ce grave ? Est-ce que ça se soigne ? Existe-t-il un espoir de guérison totale ? Combien de temps devrons-nous attendre pour son rendez-vous ? Et quoi faire, en attendant ? Grands dieux, c'est à en devenir folle !

Dieu merci, le temps semble nous rapprocher un peu plus chaque jour de cette fameuse rencontre avec la spécialiste du langage dont la date n'est toujours pas fixée. Malheureusement, la période du « non », normale chez tous les enfants mais excessive chez Félix, envenime les problèmes. Je prie le ciel d'aider sa gardienne à tenir le coup, trois jours par semaine.

À la vérité, mon fils accomplit fort peu de progrès, tant sur le plan des otites et de l'encoprésie que du langage. Il cherche cons-tamment ses mots, répète la question qu'on lui pose au lieu d'y répondre, exprime continuellement des choses hors contexte avec une prononciation mal articulée, et il se fâche si on ne le comprend pas. Parce que pour le caractère... hum ! Je doute que l'orthopho-niste ou la psychologue, ou même la plus grande spécialiste au monde, réussisse davantage que moi à en venir à bout. D'ailleurs, je me demande bien ce qu'ont à voir les orthophonistes avec les cacas dans les culottes!

D'un autre côté, Gabrielle et moi arrivons de plus en plus à saisir ce qu'il veut dire. Depuis qu'elle va à l'école, j'ai l'impression de négliger un peu ma fille, bien contre mon gré. L'esprit vif, autonome, joviale et fort jolie, la grande sœur réclame peu d'attention et continue son petit bonhomme de chemin sans faire de bruit. Ma douce fierté… Je la vois développer de plus en plus des sentiments maternels à l'égard de son frère, le protégeant et le traitant avec une patience d'ange que je lui envie. Trop raisonnable, la grande sœur!

J'ai tout de même découvert un truc pour obtenir la paix avec Félix lorsque je dois lui opposer un refus. Quand je lui lance un «Non!» sec et brutal, il se met à pousser des hurlements, mais si je lui dis gentiment «Oui, mais plus tard», il s'en va tout content, sans se rendre compte qu'il vient d'essuyer un refus déguisé. Bien sûr, il s'agit d'un mensonge ou plutôt d'une manipulation, car le «plus tard», il l'oublie aussitôt. Cela ne me plaît guère, mais je ne sais combien d'élans de colère de sa part ce truc m'a épargnés.

Son père, lui, pratique une autre politique, celle du «Je ne mettrai pas des gants blancs pour un petit monstre de trois ans et demi». Ainsi, dimanche dernier, la soirée s'est terminée par une puissante dispute entre Jean-Patrick et moi à cause de Félix. Durant l'après-midi, nous avons eu la mauvaise idée d'emmener les enfants au cinéma. À un moment donné, à peine quelques minutes après le début de la projection, Félix a réclamé haut et fort de reculer le film afin de revoir une scène comme nous le faisons à la maison. Bien sûr, il a piqué une crise d'hystérie dans la salle comble, dérangeant des centaines de spectateurs.

Comme il paraissait impossible de le calmer en le raisonnant, son père s'en est emparé et l'a sorti de la salle, hurlant, criant et se débattant. Il l'a porté sur ses épaules comme s'il transportait un sac de pommes de terre ou menait un animal à l'abattoir.

— Le petit crisse de gâté, il va avoir affaire à moi !

— C'est parce qu'il ne comprend pas, Jean-Patrick. Calme-toi donc !

En dépit du diagnostic posé par la psychologue, mon conjoint persiste à mettre sur le compte du maternage excessif les problèmes de son garçon… Piteuse, je les ai suivis en tenant par la main une Gabrielle qui braillait, déçue de ne pas voir la suite du film. J'aurais pu décider de rester dans le cinéma avec elle ou, mieux, l'offrir à son père, mais Jean-Patrick semblait tellement en colère que j'ai préféré me taire, et nous sommes sortis tous les quatre. Pauvre Gabrielle !

De retour à la maison, une fois Félix rageusement déposé sur son lit et finalement endormi, et Gabrielle consolée avec une tablette de chocolat, le silence s'est installé dans la maison. Un silence effrayant, insupportable, lourd d'incompréhension et de rancœur, un silence qui en disait long sur l'atmosphère empoisonnée de notre foyer.

Le même soir, Jean-Patrick est parti vers Jolicœur en claquant la porte, sans nous embrasser, les enfants et moi, sans même m'avoir adressé la parole.

Durant toute cette semaine, ses appels téléphoniques quotidiens, quoique fidèles, se sont avérés froids et teintés d'indifférence. Aucune question au sujet des enfants, encore moins sur mes états d'âme. Jean-Patrick a préféré parler de l'actualité politique et de la température. Réfugié dans sa ville lointaine, il refuse d'admettre la réalité de son fils et persiste à voir en lui un bambin simplement mal élevé par sa mère. Et tant pis pour cette mère qui s'investit seule de la mission de l'aider à progresser ! Je déteste le nom de Jolicœur. Trop d'allusions dans ce nom-là !

Mille fois, j'implore mon appareil téléphonique de sonner avec la voix de la secrétaire de l'orthophoniste m'interpellant à l'autre bout. Comme si elle détenait la solution à tous nos problèmes… Peuh !

La fin de semaine suivante, après avoir nagé dans la confusion et l'inquiétude pendant cinq jours, j'attends le retour de Jean-Patrick avec appréhension. À vrai dire, je me sens à bout de force. Comme je le fais scrupuleusement tous les vendredis où je n'ai pas à me rendre au travail, je devrais en principe rester à la maison avec Félix pour m'occuper de lui en attendant le retour de Gabrielle. Ensuite, je devrais préparer un bon repas pour le retour de mon homme en début de soirée.

Mais aujourd'hui, je donnerais n'importe quoi pour me changer les idées. Après tout, je le mérite bien! Pourquoi ne prendrais-je pas un peu de temps pour moi toute seule, là, maintenant, aujourd'hui? Ça urge, sinon je vais faire explosion. Un simple appel à sa gardienne pour lui demander de prendre exceptionnellement mon fils une partie de la journée me rend tout à coup entièrement libre. Tant pis pour le coût, il s'agit d'argent bien placé. Il y va de ma sérénité. Et ce soir, après l'arrivée de Jean-Patrick, on commandera de la pizza.

Neuf heures du matin. Je me dirige déjà allègrement vers le centre commercial. Libre enfin! Pour une fois, pour une toute petite fois et quelques heures à peine, je n'aurai à penser qu'à moi-même. Me faire plaisir, me dorloter, oublier… Oublier le reste de l'existence, oublier mon homme et mes enfants, oublier mes angoisses, mon épuisement, ma solitude. Oublier mes clients du centre. Oublier même que je m'appelle Geneviève Martin. Et seulement respirer, respirer enfin l'air libre.

Cependant, le destin m'attend au tournant. Aujourd'hui, je n'oublierai ni mon nom ni complètement mes clients du bureau. Après trois heures de furetage dans les magasins et deux nouvelles blouses au fond d'un sac, je l'aperçois de loin, au fond de la cafétéria du magasin à rayons. Je l'aurais reconnue entre toutes, mal accoutrée avec son petit chapeau sur le bout de la tête, ses épaules affaissées, mais avec l'air serein et tranquille. Catherine Lecours, la mère de Julien. Elle se trouve seule, son fils ne l'accompagne pas. Tenant à bout de bras son plateau rempli de victuailles, elle passe tout droit devant moi, sans me voir.

Je ne peux résister à l'envie de l'interpeller.

— Madame Lecours ?

La femme met un certain temps à me reconnaître puis son regard s'illumine.

— Oh ! madame Martin ! La travailleuse sociale qui a changé ma vie !

— Changé votre vie ? N'exagérez pas, tout de même ! Êtes-vous seule ? Voulez-vous vous asseoir avec moi ? Ça me ferait bien plaisir de jaser un peu avec vous, si vous en avez le temps.

— Pourquoi pas ?

Elle s'assoit sur le bout de son siège et, sans doute surprise par un tel revirement de situation, elle en oublie le contenu de son plateau. Je refoule un sourire en songeant que si elle bouffe tout ça, elle va sûrement finir par tomber endormie la tête dans son assiette !

— Si je me rappelle bien, lors de notre dernière rencontre, j'arrivais à la fin de ma grossesse. Cela fait plus de trois ans. Comment allez-vous depuis tout ce temps, chère madame Lecours ? Et votre fils ?

— Tout va bien. La preuve : je n'ai plus besoin de revenir vous voir au CLSC ! Pas pour le moment, du moins. Je vous dois mille mercis, car tout ce que vous avez mis en marche, à ce moment-là, s'est concrétisé et a réglé bien des choses. Pas toutes, évidemment, mais…

Je vois soudain passer une ombre sur le beau visage de la femme. Ses traits se durcissent et sa lèvre inférieure se met à trembler légèrement. Mais elle ne me laisse pas le temps de l'interroger sur ses ennuis non réglés et préfère enchaîner positivement. Après tout, ne s'agit-il pas d'un face à face amical au restaurant plutôt qu'une rencontre professionnelle au centre local de services communautaires ?

— Grâce à l'ergothérapie, Julien se déplace maintenant sur un quadri-porteur et il peut faire des courses, aller chercher le courrier ou du lait au dépanneur. Quant à son emploi du temps, il occupe depuis un an un petit emploi à temps partiel dans une manufacture. Votre remplaçante a poursuivi vos démarches pour lui dénicher cet emploi, mais nous avons dû attendre deux ans avant que ça aboutisse. Quelqu'un vient le chercher pour l'amener en usine où on lui fait poser des bouchons de plastique sur des bouteilles d'antigel. Il adore ça ! Il doit faire usage de ses yeux et de ses deux mains, et il peut travailler assis. Il gagne donc un petit salaire et cela le valorise. Ça lui fournit aussi l'occasion de côtoyer des gens normaux, pas des déficients !

— Et vous ? Avez-vous repris votre travail de secrétaire ?

— À vrai dire, non ! Julien ne s'absente que trois jours par semaine et je dois continuer de m'en occuper le reste du temps, en plus de mes deux autres enfants. J'ai besoin d'un peu de répit, vous comprenez. Quand Julien va à son travail, je peux sortir de la maison et vaquer à d'autres occupations, n'est-ce pas merveilleux ? Je redeviens moi-même, c'est-à-dire quelqu'un d'autre qu'une simple épouse et une mère.

« Quelqu'un d'autre qu'une simple épouse et une mère »… Catherine ne me donne pas davantage d'explications et préfère se réfugier soudain dans un mutisme étonnant. Grâce à mes antennes de travailleuse sociale, je soupçonne d'autres difficultés derrière son énoncé incomplet. Je risque donc une autre question afin de poursuivre le sujet que je devine brûlant.

— Quel âge a Julien, maintenant ? Se montre-t-il encore violent ?

— Dix-neuf ans, et…

— Et?

— Et il est en amour avec sa mère! Et il ne s'agit pas simplement d'un pur amour filial, croyez-moi!

Le chat vient de sortir du sac. Terrifiant à donner la chair de poule, le chat! Étrange et difficile à saisir… Julien en amour avec sa mère? Tu parles! Pauvre petit, au fond. Comment pourrait-il en être autrement? Sa mère ne représente-t-elle pas toutes les femmes de l'Univers et la seule qui s'intéresse à lui, depuis sa naissance, celle qui le manipule, le nourrit, le lave, l'habille, le dorlote, l'embrasse, le caresse? Comment ne pas tomber en amour avec elle, l'unique femme de sa vie?

Devant mon air interrogateur, Catherine juge bon d'apporter des précisions.

— J'ai remarqué une érection chez mon fils quand je lui ai donné son bain, l'autre jour, en l'absence du préposé qui vient habituellement le laver deux fois par semaine. Et ça n'est pas la première fois. Julien a fini par atteindre la puberté, avec des années de retard, il va s'en dire. J'en étais venue à croire qu'elle ne surviendrait jamais. Je dois maintenant me méfier, ne plus me montrer devant lui en robe de nuit et faire attention à mes manifestations d'affection maternelle. Vous comprenez, il ne voit jamais d'autres femmes. Même son travail s'effectue par hasard dans un monde exclusivement peuplé d'hommes.

— Bon! Les pulsions sexuelles font partie d'un phénomène normal. Avez-vous l'impression de courir un danger?

— Non, non, je ne cours aucun danger dans ce sens-là, j'en suis convaincue. Ce n'est pas tellement ça qui m'énerve.

— Quoi, alors?

— Avec son père… Mais dites donc, madame Martin, faites-vous du bénévolat ou du temps supplémentaire avec moi? Je ne voudrais pas vous importuner avec mes problèmes, moi! Vous, la mère de famille, vous feriez mieux de terminer votre repas tranquillement et de retourner ensuite magasiner au lieu d'exercer votre rôle d'assistante sociale. Ça vous ferait certainement plus de bien que d'entendre mes plaintes et mes complaintes. Parlez-moi plutôt de vous, de votre nouvel enfant.

La générosité, l'altruisme, le souci des autres, l'empathie chez cette femme me renversent, elle dont la gravité des soucis dépasse largement celle des miens. Soudain, je me sens emportée par un élan outrepassant les règles de conduite professionnelle du travailleur social. Après tout, Catherine n'appartient plus à la liste de mes clients depuis plus de trois ans, pourquoi ne pas ouvrir la porte sur une belle amitié entre nous ? Je ne résiste pas.

— Qu'en pensez-vous, madame Lecours, si on devenait des amies, vous et moi ? Si on oubliait mon statut de travailleuse sociale et vous, celui de cliente ? Si on se faisait des confidences entre amies aux prises avec des ennuis semblables ? Seulement cela ?

— Des ennuis semblables ? Vous avez des ennuis semblables, vous ? Je n'aurais jamais pensé…

— Des médecins tombent malades et des dentistes peuvent aussi avoir mal aux dents, vous savez ! Mais ne vous en faites pas, à vous écouter parler, mes préoccupations m'apparaissent sûrement moins graves, croyez-moi !

— Dites-moi, madame Martin… Ou plutôt, dis-moi, ma chère Geneviève, ce qu'il en est. Après tout, des amies, ça se tutoie, n'est-ce pas ?

Je ne peux empêcher la travailleuse sociale en moi de prendre le dessus. Non, je ne mordrai pas à l'hameçon. Pas question d'étaler mes soucis à une femme plus infortunée que moi !

— Je te reparlerai de mes problèmes plus tard ou une autre fois. Là, Catherine, je veux savoir ce qui t'énerve tant, toi !

— Pour cette fois, tu as gagné! Je vais te le dire puisque tu me tords si gentiment le bras. Julien est excessivement jaloux de son père. Il se montre d'une humeur massacrante et devient même très agressif dès que Raymond entre dans la maison. Il fait invariablement une crise quand son père doit le garder ou le transporter. Il tente alors de le frapper et j'ai peur qu'un jour, il arrive un malheur. La bataille va prendre et... je ne réponds pas de Raymond. Il est rendu à bout, je le sens. Mon fils ne redevient calme et serein qu'en son absence. C'est à devenir fou.

Cette fois, je ne peux me retenir, et je lance à l'oreille compatissante de ma nouvelle amie cette confidence que je gardais pour moi et qui me gruge le moral depuis des mois.

— Moi aussi, j'ai un homme rendu à bout. Et pire, il fait du déni et n'admet pas l'état de son fils.

— S'agit-il du bébé que tu as mis au monde, il y a quelques années?

— Malheureusement, oui.

Le repas dure près de trois heures. Catherine apprend tout sur moi, sur mes convictions profondes d'un problème grave chez Félix et mes attentes d'un rendez-vous chez une spécialiste du langage, sur l'incompréhension et l'indifférence de mon entourage, surtout celles de l'homme qui m'a téléphoné sur mon portable, cet avant-midi, alors que je me trouvais dans une salle d'essayage, pour m'informer qu'il ne pourra pas quitter Jolicœur en fin de semaine. Raison professionnelle, paraît-il. Raison à laquelle je ne crois pas vraiment. Ah! Seigneur...

Ni elle ni moi ne trouvons de remède miracle à nos emmerdements, sinon celui d'avoir créé, hors de tout doute, un espace où évacuer nos frayeurs à travers ce nouveau lien d'amitié entre nous. Un lien déjà solide et qui risque de durer, constitué de points communs, de compréhension, de soutien mutuel auquel nous rattacher afin de nous empêcher de tomber dans la plus puissante des déprimes.

Au moment de me quitter, après avoir échangé nos numéros de téléphone avec promesse de nous revoir, Catherine me murmure au creux de l'oreille, tout en me faisant la bise, des mots magiques auxquels me raccrocher, les jours de trop grande interrogation :

— Tu sais, Geneviève, mon enfant n'est pas venu pour rien dans ma vie. Dieu m'a choisie pour être sa mère, car Julien avait besoin d'une bonne mère.

Lorsque je rentre chez moi, en fin d'après-midi, en compagnie de Félix et de Gabrielle, je me sens le cœur plus léger, convaincue d'arriver, malgré l'absence de Jean-Patrick, à rendre cette fin de semaine, sinon joyeuse, à tout le moins heureuse et paisible. Je vais appeler ma mère et l'inviter à souper samedi en compagnie de son Philippe plein de soleil, tiens !

En dépit de tout, Dieu m'a choisie, moi, pour être la mère de mes enfants, et je vais me montrer à la hauteur. Consciencieusement, je refoule au plus profond du néant l'envie ténébreuse de l'engueuler vertement, ce fichu de bon Dieu. De toute façon, je sais qu'il m'aidera.

Et m'aidera aussi à ne pas engueuler l'homme de ma vie quand il me téléphonera ce soir ! Du moins, je l'espère !

CHAPITRE 11

Malgré mes prières, la gardienne de Félix m'a enjointe, avant-hier, de chercher une autre garderie. Je m'y attendais. La pauvre n'en peut plus de le changer de couche et de tolérer ses crises parmi les autres enfants, et je peux très bien la comprendre. Dieu merci, – tiens, tiens, me voilà en train de le remercier maintenant! – par l'entremise d'une personne de ma connaissance à la direction, j'attends pour très bientôt la réponse positive d'un Centre de la petite enfance où Félix prendra la place d'un enfant sur le point de partir à cause d'un déménagement.

Le fait de contourner la longue liste d'attente grâce à mes contacts va à l'encontre de mes principes, mais au point où j'en suis, plus rien ne peut m'arrêter pour aider mon fils à mieux se développer. La secrétaire de l'orthophoniste, qui reçoit mes appels suppliants chaque semaine, en sait quelque chose! Dommage que mes tours de passe-passe ne fonctionnent pas aussi bien de ce côté-là. Dieu me pardonnera d'essayer. Quoi? Encore Dieu? Au moins, pour sa dernière année précédant son admission à la maternelle, Félix va se trouver, dans un CPE[7], davantage en contact avec des

---

7 Centre de la petite enfance.

enfants de son âge. Cela ne pourra que s'avérer plus stimulant pour lui.

En ce petit matin gris où je pénètre dans mon bureau du centre de services communautaires, la tête basse et déjà fatiguée avant de commencer, je découvre un manuscrit d'environ deux cents pages déposé sur un coin de ma table de travail, accompagné d'une carte et d'une jolie violette africaine mauve. À ma grande surprise, Maxime Sigouin, le jeune homme auteur d'un conte de Noël pour ma fille, a signé la carte et le manuscrit d'un incompréhensible bar-bouillage au-dessus de l'étiquette portant son nom. La carte pré-sente un court message rédigé à l'encre au-dessus de la signature :

> *À vous l'honneur, madame Martin !*
> *Vous serez la première à me lire.*

Ça alors ! Maxime aurait-il écrit un roman ? Tu parles ! Je n'en reviens pas ! Même le titre me surprend : *Paysages effleurés*. Quel superbe titre ! Mais de quels paysages peut-il s'agir, pour lui qui n'a jamais quitté son patelin et n'en a effleuré aucun ? Et comment a-t-il pu arriver à taper en si peu de temps tous ces mots à l'ordina-teur, une voyelle et une consonne à la fois ?

En dépit de la lourde tâche qui m'attend aujourd'hui, la curio-sité l'emporte et je ne résiste pas à l'envie de prendre un peu de temps pour feuilleter quelques pages. Les lignes parcourues au hasard ne mettent pas de temps à me serrer le cœur et à m'em-brouiller la vue.

> *Dans quelques minutes, le soleil allait se lever.*

> *Sur sa chaise roulante, le garçon regardait la mer en furie éclater avec un grondement sourd sur la paroi des rochers. La mer immense, infinie, grise de colère, baveuse d'écume. Elle frappait, frappait inlassablement, impitoyablement, et des trombes d'eau explosaient dans les airs, l'espace d'une seconde, pour retomber avec le fracas du tonnerre.*

Alors, comme la mer, avec elle et en elle, il laissa monter sa propre colère, cette monstrueuse révolte refoulée, refrénée, réprimée, endiguée depuis toujours et qui lui donnait la nausée à chaque instant de son existence. Il se mit à hurler d'une voix rauque et étranglée, la seule qu'il possédait. Et le vent emporta ses cris au rythme de chaque lame et de chaque ressac. Pendant un temps hors du temps, l'homme se vida de son âme jusqu'à en perdre l'haleine. Jusqu'à en perdre la notion du temps. Il cria son refus d'être ce qu'il était et n'avait jamais demandé à être.

Puis, le soleil jaillit et, doucement, l'inonda de lumière. Alors, il se calma.

Ah! mon cher Maxime, comme je peux comprendre tes mots! Ils proviennent bien plus de ton cœur que de ton imagination, je le sais bien, toi l'immobile qui n'as jamais vu la mer, toi qui n'as pu qu'effleurer les paysages, toi en qui la révolte possède tous les droits. Toi qui es ce que tu es, mais n'as jamais demandé à l'être.

Vivement, je saute une trentaine de pages et m'attarde à la description d'un couple émerveillé en train d'accomplir pour la première fois les gestes de l'amour, des gestes de feu tellement touchants et émouvants, tellement remplis de tendresse que l'évidence me saute aux yeux: il faut les avoir expérimentés pour réussir à les décrire avec autant d'intensité et de réalisme. S'il est vrai que les auteurs se trahissent à travers leur premier roman, ou bien Maxime Sigouin possède une imagination exceptionnellement débordante et est habité de fantasmes grandioses, ou bien il vit concrètement une véritable histoire d'amour. Mais avec qui, grands dieux, et comment?

Merci, Maxime, de partager avec moi ces pages bouleversantes, merci de m'entraîner amicalement avec toi vers les paysages effleurés mais prodigieux de ton âme, moi qui les croyais éclatés à jamais. Tu sais profiter de la vie à ta manière et cette certitude allume un grand sourire sur mon visage. Grâce à toi, cette journée me paraîtra magnifique, quoiqu'il arrive. Et je lirai ton manuscrit d'un bout à l'autre, je te le promets.

Ma longue liste de rendez-vous me ramène vite à mon programme du jour où je verrai défiler devant moi quelques têtes connues, dont celle de Denis, «l'homme à la fibre optique» d'il y a quelques années. Cette fois, le bonhomme se croit poursuivi et surveillé jour et nuit par des agents de la mafia. À l'entendre, on le traque sans relâche dans le métro. Même les mouvements du policier dirigeant le trafic au coin de sa rue représentent sans contredit des signes de menace dirigés contre lui. J'ai beau lui expliquer que les agents de sécurité du métro ne lui en veulent aucunement et que leur fonction consiste au contraire à le protéger, lui et tous les autres citoyens, rien n'y fait. Le raisonnement ne constitue pas le point fort du malheureux Denis.

— Oui, mais la mafia s'infiltre partout, madame, même dans la police.

— Et pourquoi la mafia s'en prendrait-elle à toi? Tu ne possèdes pas un sou et tu ne détiens aucun pouvoir. Et je te sais sans malice. Alors?

— Ces types-là se servent toujours de plus faibles qu'eux, vous savez. Ils ont caché quelque chose chez nous, madame Martin, je suis prêt à vous le parier, mais j'ai beau fouiller partout, je ne trouve rien.

Je pousse un léger soupir d'impatience. Rien ne sert d'essayer de raisonner un schizophrène. Je ne peux que rassurer simplement ce pauvre type et voir à ce qu'il ne manque de rien.

— Dis-moi, Denis, prends-tu toujours tes médicaments anxiolytiques?

— Euh… non. Il m'en reste plus depuis un bout de temps.

— Tu les reçois pourtant gratuitement! Écoute-moi bien, je vais faire un marché avec toi: tu vas immédiatement renouveler ton ordonnance à ta pharmacie et tu reviens aussitôt ici pour me montrer tes pilules en me promettant de les reprendre plus régulièrement. Au retour, je te payerai un café. Tu pourras alors choisir un petit gâteau dans les machines du corridor.

— Oh! yes! Vous êtes un amour, madame Martin! Et… allez-vous avertir la police?

— On verra. Va d'abord chercher tes pilules. On avisera par la suite.

Eh bien, la madame Martin d'amour n'en mène pas trop large lorsqu'elle rencontre sa prochaine cliente, une fois le paranoïaque ayant débarrassé les lieux. Natasha, la jeune toxicomane, maintenant mère célibataire d'un bébé de vingt mois, entre sur la pointe des pieds pour venir se lamenter dans mon bureau. À cause de sa dépendance persistante, la DPJ a refusé de lui remettre l'enfant après sa naissance, préférant confier la petite fille à un foyer nourricier avec droit de visite pour la mère. Natasha n'a usé de ce droit qu'à une ou deux occasions, évitant sans doute instinctivement l'attachement au bébé en même temps que les regrets de la séparation et les remords qui ne manqueraient pas de l'étouffer. En deux ans, la malheureuse n'a pas réussi à mettre un terme à ses *trips* de drogue de plus en plus nombreux et de plus en plus *heavy*.

Écourtichée, la poitrine décolletée et le visage abondamment grimé sous la tignasse blond platine, la jeune fille brandit sous mon nez, en lançant de hauts cris de protestation, la lettre lui demandant de signer, à quelques semaines de la date d'échéance émise par la loi, un formulaire de renoncement à ses droits sur l'enfant afin de le confier dès maintenant à l'adoption.

— La travailleuse sociale de la DPJ a-t-elle soumis ton cas à un juge? A-t-il émis une ordonnance?

— Oui, il a insisté pour que je retourne encore une fois en thérapie.

— Et alors?

— Alors... euh... J'y suis allée quelques jours et me suis finalement sauvée du centre. Des thérapies, j'en ai assez, moi! Ils ont pas le droit, ils ont pas le droit de m'enlever mon bébé! Cette petite-là, elle m'appartient!

— Natasha, ta fille a besoin d'une vraie maman pour s'occuper d'elle. Et plus le temps passe, plus ça devient urgent.

— Sa vraie maman, c'est moi, O.K.!

— Mais tu ne la connais pas, cette enfant-là, tu ne vas même pas la visiter!

— Pas de ma faute si j'ai pas le temps. Faut bien que je gagne ma vie, moi! J'aimerais bien ça vous voir vous coucher à quatre heures du matin après une nuit dans un bar, et vous relever le lendemain matin pour faire des guili-guili à un bébé! Mais un jour, je m'en occuperai. Arrêtez donc de vous inquiéter, ça va venir, vous le savez bien!

— Quand, Natasha, quand? Ta fille aura bientôt deux ans et rien ne change.

De plus en plus, je vois son maquillage se dissoudre dans les larmes et rouler sur ses joues en de longues traînées noires. Des larmes sales et passagères d'un accès passager de sentiments maternels sans fondements qui ne dureront que quelques minutes. Des larmes qui iront allègrement s'assécher au fond d'une piquerie dans l'heure qui suit, j'en gagerais ma chemise.

Si je ne me retenais pas, je prendrais cette mère dénaturée par les deux bras et je la secouerais en lui criant par la tête: «Tais-toi, tu as toujours préféré la drogue à ta petite fille et tu ne la connais même pas! Tu es indigne du titre de mère et ton bébé mérite mieux que toi! Quelle vie veux-tu lui offrir, à ton enfant, hein? Une pareille à la tienne?»

Mais je me retiens de prononcer ces mots blessants et humiliants et tente plutôt de les chasser de mon esprit. L'infortunée Natasha porte déjà en elle suffisamment de souffrance. Lui crier des bêtises ne ferait qu'envenimer la situation. Et une travailleuse sociale, ça ne porte pas de jugements et ça ne crie pas de bêtises !

Je tourne donc ma langue dix fois plutôt que sept. Puis, après un soupir pour reprendre mon calme, je pose mes mains sur ses épaules pour la rapprocher de moi et plonger mon regard directement dans le sien. Un regard que je voudrais maternel et non celui d'une assistante professionnelle. Un regard affectueux de mère que la pauvre fille n'a probablement jamais pu scruter de toute sa misérable existence.

— Écoute-moi bien, ma belle Natasha. Pour une fois dans ta vie, pour une seule et unique petite fois, je vais te demander d'agir comme une vraie mère et de laisser jaillir de ton cœur un élan d'amour envers ton enfant. Tu sais, l'amour, ça demande parfois de s'oublier soi-même. Je voudrais te voir accepter avec générosité de lui donner ce que toi, tu n'as jamais reçu : une maman et un papa stables qui l'aimeront et l'élèveront normalement dans un milieu favorable à son plein épanouissement, tu comprends ? Donne-lui une chance de bonheur, Natasha. Fais au moins ça pour elle, donne-lui une famille en signant ce papier.

Blottie contre mon épaule, l'adolescente sanglote comme une enfant. Je me permets d'insister.

— Ce que je te demande est difficile à accepter, je le concède. Et ta petite fille ne connaîtra peut-être jamais le sacrifice que toi, sa mère biologique, accompliras aujourd'hui et que personne ne lui racontera vraisemblablement jamais. Mais toi, Natasha, toi, dans le secret de ton cœur, tu sauras. Car ton enfant pourra mener une vie saine et heureuse, comprends-tu ? Et le secret de ton geste grandiose t'habitera pour le reste de tes jours, crois-moi ! Quand, certains soirs, tu atteindras le bas-fond et te sentiras peu fière de toi, tu pourras toujours songer qu'un jour, tu as commis une grande et belle action, une action difficile mais merveilleuse, en donnant les meilleures chances au monde à ton enfant. Grâce au renoncement généreux de sa mère, une petite fille grandira heureuse quelque part sur la planète.

— Arrêtez, madame Martin, arrêtez !

— Pour le moment, ma grande, admets que tu n'es pas et ne seras pas en mesure de prendre soin d'un bébé avant très long-temps. Cependant, il n'est jamais trop tard pour te rattraper et repartir à zéro. Mais pour cela, tu devras retourner en thérapie, tu comprends ?

En retenant mon souffle, je réitère ma question.

— Tu comprends ? Repartir à zéro… et définitivement. Une fois pour toutes. Tu le peux si tu le veux, mais tu dois le désirer sin-cèrement, cette fois. Très fort et pour de vrai. Il faudra y mettre toute ta volonté et y consacrer toutes tes forces et tes énergies. Alors, ton sacrifice ne servira pas seulement à ton enfant, mais à toi aussi. À toi… Tu me comprends bien ? Tu te dois bien ça, ma belle Natasha…

Le signe affirmatif et silencieux à peine perceptible ressenti contre ma poitrine me chavire.

— Dans ce cas, on va contacter la travailleuse sociale de la DPJ pour une autre thérapie, tu es bien d'accord ? En faisant tout ce qu'il faut pour que cette fois, ce soit la bonne, la définitive, la vraie. Et on l'appelle ensemble, là, dès maintenant.

Je la presse de nouveau tout doucement contre moi, mais avant de m'occuper de la thérapie, je lui désigne d'abord le fameux papier déposé sur mon bureau.

— Je ne peux t'obliger à rien, Natasha, car tu as maintenant dix-huit ans et tu es désormais entièrement responsable de tes actes. Libre à toi d'y apposer ou non ta signature. C'est ta décision à toi, pas la mienne.

— Vous avez raison, je vais vous le signer votre satané papier et ensuite, j'espère que vous ne m'en parlerez plus jamais !

D'une main mal assurée, je la vois tracer d'une écriture presque illisible les lettres de son nom, mettant ainsi un point final à cette sordide histoire. Impressionnée, je sais que ce barbouillage, s'il représente un drame pour la mère, n'en constitue pas moins le sceau garantissant une vie probablement normale pour une petite fille innocente et sans voix. Et qui sait, peut-être cela représente-t-il une leçon de vie et un nouvel espoir pour Natasha ? Je pousse un imperceptible soupir de soulagement.

Au plus profond de tout être humain, fût-il le plus monstrueux des personnages, existe toujours secrètement une fibre d'amour et de bonne volonté, enfouie sous des tonnes de frustrations, de préjugés, de révolte ou de sentiments de mal-être. Il suffit parfois de creuser au bon endroit et avec une certaine habileté pour découvrir, sous les détritus, l'existence de précieuses fibres de bonté, preuve que l'on ne doit jamais renoncer à l'espoir. En soupirant, je la regarde partir la tête basse. Vers quel autre paysage s'acheminera-t-elle, cette enfant qui n'a pas plus demandé à vivre ce qu'elle a vécu depuis l'enfance que le quadriplégique Maxime a demandé à être ce qu'il est ?

Hélas, ma foi en l'espoir en prend un dur coup après cette difficile matinée lorsque, en début d'après-midi, j'accompagne la représentante de la DPJ pour une première visite dans une petite rue du centre-ville. Plusieurs plaintes ont été portées de la part des autorités scolaires au sujet de trois enfants d'une même famille souffrant de malnutrition. Les petits paraissent chétifs, se présentent à l'école sales et mal vêtus, sans avoir déjeuné. Souvent, ils n'ont ni apporté de lunch pour le midi ni fait leurs devoirs. La mère, qui les élève seule, a été convoquée à plusieurs reprises, mais elle ne s'est jamais présentée à ses rendez-vous.

Aujourd'hui, nous nous présentons à sa porte de façon imprévue, avec un mandat en main. Hélas, ce que nous y découvrons nous jette par terre : la femme qui, à travers la fenêtre, a crié d'une voix chevrotante d'entrer après nos trois tentatives sur la sonnette, est étendue sur le divan d'un salon délabré et encombré d'un bout à l'autre de traîneries de toutes sortes, vêtements, vaisselle sale, jouets, serviettes et, dans un coin, un aspirateur débranché.

Marie-Anick Therrien ne paye pas de mine : maigre à faire peur, le teint terreux et la tête complètement chauve, la jeune femme soulève à peine la tête en nous apercevant.

— Entrez. Excusez-moi, je n'avais pas la force de me lever pour aller répondre.

— Madame, vous avez l'air malade.

— Oui, j'achève.

— Vous achevez ? Comment ça ?

— D'après les médecins, il ne me reste que quelques mois à vivre, sinon quelques semaines. J'en suis à mon troisième cancer et cette fois-ci, il n'existe plus d'espoir, les métastases me rongent partout. À moins d'un miracle, je vais mourir très bientôt.

— Ah, Seigneur ! Mais avez-vous réclamé de l'aide pour vous et vos enfants ? Il existe des ressources pour s'occuper de vous et trouver quelqu'un pour vous dépanner.

— Non, pas encore. Je préfère me rendre à la limite, j'ai trop peur qu'on m'envoie à l'hôpital. Vous comprenez, je n'accepte pas de perdre mes petits, mes amours. Je ne veux pas me les faire enlever, je veux les garder auprès de moi le plus longtemps possible. Chaque jour, chaque instant me sont tellement précieux, comprenez-vous cela ? Avant longtemps, je… je…

La femme se met à geindre faiblement, comme si elle ne trouvait même plus la force de pleurer.

— Vous n'avez pas de mari, pas de famille, pas d'amis ?

— Non. Le père a disparu sans laisser d'adresse, il y a plusieurs années, et toute ma parenté réside au Nouveau-Brunswick. J'habite ici depuis deux ans seulement.

— Ma pauvre, pauvre dame ! D'après ce que je vois, le temps de vous séparer de vos enfants pour mieux vous faire soigner arrive à grands pas. Est-ce que je me trompe ? Par contre, avec davantage d'aide, peut-être arriveriez-vous à survivre un peu plus longtemps ? Je vais tâcher de vous en trouver, mais…

— …

— Et vos petits aussi ont besoin de plus de soins. Tôt ou tard, cela doit arriver. Je suis tellement désolée, croyez-moi, tellement désolée…

Un peu plus et je me mettrais à gémir plus fort qu'elle, car je me sens comme l'agent du diable. J'ai beau croire en l'espoir, certaines vérités à faire frémir restent sans appel. Devant de telles horreurs incontrôlables, les pitoyables humains que nous sommes n'ont pas le choix de s'incliner, vaincus. Il faut se rendre à l'évidence : la foi ne peut pas déplacer certaines montagnes, et la mort se montre injuste quand elle s'empare d'une mère de famille de trente-deux ans. Je jette un œil à la travailleuse sociale de la DPJ. Elle ne semble pas en mener plus large que moi, mais réussit à se ressaisir plus rapidement.

— Bon, puisqu'il faut prendre des décisions, nous allons regarder ensemble les avenues qui se présentent.

Des avenues ? Quand on sait que la dernière avenue de cette femme deviendra sous peu celle du cimetière et que, dès maintenant, il nous faut déjà diriger trois futurs orphelins vers de nouvelles avenues inconnues où n'existe aucune garantie de bonheur, je me demande parfois à quoi rime le grand jeu de la vie. Espérons que l'avenir ménagera tout de même de belles et bonnes surprises à ces enfants-là.

Si La Faucheuse ne lésine pas pour arracher scandaleusement une mère à ses jeunes enfants, la visite suivante ne me remonte pas davantage le moral. Cette fois, j'y vais seule. Il s'agit d'évaluer la situation d'un vieux couple qui s'obstine à conserver son logement malgré son incapacité de plus en plus évidente de se débrouiller seul.

Évidemment, je me suis bien gardée d'annoncer ma visite. Depuis quelques semaines, l'homme de quatre-vingt-dix ans a pris le lit à cause d'une infection urinaire chronique en train de s'aggraver. Sa femme, dévorée par les rhumatismes et se déplaçant péniblement à l'aide d'une canne, persiste à vouloir le soigner à la maison, se doutant bien qu'une hospitalisation risquerait de signifier un départ définitif et sans retour de son homme. En dépit de l'aide fournie par le centre, elle semble, de toute évidence, dépassée par la situation. Même sans la présence d'un mari malade, je doute qu'elle soit suffisamment autonome pour se tirer d'affaire toute seule. L'appartement m'apparaît sens dessus dessous, il n'y a presque plus rien dans le réfrigérateur et le vieil homme râle dans sa chambre, couché dans sa vomissure.

Il m'incombe donc, malgré moi, de sonner le glas pour ces amoureux liés, soudés l'un à l'autre depuis près de soixante-dix ans. Aussi bien leur annoncer la fin du monde. La leur, à tout le moins ! Je tente néanmoins de leur laisser une lueur d'espoir.

— Votre mari doit s'en aller à l'hôpital, je le crains, madame. Quant à vous, nous allons essayer de vous fournir davantage de soutien. Si votre homme guérit rapidement et ne requiert pas trop de soins, il pourra revenir ici. Sinon, il pourra aller vous rejoindre dans la résidence où vous serez transférée.

Comme la vie se montre cruelle parfois... Si seulement je possédais encore la foi toute-puissante de mon enfance, peut-être accepterais-je mieux les incompréhensibles caprices du destin...

Ce soir, Jean-Patrick arrive plus tôt qu'à l'accoutumée, un gros bouquet de roses à la main. Ah? Mon homme s'imagine-t-il qu'un bouquet de roses sur le coin de la table peut suffire à lui obtenir le pardon pour son absence auprès des siens, certaines fins de semaine? Ou aurait-il deviné mon immense besoin de me jeter dans ses bras, après cette journée éprouvante au bureau? Avec un large sourire, il m'annonce pouvoir rester parmi nous au moins quatre ou cinq jours en remplacement de ses absences passées de plus en plus nombreuses. Je ne résiste pas à lui sauter au cou.

Comble de bonheur, Gabrielle s'amène aussitôt, son bulletin scolaire plus que satisfaisant en main, pour se jeter en même temps que moi dans les bras de son père, suivie de Félix qui s'avance d'un pas hésitant pour rejoindre notre groupe en prononçant pour la première fois, nettement, clairement et d'une voix précise, un mot qui nous arrache tous des larmes:

— Papa!

Soudain, j'aperçois la violette posée à côté du manuscrit de Maxime sur la table à l'entrée du salon. Je voulais cette journée magnifique, eh bien! elle se terminera magnifiquement.

Surtout, ne jamais renoncer à l'espoir.

CHAPITRE 12

— Non, Félix, j'ai dit non ! Tu choisis seulement une chose, pas deux !

Félix se roulait par terre parce que je lui refusais un autre bonbon parmi les centaines de friandises étalées sur le présentoir. Comme toujours, j'ai jeté un œil épouvanté dans le magasin. À mon soulagement, cet après-midi-là, il ne se trouvait personne d'autre pour assister à la scène répétée pour la cinquième journée d'affilée. Les autres jours, le silence se faisait parmi la clientèle et tous se retournaient vers moi avec l'air de dire : « Quelle emmerdeuse, cette femme, et quelle imbécile ! Qu'est-ce qu'elle attend pour le remettre à sa place, son petit démon ? »

Toujours en attente d'une évaluation chez l'orthophoniste, je suis retournée consulter la psychologue pour enfants avec Félix dans l'espoir, non seulement d'apprendre des façons de mâter le fameux petit démon, mais aussi pour enrayer les effets négatifs sur moi-même d'une remise en question qui ne manque pas de remonter à la surface, certains soirs.

Félix souffre-t-il d'autre chose que d'un problème de langage ou bien suis-je simplement une mauvaise mère ? Je songe au spectre de l'autisme, éventualité dont elle a fait mention, l'autre jour, et cela me fait frémir. Jusqu'où le comportement de cet enfant résulte-t-il d'un trouble envahissant du développement, et jusqu'où est-il le fruit de trop de tolérance de ma part, comme le prétend Jean-Patrick ? Pour quelle raison ne puis-je pas l'élever comme sa sœur, en dépit de ses difficultés à comprendre mes mots ? À vrai dire, j'ai surtout besoin de trucs pour garder mon sang-froid et contrer mes maladresses.

La psy m'a conseillé d'emmener Félix au dépanneur tous les jours pour l'entraîner au « oui » et au « non ». Je dois alors l'habituer à se conformer à la règle de ne choisir qu'une seule et unique gâterie et non pas de s'emparer, comme un petit fou, de tout ce qu'il a sous les yeux. Malgré mon acharnement et ma rigueur, les crises se répètent inlassablement de jour en jour au beau milieu du magasin, sans véritable signe de progrès. C'est à désespérer, Félix ne comprend strictement rien.

Ce jour-là, donc, pour la millième fois depuis sa naissance, je me suis retenue de lui donner une puissante tape sur les fesses entre deux étalages de friandises. De retour à la maison, vaincue et découragée, je l'ai confiné dans sa chambre en refermant la porte avec exaspération.

— Tu veux brailler, mon gars ? Eh bien, braille ! Moi, je démissionne, je ne suis plus capable. Plus capable ! Je vais craquer, je le sens, et là, je ne pourrai plus répondre de moi-même. C'est sur mon cas et sur le tien que ma cousine détective va devoir enquêter avant longtemps ! Tu es en train de me rendre folle, comprends-tu, Félix ? COMPLÈTEMENT FOLLE !

C'est une mère éplorée, gémissant sur le coin de la table de cuisine et parlant toute seule à voix haute, que Gabrielle a trouvée au retour de l'école.

— Pourquoi tu pleures, maman ?

— Je suis juste fatiguée, mon amour.

— Il est où, Félix ?

— Dans sa chambre.

— Je vais le chercher.

Dans ma détresse, je n'avais pas réalisé que le frérot avait cessé de se lamenter depuis un certain temps. Dès l'ouverture de la porte, l'odeur nauséabonde n'a pas mis une seconde pour m'atteindre. Le bout du bout, la cerise sur le *sundae*, ou plutôt le tas de merde sur mon existence ! N'eût été la présence de Gabrielle, j'aurais étripé mon fils. Je suppose qu'il existe quelque part, au fond de l'âme des mères, une réserve de forces insoupçonnées puisées aux sources mêmes de leur amour maternel, car je n'ai pas perdu la tête comme j'aurais pu le faire.

Avec une patience que je ne me connaissais pas, j'ai doucement lavé Félix, nettoyé sa chambre, pris moi-même une douche et, avec l'aide de ma petite fille si raisonnable, j'ai préparé le souper pendant que Félix actionnait, à rendre fou le plus sage des moines tibétains, le klaxon de son auto de course. Le plus difficile a été de ne pas raconter l'incident à Jean-Patrick, le soir au téléphone. Et seule ma ferme résolution de servir à mon fils la fessée du siècle devant tout le monde s'il adoptait encore le même comportement, lors de notre prochaine visite au dépanneur, m'a permis de trouver le sommeil aux petites heures du matin. Comme je m'y attendais, ma détermination a été vertement mise à l'épreuve dès le lendemain. Cette fois, je n'ai pu résister et me suis mise à rudoyer Félix et à le secouer furieusement. Me voyant hors de moi, la caissière a fait office d'ange et s'est approchée pour poser silencieusement une main amicale sur mon bras dans le but de me calmer. Le petit en a été quitte pour une costaude séance de secouage et une solide enfilade de bonnes tapes sur le derrière.

Dieu bénisse les anges. Sans la caissière, je pense que là, devant tout le monde, j'aurais pu assassiner mon enfant innocent, tant la rage trop longtemps et trop souvent contenue et endiguée menaçait d'exploser. Une rage nourrie par de multiples sorties infaisables au cinéma, au restaurant, chez des amis ou dans la parenté, par d'inévitables et pénibles matinées à l'épicerie avec un petit qui hurle à côté du panier, par des séances à n'en plus finir au salon de coiffure ou à la pesée chez l'infirmière où il ne cesse de se trémousser. Une rage alimentée de raisonnements déficients et d'entêtements stupides, de phrases incomprises par Félix et de mots prononcés à la diable ou, pire, qu'il refuse de répéter.

Me voyant retrouver mon calme, j'ai senti la pression diminuer parmi les clients du magasin. Enfin une femme qui sait éduquer son enfant! Surpris par un tel emportement public chez sa mère et paralysé de frayeur, Félix, lui, s'est tu. Il n'a même pas protesté, tournant vers moi, dans son beau visage mouillé, un regard surpris, naïf et pitoyable. Un regard désemparé que je n'oublierai jamais, pour le reste de mes jours. Un regard de pauvre garçon démuni qui ne possède pas les moyens pour s'exprimer, encore moins pour se comporter en enfant normal. Un regard de petit gars perdu dont le cerveau fonctionne mal et comporte une zone sinistrée, détraquée, dysfonctionnelle. Le sourire réconfortant de la caissière m'a fait l'effet d'une bouffée d'air frais.

— Bravo, madame Martin! Ce petit-là méritait une rude correction. Mais attention, il ne faut pas exagérer. Au fond, je vous admire, vous savez. Je ne sais pas comment vous faites pour user de tant de patience avec lui.

— «Tant de patience avec lui»? Mais voyons, ne me parlez pas de patience! Je viens de manquer perdre le nord, il y a juste un moment! Mon garçon est malade, vous savez…

— Je le sais, ça se voit! J'ignore de quelle manière je réagirais moi-même, à votre place. Ne vous gênez pas pour revenir l'entraîner ici chaque jour, s'il le faut. À la longue, il finira bien par comprendre, ce joli garçon. Il peut se montrer si gentil quand il le veut!

Si la femme du dépanneur a pu dire « Je le sais, ça se voit ! », pourquoi son père ne le voit-il pas, alors ? Et comment expliquer les conseils du médecin d'attendre encore et toujours plus de maturation chez l'enfant, au lieu de le soigner dès maintenant ? Même au Centre de la petite enfance où il se fait maintenant garder, on admet ses problèmes particuliers, mais, à l'instar du pédiatre, on parle d'une prise en charge seulement à la maternelle, pas avant. Pas avant, pas avant... Toujours le même discours ! Ils en ont de bonnes ! En tout cas, moi, sa mère, je n'aurai jamais cessé d'essayer d'aider mon fils ! Si seulement on pouvait rencontrer cette satanée orthophoniste...

Je suis revenue du dépanneur penaude et repentante d'avoir sauté une coche, remerciant le ciel qu'une pure étrangère ait réussi à refréner mes élans. Ce soir-là, écrasée de remords, j'ai cajolé mon petit plus qu'à l'accoutumée et lui ai servi du dessert deux fois plutôt qu'une. En le mettant au lit, je lui ai raconté une histoire qu'il n'a probablement pas comprise et lui ai dit cent fois « Je t'aime » en l'embrassant. Gabrielle m'a imitée et nous avons fait une « attaque de becs » à un Félix qui se tordait de plaisir.

Une demi-heure plus tard, ma fille a eu droit, elle aussi, à une attaque de becs de la part de sa mère et à une longue histoire, celle d'un petit agneau malade qu'une fée bienveillante guérissait d'un simple coup de baguette magique.

Le lendemain, au dépanneur, ô miracle, Félix n'a nullement poussé de hauts cris quand j'ai refusé de lui acheter la deuxième auto miniature de plastique qu'il convoitait. Ravie, la caissière m'a lancé un clin d'œil complice et a offert spontanément des petits cœurs en chocolat à mon fils et à sa mère.

— Pour votre belle victoire, madame Martin. Et surtout pour la tienne, mon garçon ! Toutes mes félicitations !

C'est fou, je me suis mise à pleurer au beau milieu du magasin, sous le regard curieux d'une nouvelle cliente qui n'y comprenait rien. Cette fois, c'était de joie.

※

Dure, dure semaine… Ce soir, vendredi, j'attends mon homme avec fébrilité. Je ne lui raconterai pas mes histoires de dépanneur, je ne lui mentionnerai pas non plus les deux lavements purgatifs donnés cette semaine à Félix maintenant devenu obsédé par la propreté qu'il observe chez ses petits amis de la garderie et qu'il s'avère incapable d'imiter. Au lieu de faire ses besoins quotidiennement dans la toilette, il préfère se laisser constiper. Sans parler des fois où il confond un simple gaz avec une réelle envie de déféquer! Il fait alors dans sa couche et devient la risée des autres enfants. Premières expérimentations, pour mon pauvre petit, du phénomène de rejet par les autres enfants que j'appréhende au-delà de tout…

Non, ce soir, quand Jean-Patrick se pointera, les enfants dormiront, la table sera dressée, les bougies allumées et l'apéritif prêt à servir. Une odeur de rôti de porc lui chatouillera les narines et sa femme, parfumée, maquillée, coiffée et vêtue de sa robe d'intérieur la plus sexée, lui ouvrira les bras et le couvrira de baisers. Le couple tombera à la renverse sur le divan du salon devant les braises ardentes de la cheminée, et l'homme lui fera l'amour comme un déchaîné.

Je dois lire trop de romans à l'eau de rose! Et pourtant, j'en ai besoin, je veux tellement le voir se réaliser, ce fantasme! La pensée de cette scène m'a tenue en haleine et m'a aidée à me rendre jusqu'à ce soir, huit heures, l'heure habituelle à laquelle l'homme de ma vie revient de Jolicœur.

Mais rien ne se passe comme prévu. La table est pourtant dressée, et le rôti presque cuit. Et moi, impatiente, je réchauffe mes épaules à moitié nues auprès de l'âtre. Mais Jean-Patrick n'arrive toujours pas. De l'autre côté des grandes fenêtres du salon, la tempête de neige fait rage. C'est à peine si je peux deviner les lumières de la rue. Ah! mon Dieu, faites que tout se passe bien sur la route. S'il fallait qu'un accident survienne! Huit heures, neuf heures, neuf heures trente… Je ne tiens plus en place. Et son téléphone portable qui ne répond pas! À presque dix heures, pendant que je fais les cent pas devant la fenêtre, la sonnerie stridente du téléphone brise enfin le silence. C'est lui, enfin!

— Geneviève? Écoute, je ne suis rendu qu'à mi-chemin. Les routes sont impraticables et la visibilité nulle. Je vais prendre une chambre de motel près d'ici et je rentrerai seulement demain, au cours de la journée.

— Bien, mon amour. L'important, c'est de te savoir sain et sauf. Mieux vaut user de prudence, n'est-ce pas?

— T'en fais pas. À demain donc!

Le clic brutal résonne à mes oreilles comme le retentissement d'une gifle. Cette sécheresse, ce ton détaché, glacial comme la neige, cette absence évidente de regrets… Pourquoi ne pas m'avoir avertie plus tôt, mon chéri? Un court appel de deux minutes sur ton portable, vers sept ou huit heures, m'aurait évité tous ces tourments. Tu me connais pourtant, Jean-Patrick Lapierre! Et pourquoi ne pas te montrer désolé pour notre souper d'amoureux raté? Je t'en avais pourtant parlé hier, au téléphone! Est-ce donc si difficile de dire « Je t'aime, je pense à toi, j'ai hâte de te serrer contre moi. Je regrette tellement de ne pouvoir arriver ce soir, je me sens aussi frustré que toi, mon amour, tu m'as tant manqué, cette semaine »?

Non. Rien. Il ne m'a dit rien d'autre que ce « À demain donc! » C'est ça, à demain donc, mon chéri, à l'heure qui te conviendra. Comme il est devenu lointain, le beau gars qui m'avait offert des boucles d'oreilles en me parlant de mariage, il y a déjà si longtemps… Lointain et méconnaissable, le beau gars! Et non seulement lointain mais… absent, même quand il est là!

Quelle est donc cette ville qui semble avoir avalé mon homme ? Jolicœur. Et pourquoi pas « Jolis cœurs », hein ? Peut-être s'en trouve-t-il de très nombreux là-bas, des jolis cœurs ? Je n'ose laisser libre cours à cette évocation. Qui sait si… Non, non, je refuse de songer à ça !

Rageusement, je range les aliments dans le réfrigérateur après avoir enfilé mon gros pyjama de flanelle. Pour le souper, je me contente de pain et de fromage, copieusement arrosés de vin. Trop délicieux, ce clos d'Alsace… Je vois presque le fond de la bouteille quand je décide d'aller me coucher, les idées confuses, les yeux secs et mon « joli cœur » à moi fermé à clé.

Au fond, le destin fait parfois bien les choses. Jean-Patrick ne saura jamais qu'en ce samedi matin radieux de lendemain de tempête, le parrain et la marraine de Félix ont formulé le désir d'emmener les deux enfants visiter le père Noël au centre commercial. Ils les ramèneront à la maison après le dîner. Bien entendu, Gabrielle ne croit plus au père Noël, mais la perspective de recevoir un petit cadeau des mains du vieux bonhomme, une friandise ou un petit livre, je ne sais trop, soulève son excitation. Et son frère, fasciné par le mot cadeau, partage cette effervescence, lui qui, pourtant, ne comprend absolument rien au personnage du père Noël.

— Adeau ! Adeau !

Au moins, Félix a saisi le concept de cadeau, car il a bien vu dernièrement, à l'anniversaire de ma mère, qu'un cadeau renfermait une gâterie dans une boîte emballée et enrubannée. Et s'il se souvenait encore de la tonne de cadeaux reçus lors de sa fête, l'été dernier ? J'aime à le croire.

Au cours de l'avant-midi, j'ai profité de l'absence des enfants pour me remettre de ma cuite de la veille et vaquer à de menues occupations en attendant le retour de mon homme dont aucun appel téléphonique ne me précise l'heure d'arrivée. Cependant, pour une fois, j'apprécierai son retard d'aujourd'hui, pourtant inexplicable et inexpliqué, car en tout début d'après-midi, Simon et Fanie, la mine renfrognée, me ramènent un petit garçon hurlant et sa sœur déçue de sa promenade.

Mon frère ne se gêne pas pour me dévoiler crûment la vérité.

— Dis donc, Geneviève, Félix nous en a fait voir de toutes les couleurs. Oh là là ! Je n'en reviens pas encore !

— Comment ça ?

J'appréhende le pire et courbe les épaules. De quelle frasque de mon gars s'agit-il encore ?

— Imagine-toi que nous attendions notre tour dans la file d'attente pour voir le père Noël quand Félix nous a échappé et est allé démolir une partie du décor en sautant dans le chariot du père Noël afin de s'emparer des grosses boîtes de cadeaux ornementales. Il criait comme un perdu : « Adeau ! Adeau ! » Évidemment, le tout s'est renversé sous les regards réprobateurs de la foule. Même le père Noël a eu l'air fâché. Un gardien a surgi et nous a demandé de nous éloigner. Je n'ai jamais été aussi mal à l'aise.

— Ah ! Quelle affaire ! Je ne sais que vous dire.

Gabrielle, du haut de ses sept ans, croit bien faire en renchérissant.

— Et au restaurant, maman, Félix a renversé son assiette par terre parce qu'il n'aimait pas la nourriture.

Déconfite, je jette un regard de suppliciée au jeune couple. Rien de tout cela ne peut encourager ma belle-sœur Fanie enceinte de six mois. Je la vois porter discrètement les mains sur son ventre, en souhaitant probablement ne pas mettre au monde une telle petite peste. Je la comprends tellement, mais comment le lui démontrer ?

— T'en fais pas, la belle-sœur ! Les enfants ne sont pas tous pareils, et un comme le mien par famille, cela suffit !

Je n'ai pas vraiment envie de les retenir, mais leur offre tout de même un café qu'ils s'empressent de refuser poliment. Je me sens ébranlée, déstabilisée, écœurée. Cet enfer va-t-il finir, un jour ?

Il finit momentanément au cours du même après-midi, sous un soleil éclatant et dans un décor féerique, grâce à la proposition de Jean-Patrick arrivé enfin, tout fringuant et de fort belle humeur. Nous allons glisser, toute la famille, sur la colline du parc voisin aménagée en une immense glissoire pour les enfants. Ma colère se dégonfle alors d'un trait, miraculeusement. Je regarde le père et ses petits s'amuser comme des fous et je les entends rire en se roulant dans la neige. Ils sont beaux, ils sont purs, ils sont pleins de vie, ils sont mes trois amours, ma raison de vivre. Je donnerais ma vie pour eux, tant je les aime. La joie de vivre vient d'exploser à nouveau. Je voudrais voir cette fin d'après-midi durer cent heures.

Je prends alors des dizaines de photos afin d'immortaliser ces instants. Pour fixer à jamais la mine réjouie de Jean-Patrick remontant la pente, le traîneau derrière lui et en tenant ses deux bouts de chou par la main, pour me souvenir de leurs visages rougis par le froid et de leurs yeux brillants de lumière.

Pour ne pas oublier que le bonheur existe encore et finit toujours par revenir, d'une manière ou d'une autre. Ah ! ne jamais l'oublier...

Merci mon Dieu !

CHAPITRE 13

Les mois de ma vie s'écoulent, gris et brumeux, sans adopter la couleur des saisons, ni l'espérance promise par le vert tendre printanier, ni la lumière dorée des premiers jours de l'été. À peine quelques éclaircies ont-elles ensoleillé certains jours, çà et là, telles des simulations trompeuses d'un bonheur familial auquel, malgré moi, je crois de moins en moins. Même l'afficheur du téléphone s'obstine à ne pas faire apparaître le numéro du bureau de l'ortho-phoniste.

À la fin de l'hiver, le mandat de Jean-Patrick à Jolicœur a été prolongé et il ne s'en est que mieux porté. Tout est devenu prétexte pour ne pas revenir auprès de nous durant les fins de semaine : réunion imprévue, visite des patrons, travaux urgents de toutes sortes, et même fatigue trop intense pour prendre la route. Bref, plus souvent qu'autrement, je me retrouve dans des conditions de mère seule dont l'époux continue de façon lointaine à s'occuper simplement de la gestion financière de la famille, soit les paie-ments du loyer, des assurances et des cartes de crédit, point à la ligne. Pour la présence paternelle, pour l'affection et la tendresse, pour les soins et l'éducation des enfants autant que pour l'empres-sement de l'époux aimant, on peut repasser.

Le pauvre homme… N'inspire-t-il pas la pitié ? Pas drôle, le rôle de père d'un garçon mal élevé et manipulateur que sa mère imagine malade alors qu'elle le couve outrageusement et exécute ses quatre volontés afin d'éviter ses crises d'enfant normal trop gâté… Après tout, les problèmes de langage n'ont rien à voir avec le caractère, voilà l'interprétation des choses du monsieur ! Et mieux vaut opter pour les faux-fuyants en donnant plus d'importance aux objectifs d'affaires d'une compagnie de produits pharmaceutiques qu'aux préoccupations familiales difficiles. N'est-ce pas, mon chéri ? Grrr !

Plus j'y songe et plus je sens la colère s'incruster viscéralement au plus profond de moi-même. Si mon conjoint me trouve si fautive et enchâssée dans l'erreur, pourquoi ne vient-il pas me donner un coup de main et m'aider à nous sortir tous du pétrin ? Il pourrait bien emmener lui-même Félix à ses rendez-vous chez la psy pour mieux comprendre ce qui se passe. Après tout, Félix est son fils autant que le mien ! Et Gabrielle aussi a besoin de son père. Elle le réclame d'ailleurs continuellement. Mais non ! Le cher représentant du sexe fort souffre tellement de notre situation qu'il opte pour la défilade comme première et unique solution. Comme ultime solution, à la vérité… Lâche, lâche, Jean-Patrick Lapierre ! Ou peut-être trop malheureux ? Je ne sais plus.

En dépit de mon code de déontologie, j'ai laissé l'amitié prendre de l'ampleur entre mon ancienne cliente Catherine Lecours et moi. Lors de nos rencontres, soit pour déjeuner au restaurant, soit lors d'une promenade au parc voisin, je n'ai pas hésité à lui confier mon indignation. Curieusement, elle m'a affirmé avoir vécu, quelques années auparavant, le même genre de circonstances avec son mari. Par contre, si le handicap physique de son fils Julien ne laissait pas de doute dès sa naissance, c'est quand le retard mental a commencé à se manifester que le père s'est réfugié dans l'absence, lui aussi. D'une voix éteinte, elle tente de ravaler son amertume.

— Tu comprends, Geneviève, l'amour-propre masculin prend un dur coup quand un homme s'aperçoit qu'il a contribué à procréer un handicapé intellectuel. C'est instinctif, que veux-tu !

— Félix est intelligent, pas un handicapé intellectuel !

— Mental ou physique, il s'agit tout de même d'une déficience. L'orgueil et l'égocentrisme, voilà les raisons pour lesquelles de si nombreuses ruptures de couple se produisent à la suite de telles épreuves. Il faut posséder un puissant instinct maternel pour ne pas décrocher de ces situations intolérables. Si tu aimes vraiment ton Jean-Patrick, donne-lui du temps, ma chouette. Il va finalement s'en remettre, crois-en mon expérience.

— Du temps, du temps ! Tu en as des bonnes ! Je ne possède pas ton âme de sainte, moi ! Félix a tout de même quatre ans et demi. Dès sa naissance, je me suis doutée que quelque chose n'allait pas. Jean-Patrick va-t-il prendre un autre quatre ans et demi avant de regarder la situation en face et d'admettre le problème ? Franchement, ça me décourage !

— Fais-moi confiance, Geneviève. Donne du temps mais surtout de l'amour et de la compréhension à ton homme et, au bout du compte, il va se faire à l'idée, je te le garantis.

— Est-ce qu'il m'en donne, lui, de l'amour et de la compréhension ? Pas du tout ! Même du temps, il m'en donne de moins en moins ! Les crises, c'est moi qui les endure, et les couches, c'est moi qui les change !

— Entre ça et un divorce…

Un divorce… ou une séparation ! Catherine a prononcé le mot fatidique sans se douter que l'horreur qu'il porte a commencé depuis quelque temps à s'infiltrer sournoisement dans le cours de mes pensées et, qui sait, peut-être bien dans celles de mon conjoint. Je n'en peux plus de ces espoirs sans cesse déçus, de ces attentes jamais comblées et de cette solitude cruelle et injuste, de cet isolement total devant une conjoncture qui ne devrait pas concerner que moi seule. Si le père de Félix refuse d'affronter courageusement les problèmes et a choisi avec lâcheté de m'abandonner, eh bien, qu'il parte réellement et non pas à moitié ! Je préfère les situations claires, moi, plutôt que de me retrouver sans cesse sur la corde raide. Depuis trop longtemps, monsieur rentre ou ne rentre pas, la fin de semaine, selon ses caprices ou ceux de sa compagnie. Selon ses états d'âme, à la vérité ! Et quand il revient, le même monsieur se montre de bonne humeur ou irascible selon la couleur du temps. Eh bien, j'en ai marre !

Finis pour moi les entre-deux qui génèrent une souffrance que je ne mérite pas ! S'il faut détruire notre ménage, démantelons-le d'une cassure franche et nette, et non à petit feu et à l'usure du temps comme il le fait. J'en ai assez de ce genre de torture dont je semble la seule à souffrir.

Jusqu'à ce matin, je ne croyais pas me tromper en envisageant la perspective d'une séparation, car petit à petit, au fil du temps, je sentais mon amour pour Jean-Patrick laisser la place à la rancœur. Une rancœur malsaine et destructrice qui, avant longtemps, ferait éclater mon horizon.

Mais en ce beau samedi d'été plein de promesses où, par miracle, mon homme tout joyeux a réintégré momentanément son foyer hier soir, un incident aussi terrible que merveilleux s'est produit.

Au milieu de la matinée, j'étais en train de dévorer les pages d'un roman, bien installée sur une chaise longue au bord de la piscine. Félix, assis par terre contre la clôture, jouait avec ses autos et ses camions pendant que Gabrielle se trouvait chez la voisine. À un moment donné, Jean-Patrick a décidé de tondre le gazon et le bruit de la tondeuse s'est mis à couvrir le babillage du petit enfermé dans sa bulle. Prise par la trame de mon livre, j'ai oublié ma surveillance, l'espace de quelques minutes. À mon insu, Félix s'est approché insidieusement de la piscine et s'est jeté avec témérité dans la partie profonde.

Ses cris et la vue de Jean-Patrick accourant et sautant dans l'eau pour l'en sortir m'ont vite ramenée à la réalité. Dieu du ciel!

— Vite, Geneviève, étends des serviettes par terre!

Jean-Patrick s'est agenouillé à côté de son fils inerte et blême comme un mort et a commencé à lui donner la respiration artificielle. Entre chaque inspiration, il lui lançait des appels déchirants et désespérés.

— Reviens, mon petit garçon, reviens! Ne t'en va pas, je t'en supplie! Félix, Félix, je t'aime tant! Mon fils à moi, mon tout petit…

Et ces cris, à travers les bruits du moteur de la tondeuse abandonnée sur la pelouse et toujours en marche, ces supplications de revenir à la vie de la part de celui que je croyais totalement insensible à l'existence de son enfant, cette voix chevrotante criant l'amour d'un père, je ne l'oublierai jamais. Ces cris ont rebondi jusqu'au fond de mon cœur et ont jeté par terre toutes mes suppositions malsaines et erronées au sujet de l'affection paternelle de Jean-Patrick. De toute évidence, il tenait à son fils autant que moi.

Félix est revenu à la vie tout doucement. Après avoir rejeté une grande quantité d'eau, il a recommencé à respirer normalement. Alors là, j'ai vu le père prendre son fils dans ses bras et se mettre à pleurer comme jamais je n'aurais cru qu'un homme puisse pleurer.

— Mon trésor, mon amour…

Il l'appelait «mon amour» et prononçait ces mots sacrés en sanglotant. En l'entourant de mes bras, je les ai prononcés avec lui, en même temps que lui. Des mots qui veulent tout dire, des mots qui nous rapprochaient davantage que les plus longues explications et les plus beaux gestes d'amour. Tout à coup, «mon Félix» devenait «son Félix» et même, au-delà de mes espoirs, «notre Félix». L'univers entier, mon univers venait de se recréer. Notre univers. Délicatement, avec mille précautions, nous avons séché le petit corps frêle et glacé et l'avons déposé sur le canapé sous de chaudes couvertures. Félix, après avoir repris connaissance durant quelques minutes, s'est aussitôt rendormi sous nos yeux attendris.

Jean-Patrick s'est alors ouvert le cœur pour la première fois depuis la naissance de son fils.

— Je sais, je sais, Geneviève, que notre garçon n'est pas normal. Mon orgueil a refusé jusqu'à maintenant de regarder la réalité en face. Je me sens tellement nul et impuissant devant ça, si tu savais! J'ai préféré penser que tu te trompais. On n'avait pas le tour avec lui, toi et moi, rien de plus. Maintenant, je me rends bien compte de la réalité et n'ai plus le choix de la reconnaître. Je suis un pissou, le plus lâche des hommes. Et j'ai accepté ce travail là-bas que j'aurais pu, que j'aurais dû refuser. J'ai tellement honte de moi, mon amour, tu n'as pas idée…

— Jean-Patrick, dis-moi que je ne suis pas en train de rêver!

— Me pardonneras-tu jamais de t'avoir abandonnée? Je ne te mérite pas, je ne mérite plus ma famille. Mets-moi à la porte définitivement, si tu veux, Geneviève. Je partirai sans protester et ne te ferai pas de problème. J'aurai simplement couru après notre perte et pourrai dire à tout le monde: « *Mea culpa, mea maxima culpa.* »

— Je veux bien te pardonner, Jean-Patrick, et rebâtir une nouvelle vie de famille avec toi. Mais il est primordial d'aimer ton fils et de l'accepter tel qu'il est, sinon l'existence restera invivable pour moi, comme maintenant. Tu comprends?

— Oui, je comprends. Si tu veux bien me donner une chance, je suis décidé à recommencer différemment. Je l'aime, ce petit-là, moi, je l'aime à la folie même s'il n'est pas et ne sera jamais le fils dont j'avais rêvé. C'était juste difficile pour moi de… de l'accepter!

Comme s'il avait compris notre conversation, Félix a ouvert les yeux et nous a souri silencieusement. Combien de temps sommes-

nous restés là, main dans la main et immobiles à ses côtés, à soustraire les souffrances et à rayer les souvenirs pénibles du passé pour
enfin nous redessiner des paysages plus sereins? Un peintre aurait
pu intituler ce tableau «Lever de soleil» ou encore «Promesse de
lendemains». Des lendemains peut-être non garants de jours plus
lumineux. Notre fils demeure et demeurera sans doute toujours un
enfant handicapé. Mais au moins, la tempête semble s'éloigner, et
nous serons deux pour regarder le soleil percer derrière les nuages
et espérer l'arc-en-ciel.

Catherine Lecours avait raison. Ce matin, ma vie a basculé et
pris une nouvelle tangente, une tangente bénie des dieux, celle
d'une vie de couple renouvelée, renforcée. Mais peut-on parler de
bénédiction quand le renforcement provient de l'acceptation
résignée et dorénavant partagée par des parents d'une pathologie
chez leur fils? Acceptation résignée et partagée, certes, mais si
laborieusement supportée...

— À partir d'aujourd'hui, on va se battre ensemble et faire tout
en notre pouvoir pour améliorer le sort de notre fils. Je te le jure,
ma Geneviève.

— Je te le jure, moi aussi, Jean-Patrick, en cette journée dramatique mais combien marquante de notre existence.

— C'est une promesse d'amour.

Au cours de cette belle semaine de la fin de juillet, après les événements pathétiques du week-end, je réintègre mon bureau du
CLSC avec plus de sérénité. Le temps doux ayant réinstallé les sans-
abris sur les bancs de parc et rendu les gangs de rue plus visibles, je
ne cesse d'envoyer des jeunes en difficulté à des Centres jeunesse.

Natasha n'est pas réapparue. Inquiète, je m'enquiers de son état
au foyer de réadaptation auquel je l'avais confiée. On m'apprend

froidement la mauvaise nouvelle qui me jette par terre : on a trouvé la jeune fille pendue sous une poutre dans le stationnement de l'édifice, le mois dernier. Je suis consternée. Une autre malheureuse qui disparaît, noyée dans la noirceur de sa solitude parce qu'il ne s'est trouvé personne pour entendre ses appels de détresse lancés d'une voix trop faible et à peine audible. Une autre mal née, mal aimée, incomprise et esseulée, une autre petite fille qui n'a pas eu le droit de grandir sereinement dans une famille heureuse pour y apprendre la formule de la joie de vivre. Une autre sans-voix.

Des nouvelles semblables me donnent toujours envie de m'agenouiller, de me prosterner pour demander à Dieu, si ce Dieu trop silencieux et trop lointain existe quelque part, de rendre enfin justice à Natasha et de lui permettre, dans l'ailleurs mystérieux et éternel où elle s'en est allée, de rattraper le bonheur que son destin terrestre ne lui a pas permis de connaître.

Le même jour, une femme vient me raconter son histoire en réclamant de l'aide avec insistance. Après avoir divorcé d'un homme violent, Alice a rencontré un nouveau conjoint au passé plutôt nébuleux. Pris en charge dès son tout jeune âge par de multiples foyers d'accueil, le type n'a pas connu ses parents. Dès l'année qui a suivi leur mariage, Alice a donné naissance à un enfant, même si leur couple allait déjà cahin-caha. Obsédé par ses origines, le père, plus ou moins mentalement équilibré, est parti un jour à la recherche de sa propre famille qu'il a finalement retrouvée en Gaspésie. Il n'est revenu que quelques semaines plus tard, confus et l'esprit encore plus troublé.

Au printemps suivant, l'homme est retourné sans avertissement à Gaspé en ne laissant à sa femme qu'un faux numéro de téléphone. Les premiers temps, Alice espérait son retour, attendait un appel ou un signe de lui, mais rien n'est venu. Après quelques vaines recherches, elle a dû se rendre à l'évidence : son mari était définitivement retourné vivre dans sa région natale et ne reviendrait plus. Bravement, elle s'est faite à l'idée, a trouvé un emploi et a pris entièrement la charge d'éduquer son fils, vaille que vaille. Elle ne pouvait se douter que, contre toute attente, le père surgirait de nouveau au bout de huit années d'absence, plus cinglé que jamais.

Effarée, la femme me parle d'une voix brisée et ses yeux roulent dans l'eau. La peur se lit sur son visage. De toute évidence, la saga vient de prendre une tournure pathétique et inattendue.

— Croyez-le ou non, madame, cet homme a sonné à ma porte, avant-hier, et il réclame de voir son fils. Il a pris un faux nom et affiche des allures de dément. Un vrai fou, je vous dis !

— Vous avez refusé de le laisser entrer ?

— Oui, bien sûr ! Mais il a promis de revenir. Il me fait peur et je ne sais pas à quel saint me vouer. S'il fallait qu'il enlève mon enfant et disparaisse avec lui… Cet homme est parfaitement du genre à faire ça. Heureusement, le petit se trouvait à l'école quand il est venu, mais je ne voudrais surtout pas le traumatiser avec cette histoire. Par contre, cet homme peut revendiquer sa paternité, vous comprenez.

Si je comprends ? Évidemment que je comprends ! Combien de fois, ces derniers temps, n'ai-je pas imaginé Jean-Patrick me laissant en plan et s'enfuyant ailleurs pour ne plus revenir sauf pour chercher les enfants toutes les deux semaines et les confier à une étrangère au joli cœur… Ouille ! Perspective terrifiante s'il en est ! Et encore, Jean-Patrick n'a rien d'un dément, bien au contraire ! Mais je chasse vite ces idées noires. Depuis nos explications à la suite du drame dans la piscine, le danger de fuite de mon homme ne représente plus qu'un méchant mirage à oublier. Notre famille, de nouveau tissée serré, se tient encore debout. La fileuse d'espoir est passée et l'a réparée avec des fils aux couleurs de l'amour.

À cause de l'incident de samedi dernier, qui aurait pu virer à la tragédie, Jean-Patrick a refusé à son patron, dès lundi, une autre prolongation de son travail à Jolicœur. Il a prétendu avoir fait sa part et préfère maintenant donner la priorité à sa famille, stipulant qu'il incombe à quelqu'un d'autre d'assumer désormais de tels déplacements. C'était à prendre ou à laisser, et le patron a compris. Dans moins d'un mois, dès le début de l'automne, mon homme rapatriera ses quartiers généraux, autant à la maison qu'à la succursale locale de sa compagnie. Et je m'en trouve fort aise, consciente que l'un des problèmes de ma vie vient de se régler. Reste celui, majeur, de Félix qui rentrera à la maternelle dans quelques semaines sans avoir encore reçu aucun traitement en orthophonie. J'en frissonne rien que d'y songer !

Je regarde partir ma cliente, Alice, non sans un certain attendrissement, après lui avoir recommandé une extrême prudence.

— Il faut absolument consulter les autorités policières afin de vérifier si cet homme est violent et si vos craintes s'avèrent fondées. J'insiste là-dessus, vous me comprenez bien, n'est-ce pas ? Vous devez y aller dès maintenant. Tenez, je vous donne le numéro du poste. Là, on enquête exactement pour ce genre de situation. Dites-leur que c'est moi qui vous envoie. On va s'occuper de vous aussitôt. Sans doute fera-t-on des recherches sur votre ex-mari et vous recommandera-t-on d'aller habiter ailleurs pour un certain temps, dans un lieu inconnu de lui. Connaissez-vous quelqu'un, une amie ou une sœur, par exemple, qui pourrait vous héberger ? Sinon, je peux vous suggérer un centre d'accueil pour femmes et enfants dans votre condition.

— Euh… je préférerais aller chez ma sœur. Elle vient tout juste de déménager et il ne connaît pas l'adresse.

— Informez-vous et rappelez-moi. Quant au petit, il faudra avertir l'école de garder particulièrement l'œil ouvert. Et je vous recommande de le transporter vous-même matin et soir. Revenez me voir la semaine prochaine pour me dire où en sont les choses, d'accord ?

— Merci, madame. Au revoir, madame.

La femme me quitte sans se retourner, anéantie par l'ampleur de son problème. Je mettrais ma main au feu que, travaillant justement dans ce poste, ma cousine détective Isabelle Guay-Deschamps s'occupera elle-même du problème. Problème de mère d'un petit garçon normal, fils d'un père détraqué…

Problème inverse du mien.

CHAPITRE 14

La rentrée de Félix à la maternelle ne se fait pas sans un pince-ment au cœur, même si Jean-Patrick a, pour une fois, décidé de par-tager mes trépidations de mère. J'admets que depuis son retour à la maison durant la semaine, mon homme a fait basculer ma vie vers des jours meilleurs.

— J'y vais avec vous deux, Geneviève.

— Comment ? Tu vas perdre une demi-journée de travail pour nous accompagner dans la cour de l'école ? Je ne m'attendais pas à ça, je t'avoue.

— Ben quoi ? Pour moi, ce premier jour est très important. Je me rappelle encore du mien. Ma mère travaillait et ne pouvait m'accompagner, et la voisine avait dû s'occuper de moi. Je me sentais affreusement abandonné. Félix, lui, effectuera ce grand pas en présence de ses deux parents.

Nous voici donc ce matin, lui et moi, en route vers la petite école primaire de notre quartier, chacun tenant avec nervosité la main d'un petit garçon tout content de ses souliers neufs et de son chandail rayé bleu et blanc. Dans quelques instants, nous lancerons

notre enfant, seul et sans défense, dans une société dont nous anti-
cipons l'accueil avec une certaine appréhension. Félix possède-t-il
les moyens pour y faire sa place, une place respectable et respectée ?
Saura-t-il se débrouiller avec ses yeux pétillants d'intelligence mais
sa concentration de courte durée et ses incompréhensions décon-
certantes ? Saura-t-il, surtout, s'y sentir heureux et s'épanouir
normalement ?

Ce matin, je lui ai enfilé une double couche après lui avoir
donné un lavement. Est-ce à cause d'un entêtement morbide, d'un
besoin de monopoliser l'attention de sa mère ou d'un réel manque
de contrôle de sa part ? Félix a peur de ses selles et ne s'en libère
dans la toilette qu'à la dernière limite quand, armée d'une patience
héroïque, je ne lui donne pas le choix. Mon entêtement, les sup-
positoires de glycérine ou les lavements, en dernier recours, font le
reste. Sinon, il préfère se retenir pendant des jours, provoquant
des fécalomes qu'il n'arrive plus à évacuer sans médication et sans
de déchirantes douleurs.

Sur le trottoir, ni Jean-Patrick ni moi ne disons mot. Je me sens
paralysée de frayeur et n'ai plus envie d'avancer vers ce nouveau
tournant de l'existence de notre enfant. Telle une obsession, une
phrase perfide, toujours la même, ne cesse de marteler le siège de
mes pensées : « C'est au cours de la maternelle qu'on identifiera
exactement le mal qui affecte votre fils. » Le pédiatre, la gardienne,
la directrice du CPE, la psychologue et même ma mère m'ont tenu
ce discours tant de fois qu'en ce moment, je me sens comme une
condamnée marchant vers le tribunal pour y recevoir sa sentence.
Je n'aurais pas dû les écouter et consulter plutôt un autre médecin,
ou tenter d'obtenir un rendez-vous chez un autre orthophoniste ou
je ne sais quel spécialiste, mais ne pas attendre à aujourd'hui. Une
peur incontrôlable me chiffonne. Si un diagnostic de handicap
intellectuel incurable doit tomber, après une évaluation par des
spécialistes, on l'apprendra d'ici peu.

Félix, lui, semble heureux, à l'instar de sa sœur, d'aller enfin à l'école sans pourtant savoir de quoi il s'agit vraiment. Longuement, patiemment, je lui en ai parlé dans le but de le préparer à ce grand changement. Étonnamment, cette perspective a semblé le calmer, ces derniers temps, et les crises sont devenues moins fréquentes. Est-ce grâce à la présence plus constante de son père ? Son comportement général ainsi que sa compréhension du langage se sont quelque peu améliorés, même s'il continue à préférer s'exprimer par gestes. Même sa psychologue se dit satisfaite de ses progrès. Bien sûr, il fait encore du coq-à-l'âne et ne reconnaît toujours pas ses couleurs, mais il arrive parfaitement à s'habiller seul et même à terminer rapidement un casse-tête difficile.

Hier soir, par contre, il a réussi encore une fois à secouer dangereusement mon sac d'arguments positifs au sujet de sa condition mentale. Lui et moi étions en train de feuilleter un livre d'images et nous nous sommes arrêtés sur une page remplie de portraits d'animaux.

— Il est où, le gros oiseau, Félix ?

— Le gros oiseau est blanc.

— Montre le gros oiseau à maman avec ton doigt.

Tout content, Félix a approché son index de mon visage.

— Là…

— Non, Félix, je veux voir l'oiseau sur la page.

— Page, finie.

Il a brusquement refermé le livre avec un certain agacement et s'apprêtait à sauter par terre, mais j'ai quand même réussi à le maintenir en place pour quelques minutes de plus.

— Félix, écoute bien maman. Montre-moi « en haut ». EN HAUT, tu comprends ?

À mon grand désarroi, il a pointé le bas de la porte. Le cœur serré, j'ai saisi sa menotte et, en fermant les yeux, j'ai déposé un baiser sur le bout du petit doigt fautif. Et ce baiser, banal et anodin en soi, signifiait à la fois tout l'espoir et tout le désespoir d'une mère complètement dépassée.

Ainsi, nous nous retrouvons aujourd'hui entourés d'enfants dans l'entrée de la cour d'école, à la recherche des deux professeurs de maternelle. À mon grand bonheur, on a inscrit Félix dans la classe de madame Lépine, l'institutrice qui a enseigné à Gabrielle, il y a trois ans. Je l'avais appréciée, à l'époque, pour sa compétence et son haut niveau de dévouement envers les enfants. Je ne peux demander mieux, cette jeune femme saura comprendre notre garçon.

Jean-Patrick me lance un regard interrogateur, voyant Félix se serrer contre ma jupe, effrayé par un si grand nombre d'enfants autour de lui. Cette attitude ne m'inquiète pas car, au CPE, il ne craignait pas de s'approcher des autres et socialisait facilement en dépit de son langage restreint.

Il apprend d'ailleurs davantage par imitation des autres qu'en obéissant aux consignes qu'il n'arrive pas toujours à comprendre. Ainsi, à la garderie, Félix plaçait volontiers son manteau sur le crochet pour reproduire les gestes de ses amis, car si on lui disait : « Enlève ton manteau et mets-le sur le crochet », il butait sur un seul mot, soit « manteau », soit « crochet », incapable de saisir la séquence chronologique.

Déjà entourée d'enfants, l'institutrice s'approche de nous en nous apercevant. L'espace d'un moment, je regrette de ne pas l'avoir rencontrée au préalable pour l'informer du comportement particulier de notre enfant. Après tout, elle s'en apercevra bien elle-même !

— Tiens, tiens, le papa et la maman de Gabrielle Lapierre ! Bonjour monsieur, bonjour madame. Voilà le frérot, je suppose.

Bonjour, Félix! Bien contente de te connaître. On va passer une belle année ensemble, tu vas voir.

Félix baisse la tête et refuse obstinément de rencontrer le regard de sa nouvelle prof. Mais celle-ci ne s'avoue pas vaincue pour autant et lui tend gentiment la main.

— Tu veux venir avec moi? Il y a plein de nouveaux jouets dans la classe.

Timide, Félix continue de regarder par terre.

— Dis-moi ce que tu aimes, Félix. Les camions? Les livres? Les craies de cire? Tiens, veux-tu venir avec moi, on va aller dessiner un chien?

Le mot « chien » le fait enfin réagir. Il relève la tête, sa belle tête d'enfant magnifique au regard émouvant de candeur.

— Chien!

— Tu aimes les chiens, Félix?

— Chien!

Sans trop d'hésitation après avoir entendu le mot magique, notre fils accepte de se séparer de nous et de suivre la jolie madame Lépine. Devant mon air effaré, l'institutrice croit bon de me rassurer avant de s'éloigner, ne se doutant pas que l'enfant à problèmes qu'elle tient par la main lui empoisonnera l'existence dans les semaines à venir et lui causera probablement bien des maux de tête tout au long de l'année.

— Ne vous en faites pas, madame. Vous vous rappelez Gabrielle? Elle se montrait tellement timide au tout début. L'intégration se fera progressivement pour Félix aussi. Aujourd'hui, il ne restera avec moi et ses compagnons qu'une petite heure. Demain, on le gardera durant deux heures et ainsi de suite, progressivement, jusqu'à la fin de la semaine. Vous pourrez venir le chercher à la fin de la classe. Par contre, ne manquez pas l'importante réunion de parents, jeudi soir.

— Je m'inquiète pour une tout autre chose, madame. C'est que… voyez-vous… Félix est un enfant un peu spécial. Il… il porte encore une couche! Si jamais il s'échappait, ne vous gênez pas pour me rappeler, je laisse toujours mon téléphone portable ouvert. On a dû inscrire le numéro dans son dossier.

— Félix souffrirait-il d'un petit problème de santé?

— Euh… oui, c'est ça, un petit problème de santé! J'aimerais bien en discuter avec vous. Vous devez savoir certaines choses…

— Je pourrais vous rencontrer après la réunion de jeudi.

— Si vous le permettez, je préférerais vous en parler dès aujourd'hui, après la classe. C'est de première importance, je crois.

— Bon, d'accord, en autant que ça ne dure pas trop longtemps.

Intuition? Pressentiment? Anticipation? En obtenant cette rencontre immédiate, j'ai l'impression de remporter la première victoire, si minime soit-elle, d'une interminable série de requêtes et de réclamations pour des rendez-vous en expertise que je verrai s'échelonner tout au long du cours primaire de Félix.

Debout et désemparés au milieu de la cour de l'école, Jean-Patrick et moi regardons partir notre fils vers la grande aventure sans même un regard pour nous. Va, Félix, va découvrir le monde et y faire ta place.

Instinctivement, je me serre contre mon homme, même s'il s'obstine à rester muré dans le silence. Je le remercie mentalement d'être là en glissant, dans la sienne, ma main que je sens fragile et toute petite.

Le sort en est jeté.

❧

Malgré toutes mes informations et mes recommandations sur les particularités de Félix lors de notre rencontre du premier jour d'école, madame Lépine ne tarde pas à me convoquer de nouveau, à peine trois semaines après la rentrée. J'ai pourtant l'impression que mon fils se plaît à l'école. Évidemment, même les jours où je travaille à l'extérieur, je vais le chercher chaque midi pour le dîner afin de changer ses satanées couches, Jean-Patrick ne pouvant assumer cette responsabilité à cause de son lieu de travail trop éloigné.

À la maison, Félix se montre plutôt calme et serein, et ne proteste jamais, le matin, pour monter dans l'autobus au coin de la rue en compagnie de sa sœur. Bien sûr, il n'accuse aucun progrès intellectuel pour le moment. Je ne m'y attendais guère, d'ailleurs, convaincue de devoir y mettre du temps et de l'énergie, peut-être même de requérir une assistance particulière et spécialisée.

Visiblement, dès mon arrivée, l'enseignante de la maternelle semble mal à l'aise et confirme mes appréhensions.

— Votre enfant démontre des difficultés d'apprentissage à cause d'un sérieux retard de langage. Je suis désolée de vous l'apprendre, madame Martin.

Malgré son calme apparent, les petits coups de crayon répétés que madame Lépine se donne inconsciemment sur la main trahissent son embarras. Ce n'est pas une sinécure d'annoncer à des parents que le fonctionnement de leur enfant ne correspond pas aux normes. Je tente de garder mon calme et de la rassurer.

— Vous ne m'apprenez rien, je vous en ai même parlé, au premier jour d'école : Félix n'est pas un enfant tout à fait normal. Il est, d'ailleurs, sur la liste d'attente d'une orthophoniste au privé depuis plus d'un an. Mais cela n'a abouti à rien, même s'il voit un psychologue régulièrement.

— Ah, bon. Votre garçon me paraît intelligent, heureusement! Une fois qu'il a saisi une donnée, il se montre très débrouillard. Je le trouve même créatif. Mais pour le langage, ouf!

— Selon les éducatrices du CPE, on allait y voir et le prendre en main dès son arrivée à l'école. Même son pédiatre attendait ce moment pour parler d'investigation.

— Ne vous inquiétez pas, madame, je vais rédiger un rapport immédiatement pour le faire évaluer le plus vite possible. On pourra ensuite lui procurer l'aide dont il a besoin. Voici le formulaire à signer.

— Ça sera long?

— Ah, ça, madame, c'est une autre histoire.

CHAPITRE 15

— Mon fils a besoin d'aide, et ça presse. Vous devriez pouvoir comprendre ça, quand même! On est rendu en février et j'attends depuis septembre. Ça n'a aucun sens. Je vais me plaindre à la commission scolaire.

Madame Beauséjour, la directrice de l'école, femme obèse et plutôt mal fagotée, du genre qui se traîne les pieds, ne semble pas impressionnée, ni par ma requête ni par mes menaces. Voilà la troisième fois que je me présente à son bureau depuis le début de l'année scolaire pour réclamer plus d'empressement dans l'évaluation des problèmes de Félix.

Lors de ma première visite, au début d'octobre, elle m'avait assurée, mon formulaire de demande de consultation en main, qu'il s'agissait d'une question de semaines pour une première rencontre, d'abord avec la psychologue pour une évaluation. Mais les semaines se sont étirées en mois et rien ne s'est produit. J'en ai assez d'entendre son sempiternel discours.

— Que voulez-vous, ma pauvre dame, il va falloir encore patienter. La psychologue ne vient ici que deux jours par semaine, et elle se trouve présentement en congé de maladie. La liste d'attente d'élèves requérant de l'aide s'allonge et je n'y peux rien. Nous manquons carrément de ressources. Par contre, l'orthophoniste devrait voir votre fils sous peu, prenez-en ma parole.

Sous peu, sous peu… J'en ai ras-le-bol de vos « sous peu » qui durent des mois, moi, madame! Organisez-vous donc pour que l'orthophoniste voie mon fils avant de tomber en congé de maladie, elle aussi! Ou en épuisement professionnel, peut-être? Et pourquoi pas un beau grand congé de grossesse? À moins qu'elle ne décide de prendre une petite année sabbatique… Votre parole, je ne la prends plus, madame la directrice, pas plus que celle des dirigeants de la commission scolaire dont fait partie votre merveilleuse école. Hé! Je les ai tellement appelés récemment que la secrétaire reconnaît ma voix sans que j'aie à m'identifier! Du bla-bla-bla et de vagues promesses qui ne mènent à rien, voilà tout ce que j'obtiens.

Mais je serre les dents pour éviter de déblatérer sur tout ce qui me passe par la tête et risquerait de me mettre cette femme à dos. Ne prétend-elle pas, haut et fort, faire de son mieux? Comme les fois précédentes, je me lève brusquement et pivote sur mes talons après lui avoir jeté un regard meurtrier. Ce matin, je ne fais peut-être pas valoir suffisamment mon point de vue, mais mon attitude glaciale ne laisse pas d'équivoque sur ma façon de penser au sujet de l'aide fournie aux enfants en difficulté par le système éducationnel public. Un peu plus et je lui lancerais un « Allez au diable! » bien placé qui ne réglerait pourtant rien. Après tout, cette femme est probablement de bonne foi.

Depuis la rentrée de septembre, le principal progrès de Félix, en plus d'améliorer quelque peu son caractère, aura consisté en la disparition de l'encoprésie. Je ne ramasse plus de merde comme j'en ai ramassé dans ses couches pendant cinq ans. Il s'agit maintenant d'une histoire terminée et réglée. On pourra dire que Félix a acquis suffisamment de motivation pour devenir propre au cours de la première partie de sa maternelle. Au moins ça! Est-ce à force de voir les autres enfants pratiquer normalement les règles de l'hygiène sans protester? Où est-ce grâce aux dizaines ou plutôt aux centaines d'heures passées dans la salle de bain, lui grimpé sur le siège et moi assise sur le bord du bain, à lui raconter l'histoire du petit canard qui faisait caca dans le petit pot? Toujours est-il que Félix ne porte plus de couches et il s'en montre très fier.

Au bout de quelques semaines, mon attitude rébarbative lors de ma dernière rencontre chez la directrice a enfin produit l'effet escompté. Jean-Patrick et moi recevons, au début du mois de mars, une convocation à rencontrer le personnel spécialisé de l'école. Si mes opinions sur le système scolaire prennent de meilleures couleurs, je suis par contre morte de peur au sujet de ce que nous allons apprendre. Jean-Patrick, plus fanfaron, tente vainement de dissiper mes craintes et, du même coup, de se rassurer lui-même. Je le soupçonne pourtant de n'être guère plus tranquille que moi.

— Ils ne nous apprendront rien de ce que nous savons déjà, mon amour, voyons donc! N'as-tu pas confiance dans la psychologue actuelle de Félix?

— S'il fallait que son mal soit irréversible et que Félix soit jugé incapable d'aller à l'école… Ah, mon Dieu! Je prendrais ça mal!

— Attends donc avant de t'énerver, Geneviève!

J'envie le stoïcisme de mon homme. Le fameux jour J, l'assemblée autour d'une table ronde a tout pour nous impressionner. Madame Beauséjour, accompagnée de la prof de maternelle, nous présente l'ergothérapeute, l'orthophoniste, l'orthopédagogue et la psychologue, toutes des femmes, chacune ayant devant elle, dans le dossier étalé sur la table, le rapport de son expertise exécutée la semaine précédente sur notre enfant. Je me sens dans mes petits souliers et, l'espace d'une seconde, je me demande pourquoi des êtres humains, «du bon monde comme nous autres», ont à vivre de pénibles moments d'une telle intensité.

L'ergothérapeute prend la parole la première, tout de même porteuse d'une bonne nouvelle.

— Votre fils, Alexis, ne présente aucun problème de motricité fine et il peut facilement accomplir tous les gestes banals reliés à son âge. Voilà un bon point, monsieur et madame. Par conséquent, ses problèmes ne relèvent pas de ma compétence. Je vous prie de m'excuser. Je vais partir, car je dois rencontrer d'autres parents.

Je me lève brusquement de ma chaise.

— Un instant, s'il vous plaît. Alexis ? Vous avez bien dit « Alexis » ? Mais notre garçon s'appelle Félix, madame. Y aurait-il une erreur sur la personne ?

Tous les regards se tournent vers madame Beauséjour. Se serait-elle trompée en inscrivant le mauvais nom dans son dossier dont chacun dispose d'une copie, ou bien s'agit-il d'un autre enfant de l'école ? Penaude, la directrice affirme qu'il est bien question du dossier de Félix et bafouille des excuses.

— Vous me voyez désolée. Par distraction, j'ai écrit « Alexis » au lieu de « Félix Laperrière ».

Jean-Patrick sursaute à son tour et se lève d'un bond.

— Laperrière ? Non, madame Bonsecours, notre fils s'appelle Félix Lapierre. FÉLIX LAPIERRE. Pas Alexis Laperrière !

Mon homme se rassoit aussitôt sans comprendre pour quelle raison tout le monde pouffe de rire après l'avoir entendu confondre, bien involontairement, madame Bonsecours avec madame Beauséjour.

La psychologue se racle bruyamment la gorge afin de ramener l'assemblée à l'ordre et de faire part de sa propre évaluation.

— D'après les résultats de mes tests, Alexis, euh… Félix semble posséder une intelligence normale et dans la moyenne. Lorsqu'on évalue un enfant, deux sphères sont considérées. La première mesure ses capacités de raisonnement non verbal, c'est-à-dire s'il peut formaliser des raisonnements n'impliquant pas le langage, par exemple, la réussite d'un casse-tête, la reproduction de blocs ou des jeux de mémoire visuelle. À ce niveau, Félix se développe normalement. C'est au plan des compétences langagières qu'il accuse un sérieux retard. Ses capacités d'abstraction et de compréhension verbales, son expression et son niveau de vocabulaire se trouvent nettement sous les normes attendues. Ses problèmes relèvent donc exclusivement du langage, par conséquent de l'orthophonie. Je l'ai donc dirigé vers ma consœur.

Je ne peux m'empêcher de protester.

— Et ses crises de colère, quatre à cinq fois par jour, ça relève aussi de l'orthophonie?

— Ce problème de comportement existe parfois en co-morbidité avec celui du langage, mais il semble pratiquement en voie de se résorber chez votre garçon, madame. Vous-même avez prétendu qu'Alex… que Félix explosait de moins en moins souvent. En classe, au fil du temps, il a appris à mieux contrôler ses sautes d'humeur et il se plie désormais plus facilement aux consignes. Sans doute le fait de se sentir incompris déclenchait-il chez lui de vives colères qu'il a appris à maîtriser en grandissant. Je ne le crois pas atteint d'autisme ni d'aucun trouble envahissant du développement. Un autiste le demeure durant toute sa vie, voyez-vous.

— Ah bon! Que voilà au moins une bonne nouvelle!

« Le fait de se sentir incompris »… Elle en a de bonnes, celle-là! Comme si moi, sa mère, je ne l'avais pas compris! Et ça se prétend psychologue! Spécialiste dans l'art de culpabiliser les parents, je dirais plutôt! Je me retiens pour ne pas me lever et partir, blessée dans ma dignité. Et si elle avait raison? Sournoisement, je sens un doute aussi insupportable que cruel m'envahir. Et si j'avais trop laissé faire Félix? Trop chouchouté, trop gâté comme le prétendait

Jean-Patrick? Non, non, je chasse vite ces pensées négatives. La fameuse psy n'a-t-elle pas ajouté qu'il avait « appris à se maîtriser en grandissant » ? La maturité de mon fils s'est avérée plus efficace que le zèle de sa mère, il faut croire !

Je me tourne vers la spécialiste des problèmes langagiers. L'orthophoniste, une grande femme maigre au visage émacié et entièrement vêtue de noir, se lance alors, soulevant inconsciemment ses documents à l'appui de ce qu'elle va annoncer. Le va-et-vient de ses doigts maigres tripotant les papiers m'hypnotise comme le mouvement d'une souris magnétiserait un chat.

— Madame Martin, monsieur Lapierre, nous soulevons l'hypothèse que votre fils, Ale… Félix, souffre d'un trouble primaire du langage appelé dysphasie, c'est-à-dire une limitation sur le plan de la compréhension et du développement du langage à laquelle se greffent des troubles d'abstraction, de généralisation et de perception du temps. Le diagnostic sera confirmé après six mois de thérapie en orthophonie.

Tous ces grands mots décrivant les déficiences et les incapacités de Félix se bousculent dans ma tête et j'arrive mal à retenir mes larmes. D'une voix fêlée trahissant ma confusion, je pose la question qui me brûle la langue.

— Pourriez-vous nous expliquer ça plus clairement, s'il vous plaît ?

— Je vous donne des exemples, madame. Tout d'abord, Félix ne réussit pas à retenir trois informations fournies en même temps par le langage. Si on lui dit : « Je suis blanche, je tombe du ciel et les enfants aiment jouer avec moi. Qui suis-je ? », une seule porte s'ouvrira dans son esprit et il ne saura pas répondre à la question. Il vous parlera soit du ciel, soit des enfants, soit de la couleur blanche, mais il ne pourra jamais déduire qu'il s'agit de la neige. Pour quelle raison ? Parce qu'il arrive mal à établir un lien entre ces trois données.

— Cela, nous l'avons constaté.

— Autre chose : il ne réussit pas à établir des séquences chrono-logiques. Ainsi, il est incapable d'établir une suite logique dans ces trois gestes : s'approcher d'un pommier, cueillir une pomme et manger la pomme. Dans son esprit, tout devient confus. Même chose pour les concepts abstraits : il confond dessus, dessous, dedans, etc. Vous saisissez ce que je veux dire ?

Si je le saisis ? S'imagine-t-elle m'apprendre quelque chose ?

— J'expérimente tout cela depuis sa naissance sans pouvoir y mettre un nom, madame. Hélas, personne ne semblait me croire.

Vaincue, je baisse la tête, alors que Jean-Patrick sort enfin de sa torpeur et décide de se mêler à la conversation. D'une voix faible que je ne lui connais pas, il pose la question fatale qui nous obsède tous les deux.

— Euh… ça se guérit, cette malad… cette affaire-là ?

— Guérir constitue un bien grand mot, monsieur. Chaque cas est particulier car la dysphasie existe à des degrés différents pour chaque enfant.

— Et pour Félix ?

— On va tout faire pour améliorer le sort de votre garçon, c'est certain. Mais on ne peut pas faire de promesse.

Évidemment, personne n'aime se montrer prophète de malheur et prédire la catastrophe. C'est la psychologue qui prononce, à ma demande insistante, les mots terrifiants du diagnostic définitif : trouble primaire du langage affectant le langage expressif et réceptif, c'est-à-dire, une dysphasie. Mots dont je prends note d'une main tremblante sur mon petit carnet, alors que Jean-Patrick s'empare rageusement du document officiel tendu par la directrice.

Cette fois, nous demeurons silencieux. Tout à coup, tout devient vrai, réel, officiel. Notre fils souffre indubitablement, concrètement, officiellement d'un trouble du langage. Ce n'est pas le ciel qui nous tombe sur la tête, ce sont toutes les planètes de l'univers en même temps. Je n'étais pas folle, je ne me trompais pas, et le sentiment d'avoir eu raison envers et contre tous depuis cinq ans ne me console même pas une fraction de seconde.

L'ennemi a maintenant un nom, il se trouve là, bien en face, horrible et menaçant, écrit là sur le papier. Dysphasie… Je refuse de me laisser anéantir. Vite me ressaisir, réagir. Soudain, je sens mes forces décupler et une volonté farouche s'emparer de moi. Tu ne gagneras pas contre moi, maudite dysphasie, ah ça non! Tu ne remporteras plus aucune victoire, je t'avertis! Tu en as assez gagné depuis cinq ans. Trouble du langage, hein? Eh bien, tu n'auras pas le dernier mot avec Geneviève Martin et son fils. Tu veux jouer aux mots? On va jouer!

À mes côtés, si Jean-Patrick semble aussi atterré intérieurement, il le manifeste très peu et demeure de pierre. J'étais assurément préparée à recevoir un tel diagnostic, pas lui.

Déjà des questions m'envahissent l'esprit, et je ne me gêne pas pour les poser.

— «On va tout faire», ça veut dire quoi, au juste?

— Il existe des thérapies en orthophonie, des classes spécialisées en langage, de nombreux exercices que nous pourrons vous suggérer.

— Peut-on espérer voir un jour notre fils mener une vie normale? Ira-t-il en classe régulière?

— Euh… pour l'instant, il nous est difficile de répondre à vos questions. Avec des efforts et de la bonne volonté, on pourra certainement améliorer les choses pour son avenir. Votre collaboration comme parents s'avérera primordiale. Sans continuité à la maison, nous perdrons notre temps.

Des phrases se bousculent dans ma tête, de courtes sentences sur lesquelles je me suis appuyée depuis des années et qui deviendront dorénavant pour moi des piliers essentiels : « Heureusement que c'est moi, sa mère. » Et aussi : « Cet enfant n'est pas apparu pour rien dans mon existence, il est venu y accomplir quelque chose. Il avait besoin d'une femme telle que moi. »

Je plonge un regard suppliant vers l'orthophoniste.

— De grâce, aidez-nous à aider notre fils !

— Je ferai de mon mieux, madame. On fera avancer Félix main dans la main.

Avant de quitter l'école, la femme nous remet l'adresse de l'Association québécoise de la dysphasie où se regroupent plusieurs parents d'enfants souffrant du même handicap.

— Vous pourrez échanger avec eux, leur demander conseil, partager leurs trucs.

L'orthopédagogue, qui n'avait dit mot jusqu'à maintenant, s'approche de nous.

— Voici un formulaire à remplir. Prenez le temps de bien y réfléchir. Il s'agit de décider, pour l'an prochain, si vous voulez inscrire votre garçon de nouveau en maternelle ordinaire, car il y a bien des chances pour qu'il doive reprendre sa maternelle. Par contre, deux autres possibilités se présentent à vous : comme nous ne possédons pas de classe spécialisée en langage dans notre commission scolaire, vous pourriez le faire admettre dans une classe de maturation avec d'autres enfants souffrant de divers handicaps, c'est-à-dire une classe à effectif réduit où il progresserait selon son propre rythme. Ou alors vous choisissez la troisième option : le placer dans une première année régulière avec l'aide d'une personne spécialisée telle que moi durant certaines périodes.

— Que nous conseillez-vous ?

— C'est à vous de prendre la décision, monsieur et madame. Pour le moment, Félix devrait commencer dès maintenant des rencontres avec l'orthophoniste, à raison de deux heures toutes les deux semaines.

— Deux heures aux deux semaines ? Mais c'est de deux heures aux deux jours dont mon fils aurait besoin !

— Je le sais mais que voulez-vous, notre système manque de ressources. Il faudrait se diviser en quatre et encore, cela ne suffirait pas aux besoins de la population scolaire actuelle !

Jean-Patrick et moi quittons l'école, la mine renfrognée. À part sa brève réaction au sujet de l'erreur de nom de Félix et sa question sur une possibilité de guérison, Jean-Patrick, seul homme présent au cours de la réunion, n'a pas bronché, plongé dans un mutisme opiniâtre. Comme si les solutions aux problèmes de son fils constituaient une affaire de femmes ! Je me mords les poings de rage et de dépit.

De toute façon, à bien y songer, si un semblant d'espoir de recevoir de l'aide de l'école nous habitait, il nous apparaît soudainement très minime et même chimérique. Va-t-on vraiment aider Félix à avancer ? Les deux tiers de l'année scolaire sont déjà écoulés et, à part un nom scientifique sur des problèmes déjà connus, nous n'avons pas appris grand-chose de nouveau. Des réponses vagues à nos questions sur l'avenir, des décisions importantes à prendre sans conseils vraiment précis, et un formulaire laissé entre nos mains comme une patate chaude, rien d'autre. À vrai dire, notre seule espérance réside pour l'instant dans les trop rares rencontres prévues pour Félix avec l'orthophoniste, d'ici la fin de juin. J'en calcule au maximum cinq ou six. De toute manière, cela vaut mieux que rien, l'autre orthophoniste au privé ne s'étant jamais manifestée.

Déçue par si peu de mesures proposées, j'ai hâte d'arriver chez nous pour laisser aller le trop-plein de mes émotions et pour crier bien haut ma colère et mon amertume. Contre toute attente, Jean-Patrick dirige la voiture vers le centre-ville.

— Où tu vas ?

— On ferait mieux d'aller d'abord se calmer les nerfs en prenant un verre quelque part, qu'en penses-tu ? Ça fera moins de chahut ensuite, une fois à la maison. Il faut canaliser nos énergies vers l'espoir et non la rage, Geneviève. Vers l'espoir…

C'est à ce moment seulement, là, dans le stationnement d'un garage, que Jean-Patrick se laisse enfin aller et me tombe dans les bras en pleurant comme un enfant. De l'autre côté de la rue, j'aperçois soudain une banderole blanche ornant la devanture d'une petite église. Il y est écrit, en grosses lettres dorées : *QUAND ON VEUT, ON PEUT.* Ces mots-là, je les fixe à jamais dans ma mémoire.

～⊰⊱～

C'est ma visite chez Catherine Lecours, le soir même, en compagnie de Félix, qui réduira la pression et me sera du plus grand secours. Curieusement, son fils Julien, jeune homme à la tête sympathique mais handicapé intellectuellement, manifeste un intérêt pour mon Félix qui le suit comme s'il s'agissait d'un héros. Le grand frère qu'il n'a pas et n'aura jamais…

Pendant que nos deux gars se sont réfugiés dans la pièce d'à côté, je fais part à mon amie, entre deux gorgées de thé, des hauts et des bas de la réunion de la matinée à l'école, et plus particulièrement de la réaction de Jean-Patrick. Là seulement, je réussis à me vider enfin le cœur du trop-plein dans lequel il allait se noyer.

— Certes, mon conjoint a pleuré longuement dans la voiture, la tête enfouie dans mon cou. Cependant, plus tard au restaurant, il m'a affirmé avec fermeté sa volonté de participer à l'amélioration de la condition de Félix, mais à sa manière à lui. Je l'entends encore me dire, en me regardant dans le blanc des yeux : « Tu t'occupes de lui, moi, je m'occupe du reste. Je demeurerai le soutien de la famille du mieux que je pourrai. Je l'adore, Félix, mais je serai probablement incapable d'exécuter des exercices avec lui, autant par manque de temps que par manque de patience. Tu me connais, Geneviève! Et toi, sa mère, tu sauras mieux que moi comment t'y prendre. Mais je resterai auprès de toi, ne t'inquiète plus avec ça. »

— Il a dit ça? Tiens, tiens, il me fait penser à un homme que je connais… Le mien!

— Tu vois un peu, Catherine? Renoncer à tout, accepter les sacrifices qui s'imposeront, je le veux bien et je n'hésiterai pas. Mais me sentir seule dans cette affaire précise, ça, je ne le pourrai pas, je ne le pourrai plus.

— Au moins, Jean-Patrick te donne l'heure juste, Geneviève, et il restera auprès de toi, il te l'a dit.

— Ouais… j'ai ma petite idée là-dessus!

— Comment as-tu réagi, au restaurant, quand il a dit ça?

— Je lui ai vertement révélé ma façon de penser. On s'est disputés, évidemment! Je te le jure, cette journée constitue l'une des pires de ma vie.

Je n'ai pas le temps de poursuivre ma réponse qu'une musique de flûte parvient jusqu'à nous, émanant de la pièce voisine. Un air connu joliment exécuté sur un rythme de jazz. Simultanément, j'entends Félix rire aux éclats comme il le fait très rarement.

— Dis donc, Catherine? Est-ce ton fils qui joue si bien? Tu ne m'avais jamais dit qu'il pouvait faire de la musique!

— Mais oui, Julien possède un grand talent musical. Il tient ça de moi, je suppose. J'ai longtemps joué du piano, je l'ai même enseigné à des élèves, ici, dans mon salon. Tout petit, mon fils s'est fait l'oreille à force de m'entendre. En vieillissant, il a commencé à reproduire ce que je jouais dès qu'il a pu atteindre le piano avec ses petits doigts. Bien sûr, j'ai tenté de lui enseigner quelques rudiments de musique classique mais en vain. Julien ne possède ni le quotient intellectuel pour assimiler la théorie musicale, ni le tonus musculaire suffisant pour tenir longtemps sur un banc de piano. Qu'à cela ne tienne, nous lui avons acheté une flûte à bec. Depuis ce temps, il s'amuse à jouer à l'oreille. Ma foi, il ne s'en tire pas trop mal, qu'en penses-tu?

Ce que j'en pense? Ce jeune garçon, paralysé des deux jambes et vivant avec une déficience intellectuelle, réussit à exécuter une chose merveilleuse, et cela m'impressionne. À mes yeux, il incarne l'espoir, le véritable espoir. Sans le savoir, il me démontre que rien n'est impossible. Je me remets à larmoyer. Mon fils, lui, à part les crises de colère, trouvera-t-il un moyen d'expression bien à lui?

Catherine porte une main amicale sur mon bras et plonge son regard transparent dans le mien.

— Je vais te raconter une histoire, Geneviève. Puisse-t-elle t'apporter une certaine clarté dans l'obscurité où tu te trouves présentement. Un jour, deux couples ne se connaissant pas et provenant de villes différentes avaient décidé de voyager en Italie. Chacun s'était bien documenté, avait lu des livres sur ce pays et suivi des conférences au sujet des endroits à visiter. L'un des couples avait même pris des leçons d'italien afin de pouvoir mieux se débrouiller. Malheureusement, à cause d'une sérieuse confusion à l'aéroport, nos voyageurs sont débarqués, non pas en Italie mais en Hollande! Impossible de rebrousser chemin et de pallier l'erreur, tous les quatre n'ont pas eu le choix de demeurer aux Pays-Bas pour toute la durée de leurs vacances.

— Oh là là! Quelle histoire! Ça s'est produit pour vrai?

— Tu verras. Le premier couple, déçu et amer, fit des pieds et des mains avant de s'avouer vaincu. Pendant les deux semaines du voyage, l'homme et la femme ont entretenu leur frustration et bougonné parce qu'ils se trouvaient ailleurs, dans cette plate Hollande qu'ils ont regardée d'un œil distrait et fort peu intéressé. Ils ont tout détesté, même le fromage gouda! Pas besoin de te dire qu'ils sont revenus chez eux enragés. L'autre couple, par contre, a accepté de faire son deuil de l'Italie, puisqu'il n'avait pas le choix, et il est parti à la découverte de la Hollande. Avec un grand plaisir, ils ont visité des musées et photographié des moulins à vent. Ils ont découvert Rembrandt, se sont délectés de différents fromages hollandais, ont canoté dans les canaux d'Amsterdam et se sont loué des vélos pour parcourir les pistes cyclables le long des canaux et des cours d'eau. Ils ont même rapporté des sabots de bois dans lesquels ils ont planté des fleurs.

— Où donc veux-tu en venir?

— Cette histoire ne s'est pas produite pour vrai, évidemment, mais écoute-moi bien: avoir un enfant handicapé, Geneviève, c'est comme prévoir aller en Italie et atterrir malencontreusement à Amsterdam. Ou bien tu acceptes, tu t'adaptes et tentes de te rendre quand même la vie belle, à toi, à lui et à tous les tiens, ou bien tu restes révoltée et furieuse pour le reste du voyage.

Je me lève spontanément et me jette dans les bras de mon amie.

— Merci, Catherine, tu viens de me donner le plus précieux des outils. Pas une petite pelle, une énorme grue! Les talents de mon fils, je vais les déterrer et les développer au maximum comme tu l'as fait avec Julien. Et notre bonheur familial, je vais le reconstruire, même en Hollande! Quand on veut, on peut, n'est-ce pas?

Demain, je vais acheter des tonnes de crayons de couleur et de papier à dessiner pour Félix.

CHAPITRE 16

Je suis entrée dans la lutte contre la dysphasie comme on entre en religion, prête à renoncer à tout. Si la lutte doit se jouer dès maintenant, je veux, je vais me battre. La dysphasie ne gagnera pas la joute. Ciel, non! Ma première initiative consiste à pénétrer dans une librairie pour acheter quelques livres sur le sujet, puis à prendre contact avec l'Association québécoise de la dysphasie, comme on me l'a suggéré.

Là, on m'écoute religieusement et on me met immédiatement en contact avec une bénévole spécialiste de la question. Sylvie Sansfaçon, une femme intelligente, énergique et sympathique, elle-même mère de deux enfants dysphasiques. Ce dernier fait me surprend.

— Ça peut donc être héréditaire, cette affaire-là?

— Oui, on trouve souvent plusieurs dysphasiques dans la même famille. Il faut croire que certains gènes seraient responsables.

Cette affirmation ne manque pas de raviver aussitôt dans mon esprit le souvenir amer de mes trois fausses couches. Et si c'était les gènes de cette maudite maladie qui avaient empêché mes bébés de survivre ? Non, non, je divague ! On ne meurt pas d'un trouble du langage quand on a la grosseur d'une crevette au fond du ventre de sa mère, voyons donc !

On ne meurt pas de dysphasie, point.

— Et… ils ont guéri ?

— Disons qu'ils peuvent maintenant se débrouiller.

Sans doute sensible à la tristesse qui assombrit mon visage, la jeune femme tente de me consoler.

— Pensez qu'il aurait pu arriver pire à votre fils, ma chère dame. Tous les jours, des enfants meurent de cancer, ou pire, meurent de faim. D'autres viennent au monde complètement inintelligents ou tellement handicapés physiquement qu'ils ne pourront jamais profiter de la vie. Songez aux déficiences intellectuelles majeures, aux malformations cardiaques, aux membres atrophiés ou absents, aux aveugles, aux sourds et muets…

Elle a raison. Soudain, l'image de Maxime Sigouin, mon jeune client écrivain, m'effleure l'esprit. Même paralysé, il s'est bien débrouillé, lui ! Et Julien Lecours aussi !

— Je sais tout ça, madame, mais la souffrance des autres ne suffit pas à me réconforter. J'occupe un emploi de travailleuse sociale et la misère humaine, je connais ça, voyez-vous.

— Je peux très bien comprendre. L'important est de penser positivement. Pour les dysphasiques, il existe un espoir réel d'améliorer leur sort. La preuve : mes deux enfants vont maintenant à l'école régulière. Sauf que…

— Sauf que ?

— Sauf que vous ne devez pas devenir obsédée par l'idée de transformer votre fils en un enfant totalement et parfaitement normal. Il s'agit plutôt de développer son potentiel au maximum.

Seulement cela. Autrement dit, ne pas vous tracasser avec l'objectif à atteindre, mais fournir plutôt le plus d'efforts possible à chaque jour, un jour à la fois. Vous connaissez sûrement le proverbe «Vingt fois sur le métier, remettez votre ouvrage»? Cela dit tout!

Cette femme a raison. Je croyais avoir compris le message de Catherine Lecours, mais mon raisonnement comportait une faille. Non seulement je dois cesser de brailler sur l'Italie perdue, mais surtout, surtout, il faut m'enlever de la tête l'idée de rendre la Hollande identique à l'Italie. La Hollande restera toujours la Hollande et je dois composer avec cela. Félix aura ses limites et ne deviendra peut-être jamais tout à fait normal. En aucun moment, ne l'oublier. Lui apprendre à se développer le plus et le mieux possible selon ses réelles capacités et non celles que je m'obstine à lui imaginer. Lui donner surtout les moyens de se débrouiller dans la vie.

— Il vous faudra avant tout, ma chère madame Martin, relever la tête pour ne pas perdre de vue la petite lumière qui brille au loin. Vous savez, la lumière au bout du tunnel... Vous verrez, elle ne cessera de se préciser et de devenir plus éclatante au fur et à mesure que vous avancerez dans le temps. Avez-vous entendu parler des classes orthophoniques ou classes de langage?

— Vaguement. Ça ne fait pas partie des trois propositions offertes dernièrement par son école où on possède une classe spéciale pour les enfants souffrant de toutes sortes de handicaps physiques ou mentaux, mais aucune pour les dysphasiques.

— Dommage, on n'en trouve pas partout.

— J'hésite à marginaliser mon fils en l'excluant d'une classe normale, vous comprenez. Ne risque-t-il pas de développer des complexes en se sentant à part des autres?

— Comment pensez-vous qu'il se sent actuellement, dans une classe ordinaire? Tout à fait à part des autres, car il n'arrive pas à suivre leur rythme d'apprentissage. Dans une classe de langage, au contraire, il travaillerait précisément sur son propre problème parmi d'autres enfants souffrant de la même condition. Au bout du compte, après un an ou deux, ou trois, cela dépend de chaque enfant, il serait en mesure de réintégrer sans difficulté une classe ordinaire dans n'importe quelle école publique. Il n'existe rien de mieux pour aider les dysphasiques, croyez-en mon expérience personnelle.

— S'en trouve-t-il une pas très loin de chez nous?

— Hum, voyons voir… Donnez-moi votre adresse.

Je retiens ma respiration pendant que la femme parcourt sa liste.

— Oui, l'école Bel-Avenir, à une trentaine de kilomètres de chez vous, offre une classe spécialisée en langage. Par contre, les listes d'attente y sont habituellement très longues. Il aurait fallu réserver sa place depuis un an ou deux, déjà.

Un an ou deux, déjà! Je fais secrètement une grimace à mon pédiatre, à toutes les éducatrices de Félix, à la psychologue au privé, à celle de l'école et même à l'orthophoniste, à l'enseignante de maternelle et à la directrice qui auraient pu me donner ce conseil depuis longtemps. Mais je n'ai pas dit mon dernier mot. Je respecterai les limites de mon fils, certes, mais je ne baisserai pas les bras pour autant. La lumière au bout du tunnel, je veux la voir grandir et je vais la voir grandir. Et briller!

Je remercie cette femme généreuse pour ses bons conseils et la quitte en serrant sur ma poitrine ses coordonnées et celles de l'école Bel-Avenir. Désormais, je ne me sentirai plus seule. Quelqu'un, sur cette planète, a connu des problèmes substantiellement identiques aux miens et a gagné la partie. Pour une fois, je me dirige vers le centre communautaire le cœur léger.

Sur mon bureau m'attend une enveloppe de Maxime Sigouin adressée à mon nom. Son message extraordinaire achève de me donner des ailes. Il s'agit d'une carte d'invitation au lancement de son premier roman, *Paysages effleurés*, publié par une importante maison d'édition de la région.

Wow! Quelle nouvelle formidable! Maxime le paralytique, Maxime l'être démuni physiquement, l'homme incapable de bouger normalement, incapable même de parler, a accompli un miracle et remporté une incroyable victoire. Maxime Sigouin a trouvé une voix. Sa voix. Et cette voix est magnifique et me donne envie de chanter des alléluias. Je me rappelle avoir dévoré son manuscrit en quelques heures, emportée par sa poésie et cette touchante histoire d'amour entre une infirmière et son patient handicapé. Ce livre ira loin, je n'en doute pas un instant, et il prouvera que rien n'est impossible en ce bas monde.

Bravo, Maxime! Je te souhaite tout le succès que tu mérites. Et, ne t'inquiète pas, j'irai sûrement te faire dédicacer trois exemplaires, l'un pour moi et Jean-Patrick, un autre pour mon amie Catherine Lecours, grande messagère d'espoir, et le dernier pour mon fils qui le lira plus tard, quand il aura l'âge de comprendre. Et pourquoi ne pas en offrir un à la fameuse madame Sansfaçon, la dame de l'Association québécoise de la dysphasie dont les sages conseils ont changé ma façon de voir les choses?

Le premier client à se présenter à mon bureau est Stéphane, un jeune homme de dix-neuf ans, itinérant depuis qu'il a dû quitter le dernier des six centres d'accueil où il a habité ces dernières années. Comme d'habitude, il erre dans la salle d'attente comme un animal en cage, grand et beau, mais le regard empreint de frayeur sous la casquette crasseuse rabattue sur ses oreilles. Stéphane s'imagine que le monde entier veut l'exploiter, le tromper, le voler. Peu fiable et incapable de garder ses emplois et encore moins ses logements, il vit dans l'insécurité totale, habité d'une peur qu'il ne manque pas de noyer dans la marijuana, quand ce n'est pas dans les drogues dures si l'occasion se présente. Il semble n'avoir confiance qu'en moi. Comme à l'accoutumée, il vient chercher des billets d'autobus, se trouvant trop à court pour s'en procurer.

J'entretiens peu d'optimisme quant à l'avenir de ce jeune homme souffrant de paranoïa, sans attaches ni ancrage. Il ne peut jamais travailler de façon stable, car il se fait mettre à la porte partout où il va, ne manquant jamais de foutre le bordel tôt ou tard. Je le sais pourtant naïf et sans malice, petit arbuste sauvage ignoré, balayé par les vents du temps qui passe, et qu'un jour, une sécheresse ou une méchante rafale emportera sans doute dans l'oubli et dans la mort. Parfois, j'aurais envie de l'emmener chez moi et de le couver sous mon aile de mère. Pour qu'il apprenne au moins que l'amour existe, l'amour inconditionnel, vrai et gratuit. Pour qu'il sache surtout, malgré son visage qui n'a jamais appris à sourire, qu'il est digne d'être aimé, lui qui ne l'a jamais été. Pour qu'il devienne enfin quelqu'un pour quelqu'un.

Hélas, malgré mes élans spontanés de bienveillance, je ne peux prendre sur mon dos tous les blessés de la vie, les abandonnés, les errants, les laissés-pour-compte, tous ceux qui ne croient plus en rien, surtout pas en eux-mêmes, parce qu'il n'ont jamais rien reçu, jamais rien expérimenté, jamais rien réussi. Tous ceux-là que je vois entrer quotidiennement dans mon bureau, ceux qui sont seuls, ceux qui ont peur, et froid, ceux qui ont mal, ceux qui pleurent… Les handicapés de l'âme.

— Tiens, mon beau Stéphane, voici tes billets. Dis-moi donc comment tu vas aujourd'hui ?

— Bof… Quand j'viens vous voir, ma'ame Martin, je vas toujours mieux. Vous êtes tellement fine ! Vous, au moins, vous m'écoutez. Vous savez, dans ma vie, les seules personnes qui me parlent sont des polices. Ils me laissent pas dormir, la nuitte, su mon banc de parc, ou ben ils m'obligent à m'en aller quand je quête su'l coin d'la rue. Évidemment, y a aussi les robineux qui me demandent du fort pis les drogués qui veulent du foin. Les chauffeurs, eux autres, y me font des *fingers* quand j'commence à laver leur vitre d'auto su la lumière rouge. Mais personne s'intéresse à moé… pour vrai!

— Habites-tu toujours le logement que je t'avais trouvé, l'autre jour?

Le garçon baisse les yeux en faisant non de la tête. Une fois de plus, à mon grand découragement, Stéphane est retourné à la rue.

— Le propriétaire m'a mis à porte la semaine passée parce que chus parti en laissant la porte de l'appartement grande ouverte pis que chus r'venu juste deux jours plus tard. Pis après? C'est-tu un crime de laisser une porte ouverte? Je l'ai oubliée, torrieux, c'est pas d'ma faute! Me v'là su'l trottoir, astheure! Parce qu'évidemment, le type a pas voulu me r'mettre l'argent du loyer pour le reste du mois. L'écœurant!

— Écoute-moi bien, Stéphane, je te conseille d'aller dormir à la Maison du père et de manger dans une soupe populaire jusqu'au moment où tu recevras ton chèque mensuel d'aide sociale. J'essayerai alors de te dénicher une chambre quelque part. Me promets-tu de faire ça?

— O.K., ma'ame Martin. Marci ben, ma'ame Martin.

Il se droguera avec l'argent du chèque, je n'ai aucun doute là-dessus, si je ne l'accompagne pas, le jour où il le recevra, pour payer son loyer. Je le regarde partir en soupirant, petit oiseau blessé et irresponsable, handicapé non seulement par une tare de naissance comme mon fils, mais par la société elle-même qui l'a peut-être aidé, mais insuffisamment.

Mon fils… Avant d'appeler le client suivant, j'effectue mon premier appel téléphonique à l'école Bel-Avenir. Tel que prévu, on me demande poliment d'envoyer le dossier de Félix en me prévenant de ne pas entretenir d'espoir pour septembre prochain. Je me retiens de leur annoncer qu'ils n'ont pas fini d'entendre parler de moi, m'efforçant plutôt de rester polie. Ils ne savent pas que j'ai troqué le numéro de l'orthophoniste au privé pour le leur...

— Oui, madame, merci madame. Le dossier, j'irai vous le porter en main propre dès demain, madame. Retenez bien mon nom, madame.

La prochaine cliente entre dans mon local drapée de la tête aux pieds dans un froufrou de tissu orangé et rouge. Pour quelqu'un qui affirme craindre son ombre et désirer passer inaperçue, elle ne pourrait se vêtir de façon plus voyante! À travers cette explosion de couleurs et son teint d'ébène, le blanc de ses yeux effarés devient quasi magnétisant. Une autre atteinte de psychose chronique.

Marabella est arrivée du Rwanda à la suite des massacres ayant eu lieu dans son pays, il y a près d'une vingtaine d'années, et elle ne s'est jamais remise de son choc post-traumatique. Réfugiée ici en solitaire, à l'époque, grâce aux services de l'immigration, elle ne se sent pas encore en sécurité, même après tout ce temps. Elle a peur de tout le monde, à l'instar de mon client précédent, appréhendant une reprise, même au Canada, du génocide qui a complètement exterminé sa famille. Elle se croit encore dans une tribu, ne fréquente que des prêtres, et ne s'adresse qu'à Dieu, convaincue qu'il lui trouvera un jour un homme dont elle pourra prendre soin. Voilà son autre obsession, en plus de sa peur du génocide.

J'ai beau la diriger vers l'aide psychologique, l'assister dans sa recherche de travail et d'un lieu où se loger, tout est toujours à recommencer. Cette fois, elle vient m'annoncer avoir retrouvé quelqu'un de sa famille par Internet. Je n'ai pas le temps de crier bravo qu'elle s'empresse de me parler d'un oncle lointain vivant à Londres. Évidemment, il n'est pas question de l'envoyer là-bas, si jamais elle en formule la demande, avant de s'informer de quoi il retourne vraiment. De la savoir en mesure d'utiliser un ordinateur me surprend d'ailleurs beaucoup. Voilà la première chose à vérifier. La suite reste à voir.

À cinq heures, je quitte allègrement mon travail pour aller me replonger dans ma réalité à moi, tout de même plus positive que celle de bien d'autres humains nés pourtant sur la même planète et durant la même période que moi.

En entrant dans la maison, une odeur de sauce à spaghetti me chatouille le nez. Jean-Patrick a pu quitter son travail plus tôt, cet après-midi, et il a pris le souper en main. Je le trouve sirotant une bière, assis par terre dans le salon, en train de jouer aux cartes avec Gabrielle. Isolé dans son coin, Félix les regarde d'un air piteux. Chaque fois, devant ce genre de situation, je prie le ciel pour que cet air minable ne reflète pas chez mon fils un sentiment de rejet ou d'exclusion.

Quelques heures plus tard, une fois les enfants couchés, je raconte à Jean-Patrick ma rencontre du matin à l'Association Québécoise de la Dysphasie avec madame Sansfaçon, et je le mets au courant de l'existence des classes de langage. Je m'attendais à plus d'intérêt de sa part, à tout le moins à davantage de questions. En tout cas, à plus d'enthousiasme. Mais il se contente de hocher la tête sans ouvrir la bouche.

— Tu ne dis rien ? Tu ne me demandes pas plus de détails ? Tu n'es pas content ?

— Si on accepte, je suppose que Félix ne pourra pas utiliser le transport scolaire usuel ?

— Euh... je ne sais pas.

— On nous offre déjà trois choix à l'école du quartier. Il me semble que transporter Félix à trente-deux kilomètres d'ici, chaque matin et chaque soir, ne s'avérerait pas une sinécure, tu te rends compte, Geneviève ?

— Si je me rends compte ? Mais voyons, mon chéri, ça n'a aucune espèce d'importance, voyons ! L'essentiel, c'est de guérir

Félix le plus rapidement possible. T'en fais pas, je m'arrangerai bien pour obtenir un transport spécialisé pour les handicapés. Sinon…

— …

— Sinon, je m'en chargerai !

Ce soir, en posant ma tête sur l'oreiller, je ne ressens pas l'envie de me blottir contre mon homme, comme à l'accoutumée. Après tant d'années de vie commune, certains de mes paysages éclatent en mille fragments de solitude, et la fusion des corps ne précède plus celle des âmes. Ni celle des ambitions, des désirs, des rêves et de certains engagements.

CHAPITRE 17

— À ton tour, mon garçon. Dis-nous quel est ton mets préféré et ton animal préféré.

Félix jette sur son enseignante, madame Lépine, un coup d'œil direct empreint de candeur. La beauté de mon fils me frappe de plein fouet parmi les autres jeunes visages qui l'entourent. Ses cheveux bouclés encadrant sa figure, ses grands yeux bruns transparents de pureté et son sourire, le sourire le plus innocent de la terre, m'apparaissent susceptibles de conquérir les plus endurcis. À cause de la petite fête d'aujourd'hui en maternelle, je l'ai revêtu de sa chemise bleue préférée, agrémentée d'une cravate que Jean-Patrick trouve particulièrement ridicule, aux couleurs des petites autos Flash si populaires auprès des enfants. «Voir si ça a de l'allure de faire porter une cravate à un garçon de cinq ans!» Mon conjoint ne peut comprendre que les enfants aiment parfois jouer aux grands.

Après une ou deux secondes de réflexion, Félix, tout fier, répond à son professeur en plongeant son regard dans le sien :

— J'aime manger du lion !

Tout le monde éclate de rire. Ne réalisant pas qu'il se trouve tout à coup la cible des railleries de ses compagnons de classe parce qu'il n'a rien saisi de la question, Félix se met à rire avec eux. Naïvement, ingénument. Puis il me cherche des yeux, satisfait d'avoir provoqué une si joviale réaction.

Je sursaute. Combien de fois par jour, dans cette classe normale de maternelle, se moque-t-on ainsi de lui parce qu'il n'a pas compris? Mon pauvre, pauvre petit garçon… Je me retiens pour ne pas me lever et aller l'entourer de mes bras protecteurs en intimant, avec une certaine rudesse, aux autres enfants de se taire. Ah! que cette année se termine au plus vite! Encore quelques jours et nous aurons la paix. L'urgence de l'inscrire dans une classe spéciale de langage pour septembre s'impose de toute évidence.

Je me doute bien qu'il doit également devenir un objet de moqueries durant les cours d'activité physique, car il saisit mal les consignes, l'enseignante m'a déjà mise au courant. Les enfants, à cause de leur franc-parler, peuvent parfois se montrer involontairement très cruels. Pour le moment, Félix ne s'en rend pas vraiment compte, mais un jour viendra où se sentir la risée de sa classe provoquera en lui des blessures irréparables qui vont assurément cultiver la honte et contribuer à éteindre peu à peu son estime de soi et sa joie de vivre.

Je me faisais pourtant un plaisir de participer à cette rencontre entre parents et enfants. J'en ressors bouleversée, soudainement consciente de l'ostracisme dont Félix pourrait devenir la victime à l'école, au cours des années futures, à cause de son problème invisible sur son visage mais pourtant facilement décelable. L'événement de ce matin s'avère déterminant pour moi. Je quitte l'école, plus décidée que jamais à me battre pour l'inscrire dans la fameuse classe spécialisée dont on m'a parlé à l'Association québécoise de dysphasie. À nous deux, madame la directrice de l'école Bel-Avenir. Mon fils aura un bel avenir, croyez-en ma parole!

Contre toute attente, après avoir « joué à la pute » pendant cinq semaines consécutives, je gagne finalement la partie à l'approche de la fin de l'année scolaire. Chaque jour, j'ai téléphoné inconditionnellement à l'école Bel-Avenir pour parler soit à la direction, soit à l'orthophoniste ou à la psychologue, soit à l'enseignante de la classe de langage et même à la stagiaire de cette classe dont j'ai réussi à obtenir le nom.

Je me suis présentée comme une mère plus seule et plus démunie que je ne le suis en réalité, j'ai aussi brandi la carte de l'infortunée victime de l'indifférence et de l'incompétence de tous les experts qui lui ont conseillé d'attendre, alors qu'on aurait dû prendre son fils en main dès l'âge de trois ou quatre ans. J'ai poussé des lamentations sur ce temps injustement perdu tout en faisant miroiter l'énorme potentiel d'intelligence de Félix. J'ai même exagéré injustement sur l'incompétence de l'école primaire où mes enfants se trouvent actuellement inscrits.

— Le croiriez-vous? Ils ne m'offrent même pas l'opportunité de l'inscrire dans une classe véritablement spécialisée pour son problème de langage. Que lui servira de redoubler sa maternelle ou d'être placé dans une espèce de classe de rattrapage pour enfants souffrant d'autres handicaps? Mon fils n'est pas déficient, madame, il est même très intelligent. Si seulement vous acceptiez de m'aider à l'aider…

Au début, on me prêtait une oreille attentive, voire compatissante.

— Oui, madame. On vous comprend, madame. Que voulez-vous, madame, nous n'avons plus de place dans la classe de dysphasie.

Petit à petit, j'ai senti les limites de leur patience et le ton a commencé à devenir moins chaleureux. Tranquillement, la condescendance a remplacé l'empathie.

— On vous appellera s'il y a des changements. Bonne chance et au revoir, madame.

Cela n'a pas réussi à m'arrêter. S'il existait une seule petite chance, elle serait pour Félix Lapierre. Ces gens-là n'oublieraient pas mon fils.

J'ai eu raison de m'acharner. Aujourd'hui, le miracle s'est produit. Est-ce grâce à ma persévérance infernale, à mes prières ou à mes arguments convaincants ? J'ai finalement reçu un appel, en ce bel après-midi ensoleillé de la fin de mai, m'annonçant qu'une place vient de se libérer dans la classe de langage et qu'on la réserve pour Félix en septembre prochain. On lui offre même des rendez-vous chaque semaine avec la spécialiste en orthophonie de cette école. Qui plus est, un autobus de transport adapté viendra le chercher à la maison chaque matin et le ramènera en fin de journée.

Wow ! Je suis folle de joie ! Au retour du travail, Jean-Patrick n'en croit pas ses oreilles en apprenant la bonne nouvelle.

— Ce que femme veut...

Je vois tout de suite qu'il hésite à terminer sa phrase, et cela m'intrigue. Pourquoi s'asseoir sur le divan en se prenant la tête à deux mains au lieu de m'embrasser et sauter en l'air ? Quelque chose d'autre le chicote, j'en ai la certitude.

— Hum... moi aussi, Geneviève, j'ai une nouvelle à t'apprendre. Mais... tu ne l'apprécieras pas tellement, je pense. Mes patrons insistent pour que je retourne à Jolicœur pour un certain temps. Cette fois, on ne me laisse pas le choix d'accepter. C'est ça ou le chômage, j'en ai bien peur.

— Quoi ? Tu m'avais promis de ne pas y retourner ! Tu avais même avisé les directeurs de ta compagnie que c'était à prendre ou à laisser ! N'avait-on pas embauché un remplaçant ? M'aurais-tu menti, Jean-Patrick Lapierre ?

— Non, non, pas du tout, voyons! Le vent a simplement tourné. Le nouvel employé ne fait pas l'affaire, et des problèmes urgents se sont accumulés là-bas ces derniers temps, semble-t-il. Ça prend quelqu'un d'expérience pour réparer les dégâts et ramener les choses à la normale.

— Des problèmes urgents, des problèmes urgents! Combien de temps vont-ils durer, tes problèmes urgents? Et ton fils, lui, il n'en a pas, des problèmes urgents? Il a besoin d'un père, ton fils! Ta fille et ta femme aussi! Et notre vie de famille, ça ne compte pas, non plus?

— Il s'agit seulement d'un contrat à court terme, cette fois, et je vais revenir tous les vendredis soirs, Geneviève, je t'en fais la promesse formelle. Je m'absenterai uniquement cinq jours par semaine, pas plus.

— Pas plus, pas plus… J'ai vu ce que ça donnait, tes «pas plus», ces dernières années! Je te connais, mon cher, tes bonnes raisons d'autrefois ne vont pas manquer de revenir pour te garder là-bas certaines fins de semaine : les prévisions atmosphériques, la fatigue, le surcroît de travail et quoi d'autre encore? Tes enfants ont besoin de toi ici tous les jours, tu sauras! Quant à moi…

— Là, tu exagères, ma chérie! Gabrielle me semble assez vieille pour comprendre et se passer de son père quelques jours par semaine, voyons! Quant à Félix, tu réussis tellement bien avec lui…

— Va au diable, Jean-Patrick Lapierre!

Je monte quatre à quatre les marches qui mènent à l'étage et m'enferme dans notre chambre en claquant la porte. «Ce que femme veut», a-t-il dit, hein? Cet homme existe-t-il uniquement pour démolir ce que je veux? Je ne veux pas qu'il parte au loin durant les jours ouvrables de la semaine, est-ce clair? Jean-Patrick, ta conjointe ne le veut pas. Et que Dieu le veuille ou non, je m'en contrefiche! MOI, JE NE LE VEUX PAS. Je sens la rage s'emparer de moi. Une rage froide, glacée, à donner le frisson. Habituellement, ce genre d'emportement me fait perdre le contrôle et me donne envie de tout casser, et seule une puissante crise de larmes réussit à réduire la pression et à évacuer ce trop-plein d'énergie négative.

Mais cette fois, je serre les dents et les poings, et contracte tous les muscles de mon corps dans l'immobilité la plus complète. Je ne me jette pas non plus sur le lit en hurlant des mots d'église et je ne lance pas les oreillers par terre. Non, cette fois, la colère me paralyse, je suis hors de moi. Je cherche placidement à m'apaiser en m'assoyant sur le fauteuil disposé en face de la fenêtre, l'œil fixé sur l'arrière de la cour, à l'endroit même où les tulipes alignent gracieusement leur robe colorée contre la clôture. En essayant de dompter les spasmes qui, malgré mes efforts, me secouent la poitrine, je cherche désespérément à l'intérieur de moi un lac aux eaux plus tranquilles. Du calme, ma vieille, du calme. Ce n'est pas en braillant que tu vas régler le problème, cette fois-ci. Parce que problème, il y a! Oh que si!

Soudain, mon regard est attiré vers le grand pin sous lequel nous avons suspendu dernièrement la cabane à moineaux un peu cabossée, fabriquée à l'école avec maladresse par Gabrielle, dans le cadre de son cours d'arts plastiques. Évidemment, ma pensée ne s'attarde pas très longtemps sur ma petite fille heureuse et sereine, et se détourne plutôt naturellement vers Félix, le fils à problèmes. Quand il sera en quatrième année, il fabriquera lui aussi une maison d'oiseaux qu'il réussira probablement mieux que sa sœur car mon fils, s'il se montre malhabile pour comprendre et s'exprimer par le langage, manifeste de plus en plus de talents pour les activités artistiques. Non seulement ses dessins sont riches en couleurs et remarquables de précision, mais ses bricolages et particulièrement ses figurines façonnées dans la pâte à modeler défient n'importe quelle comparaison.

Un couple d'hirondelles a déjà adopté la cabane et retient mon attention. Lentement, je retrouve une certaine forme de paix et, fascinée, j'assiste au va-et-vient effréné du mâle et de la femelle se succédant dans l'orifice, insectes grouillants pincés dans leur bec, pour aller nourrir leur progéniture. De l'intérieur, à cause de la fenêtre fermée, je ne peux entendre les oisillons, mais ça doit piailler là-dedans, je n'en doute pas un instant. Des petits réclamant leurs parents… Réclamant leurs deux parents !

Hélas, ces allers et retours incessants du mâle et de la femelle ne ressemblent guère aux va-et-vient de chez les Lapierre ! Chez nous, seule la femelle assume les soins de la nichée entre l'école et la maison, le travail, les courses, les rendez-vous, les activités des enfants. Par contre, si chez les oiseaux, le père participe autant que la mère à la survie des petits, le lion, lui, une fois la lionne fécondée, ne se fait plus de souci pour sa famille, sinon celui de la défendre contre d'éventuels prédateurs, rien de plus. Le roi des animaux ne se donne même pas pour fonction de chasser pour nourrir ses petits, il s'en remet à madame qui se tape tout le travail. Des caprices de la nature, des imprévus, des attaques sournoises, des intempéries, des accidents, des anomalies, des besoins naturels des petits, il n'en a rien à foutre et préfère aller dormir bien tranquille dans quelque coin reculé de sa jungle.

Me serais-je accouplée à un lion ? Ou plutôt à un homme qui se prend pour un roi ? Un grand seigneur indifférent, davantage préoccupé par la survie de sa cristi de compagnie de produits pharmaceutiques que par celle de son enfant… Un géniteur digne de ce nom qui démissionne devant la première embûche ou qui n'envisage la survie que sous forme de toit au-dessus de la tête des siens et de pain quotidien sur la table… Et la survie mentale, la quête de l'autonomie, l'apprentissage des valeurs, l'estime de soi, le développement intellectuel, la culture des talents, les moyens de survie pour l'avenir, il en fait quoi, le grand mâle Lapierre ?

Le beau monsieur veut-il encore remettre tout ça entièrement sur le dos de sa femme ? Puissante femme, en apparence, mais combien fragile et vulnérable au plus profond d'elle-même… Et tellement désarmée pour faire face à l'ennemi inconnu. Tellement seule, aussi. Rien d'une lionne, à la vérité! Ne le devine-t-il pas du haut de sa grandeur, ce roi qui prochainement n'en aura rien à foutre des problèmes journaliers de la famille Lapierre, durant les cinq septièmes de la semaine, du mois, de l'année?

D'une main leste, je referme les rideaux. Je ne veux pas me laisser narguer par ces hirondelles, leur leçon de vie ne s'adresse pas à moi. Leur démonstration, je la connais déjà d'instinct: je sais ce qui doit, ce qui devrait se passer chez nous, les humains. Parce que l'instinct, je le possède, moi aussi! Je déteste ces oiseaux car ils réussissent à mieux gérer leur existence que Jean-Patrick et moi. La tête entre les mains, je me mets à verser des larmes silencieuses qui me vident de ce qui fait trop mal. Des larmes dans lesquelles je voudrais me dissoudre.

Aujourd'hui, je déteste aussi les lions.

Même si j'entends la porte s'entrouvrir doucement et des pas frôler le tapis en s'approchant de moi, je refuse de bouger. Au moins, laisse-moi pleurer en paix, Jean-Patrick Lapierre!

— M... man?

En relevant la tête, je croise le regard de Félix qui gesticule abondamment de sa main libre pour me faire comprendre ce qu'il n'arrive pas à verbaliser. Spontanément, je l'attire tout contre moi quand j'aperçois son autre main blottie dans une autre, plus grande. Une main géante et protectrice. Une main d'homme. La main royale de son père.

Lui aussi m'examine sans prononcer une parole, réfugié comme son fils dans le silence parce qu'incapable de trouver les mots, les mots qui consolent et qui rassurent. Les mots qui promettent.

Et moi, je regarde ces deux mains agrippées l'une à l'autre, puis ces deux bouches muettes, et ces yeux porteurs de la même détresse, de la même désolation, mais aussi de la même dévotion. Deux regards bruns si semblables, deux regards que j'adore. Mes deux hommes, mes deux mâles à moi, le roi et le prince, le grand et le petit, le fort et le faible, le lion et le lionceau, l'hirondelle et son oisillon. Félix n'a-t-il pas dit, l'autre jour, qu'il aimait manger du lion ? Et si c'était l'inverse ?

Ma raison de vivre se tient là, en grande partie, debout devant moi et en silence, sans mise en scène et sans artifice, et je la contemple à travers mes larmes. À moi de la trouver belle ou épouvantable. Ou plutôt, à moi de la rendre belle ou épouvantable. À moi de l'accepter telle qu'elle est, avec ses hauts et ses bas. J'ouvre tout grand les bras et mes deux hommes viennent s'y blottir comme deux âmes en peine.

Sur les entrefaites, Gabrielle vient nous rejoindre.

— Ah ! vous êtes ici ? Je vous cherchais !

Notre fille comprend-elle la signification du tableau dressé devant elle, sa mère entourant son père et son frère ? Elle s'y introduit instinctivement. Le paysage est maintenant complet. Il restera à jamais gravé dans les replis les plus profonds de mon cœur, ce tableau dressé devant ma fenêtre derrière laquelle une heureuse famille d'hirondelles prend ses ébats.

Le même soir, sur l'oreiller, Jean-Patrick avoue son manque de patience et d'habileté avec son fils qu'il adore pourtant, mais il jure que là ne réside pas la véritable raison de ses futures absences.

— Geneviève, je t'assure que, cette fois, ce nouveau séjour à Jolicœur ne représente pas une fuite de ma part comme la première fois. Je n'y resterai que le temps de dénicher un autre remplaçant et de l'entraîner pour son travail là-bas, je t'en fais le serment solennel. Au risque de perdre mon emploi, je me donne un mois, pas un jour de plus. Tant pis si on me congédie par la suite, je me trouverai autre chose. Après tout, mes diplômes et mon expérience existent toujours. Je ne t'abandonnerai plus, mon amour. Me crois-tu, au moins ?

Le croire une fois de plus, espérer une fois de plus, attendre une fois de plus… Quelle autre source que l'amour pourrait amorcer encore un nouveau recommencement ? Je bascule quand il me lance d'une voix chevrotante les mots magiques que j'ai prononcés tant et tant de fois au sujet de notre fils, durant cette dernière année, sans qu'il le sache :

— S'il te plaît, Geneviève, aide-moi à l'aider.

CHAPITRE 18

Le premier client à se présenter à l'accueil du centre de services communautaires, en ce début d'après-midi, est un homme dans la quarantaine, débraillé, la barbe hirsute et les cheveux ébouriffés. Georges, père de quatre enfants. Il dégage une forte odeur de tabac, mais c'est surtout la détresse silencieuse crispant son visage qui retient mon attention. D'une voix brisée, il me confie son histoire bouleversante. Sa femme, une alcoolique incurable, l'a quitté pour un autre type après avoir englouti tout l'argent du loyer dans le scotch. Elle est partie un bon matin sans laisser d'adresse, plaquant mari, enfants, maison, tout !

Au début, le malheureux Georges, déjà au chômage, s'en est tiré plutôt mal, car les chèques d'allocation familiale et de sécurité du revenu étaient adressés spécifiquement à madame. Dans l'attente interminable que les changements de formalités soient réglés, toutes ses maigres économies y ont passé et il a même dû s'endetter. Quand, trois mois plus tard, la femme s'est pointée de nouveau en réclamant à grands cris ses droits de mère, un juge a finalement décidé de n'accorder à la mère qu'une permission de visite hebdomadaire, la jugeant inapte à s'occuper de quatre jeunes enfants.

La femme commence à dépasser les bornes, se présentant n'importe quand et sans avertir, soûle la plupart du temps, pour revendiquer la garde de ses petits complètement traumatisés. Puis, sans crier gare, elle repart pour un laps de temps pouvant s'étirer entre deux jours et deux mois.

Bon diable et sans doute fort naïf, Georges la laisse habituellement entrer et l'accueille parfois même jusque dans son lit. Le lendemain, bien souvent, elle disparaît en emportant avec elle quelques objets de valeur, quand ce n'est pas une casserole ou un appareil électrique. Évidemment, ces visites aussi glaciales qu'impromptues perturbent encore davantage les petits. Rien pour améliorer leurs comportements déjà indésirables à l'école.

Quand elle ne vient pas, la mère continue de harceler Georges autant qu'elle le peut : lettres, appels téléphoniques incessants et même nocturnes, menaces de toutes sortes et réclamations d'argent. La situation dure depuis quelques mois.

Le père n'en peut plus et vient solliciter mon aide. La veille, son ex-femme lui a volé son argent directement dans son porte-monnaie. Elle a même emporté quelques livres de bibliothèque empruntés par les enfants ! Il ne reste plus rien à manger dans la maison et Georges n'a plus un sou. Au premier abord, il me donne l'impression d'un homme non seulement dépassé par les événements, mais s'exprimant de manière confuse, incohérent, irresponsable et naïf par surcroît. Sa femme n'éprouve sûrement pas de difficulté à le manipuler. Dans son dossier, on ne stipule nulle part qu'il souffre d'un problème d'ordre mental, mais je me demande s'il est en mesure de supporter lui-même la charge de ses enfants.

Après avoir obtenu pour lui une avance sur la prochaine allocation, je n'ai pas le choix de signaler le dossier à la DPJ afin de m'assurer des conditions de vie décentes et sécuritaires des enfants, ces malheureux petits qui ont à vivre, ou plutôt à survivre dans un milieu aussi malsain.

Je suis devenue méfiante depuis qu'une collègue de travail a été traduite en justice après avoir signé l'autorisation de retour d'une mère auprès de ses deux fillettes, à la suite de six mois d'hospitalisation dans un institut psychiatrique. Deux jours plus tard, la femme assassinait ses enfants et se tirait une balle dans la tête. On a finalement disculpé la travailleuse sociale, car elle s'était fiée au rapport du psychiatre déclarant la femme saine d'esprit et apte à reprendre la vie normale. Évidemment, cette histoire a impressionné les médias et fait la une dans le milieu de l'aide sociale. Cela a surtout suscité une profonde réflexion. Rien n'est catégoriquement blanc ou noir quand il s'agit du comportement humain. Il faut user d'une extrême prudence et ne jamais perdre de vue la défense et la protection des plus vulnérables.

Je rencontre ensuite Claudette, une mère qui élève seule ses trois enfants, dont deux garçons souffrant d'autisme. Intelligents en dépit de ce trouble envahissant du développement, le plus jeune fréquente l'école secondaire, l'autre vient d'atteindre le niveau collégial. Leur sœur, une adolescente parfaitement normale, souffre d'un manque flagrant d'attention et a déjà franchi le seuil de la délinquance, cherchant désespérément auprès d'un gang de rue et dans la consommation de drogues le plaisir et l'attention qu'elle ne trouve pas à la maison.

La femme me paraît débordée, épuisée, à la limite de la dépression. Abandonnée par son mari, il y a plusieurs années, sans amis ni famille, sans aucune vie sociale, elle vient aujourd'hui chercher de l'aide au centre local de services communautaires, car elle est rendue au bout du rouleau.

À force de négliger sa fille et de concentrer son énergie sur ses deux garçons handicapés en les couvant et les gâtant à l'extrême, elle les a rendus complètement dépendants et incapables de se suffire à eux-mêmes. Parce qu'ils se comportaient de façon trop dérangeante durant leur petite enfance, elle a, depuis près de vingt ans, systématiquement évité toute sortie non essentielle à l'extérieur de la maison avec eux. Maintenant âgés de seize et de dix-huit ans, ni l'un ni l'autre n'arrive encore à prendre seul l'autobus, car leur mère s'est toujours tapé leur transport à l'école ou ailleurs afin d'éviter les imprévus. Elle continue même d'aller chercher le cégépien, sur l'heure du midi, pour l'amener dîner à la maison !

À cause de cet isolement excessif, aucun des enfants de Claudette n'a de rapport normal avec les autres, surtout quand on sait que l'autisme consiste justement en une perception différente de la réalité et un désintérêt envers l'entourage. Ni l'un ni l'autre des fils n'a développé de relation amicale avec qui que ce soit, surtout pas avec les filles. Quant à l'adolescente, en réponse à ses instincts de rébellion plutôt justifiés, elle se trouve déjà très loin sur le chemin de la délinquance.

Si jamais il survenait un malheur à leur mère, ces jeunes-là se retrouveraient complètement déroutés et démunis. Les contradictions extrêmes et maladives de cette femme, soit la surprotection et le degré excessif de possessivité envers ses garçons, en même temps que ses négligences impardonnables à l'égard de sa fille, les ont tous conduits au bord du gouffre.

Cette famille-là a un besoin urgent d'une aide psychologique particulière et intensive. Je m'empresse de remplir des formulaires de référence afin d'obtenir des rendez-vous le plus vite possible. Je regarde partir, non sans un serrement de cœur, cette femme qui, au fond, seule au monde et dépassée par ses problèmes, s'est débrouillée comme elle a pu. Gauchement, voire stupidement. Une mère extrême… Je peux tellement la comprendre ! Trop facile de jeter la pierre à l'autre quand on ne porte pas les mêmes chaussures !

À vrai dire, le témoignage de cette Claudette me fait personnellement l'effet d'une gifle. Moi aussi, à l'instar de cette femme, je risque d'acculer mon couple et ma famille à la faillite, si je n'arrive pas à mieux contrôler mes pulsions maternelles exagérées envers Félix. Je n'en ai que pour lui, je le sais, et moi aussi, je néglige parfois ma fille et même mon mari. Rendre Félix le plus près possible de la normalité est devenu une idée fixe, et je dépasse parfois la mesure, je ne le réalise que trop!

Certains jours, cette obsession m'empêche d'entendre Gabrielle soupirer en silence. Quelle ligne de conduite devrais-je donc adopter, déchirée comme je me sens entre mes deux enfants? M'est-il permis de solliciter de la part de ma fille autant de patience pour supporter les incohérences de son frère? Où se trouve l'équilibre entre l'exigence et le laisser-aller, entre la sévérité et le laxisme, entre les besoins de l'un et ceux de l'autre? S'il existe des normes, des règles pour réussir simultanément une éducation solide de deux enfants aussi différents l'un de l'autre, je voudrais bien connaître, alors, l'école où on enseigne ce code du parent parfait! Il me faudrait consacrer davantage de temps et d'attention à Gabrielle, je le réalise soudain, elle qui n'exige jamais rien. J'en prends une conscience aiguë aujourd'hui, à la suite de la visite de cette Claudette. Il revient à moi de prêter à ma fille davantage de voix au chapitre avant qu'il ne soit trop tard. Une adolescence heureuse et paisible, ça se prépare de longue haleine, mon expérience de travailleuse sociale me l'a pourtant bien enseigné!

Avec son histoire pathétique, cette nouvelle cliente vient de faire surgir dans mon esprit l'ombre des gangs de rue. Qui sait s'ils ne constitueront pas une menace pour Gabrielle dans quelques années... Ma cousine Isabelle Guay-Deschamps y a largement goûté avec sa fille Marie-Hélène, à l'époque. Ah non! La leçon d'aujourd'hui, je vais la retenir. Ma merveilleuse Gabrielle mérite autant d'égards que son frère. Je prends dès maintenant la résolution de lui parler et de sortir plus souvent avec elle. Avec elle seule. Je ne commettrai plus l'erreur de refuser d'inviter ses amies à la maison sous prétexte que j'en ai déjà plein les bras avec son frère. Tant pis pour mes petits moments de paix... Ça viendra dans une autre vie!

En ce vendredi morne et pluvieux, les clients du centre se succèdent à la queue leu leu, porteurs de leur mal de vivre. Je rentre tout de même le cœur léger au bercail, avec l'impression d'avoir fait un peu avancer les choses, sinon dans l'existence de ces gens-là, à tout le moins dans ma tête à moi! Dans quelques heures, je retrouverai Jean-Patrick qui, lui, n'a jamais accepté sereinement le handicap de son fils. En dépit de ses promesses de réduire à moins d'un mois ses absences durant les jours de semaine, il a de nouveau choisi, ces derniers temps, la solution de fuir. La date fixée pour son retour à plein temps de Jolicœur est déjà dépassée de plus de deux mois…

Pas facile de prononcer les bons mots d'accueil quand ton chum rentre tout guilleret du travail, le vendredi soir, alors que toi, tu as passé la semaine à te battre contre l'ennemi, à commencer par le matin, quand ton fils se roule par terre en refusant de prendre l'autobus pour handicapés comme il le fait depuis un mois. Il faut préciser qu'en septembre, le changement d'école, de classe et de professeur a terrorisé Félix tout à fait allergique aux variations et aux changements.

J'ai même dû prendre un congé de plusieurs semaines, en ce début d'automne, pour l'aider à s'intégrer dans son nouveau milieu. Les premiers jours, je l'ai moi-même reconduit dans ma voiture matin et soir. Soixante-quatre kilomètres aller-retour, matin et soir… Puis j'ai pris le transport adapté avec lui. Je l'ai même accompagné quelques jours dans sa classe de langage, avec la permission de la prof. Rien n'y a fait jusqu'à ce que l'enseignante m'aide à trouver une solution. Solution bizarre s'il en est! Claire Beaudry est une professeure hors pair. Célibataire et sans enfant, elle représente le prototype d'une catégorie d'institutrices en voie de disparition au Québec, soit la « vieille fille » qui reporte ses instincts maternels sur ses chats à la maison et sur ses élèves au travail et consacre exclusivement sa vie à l'enseignement. Au fil des années, elle a développé un intérêt particulier pour les enfants en difficulté de langage et a suivi une formation spéciale à cet effet. Sa classe de huit élèves jouit d'une excellente réputation fort répandue dans la région grâce à sa compétence et à celle de la technicienne en éducation spécialisée qui se présente durant quelques heures quotidiennement dans la classe.

Hélas, durant les premières semaines, Félix s'est très mal adapté. Quand j'ai réalisé que la plupart des autres enfants souffraient d'une déficience pire que la sienne, j'ai tout remis en question. N'aurait-il pas mieux valu le laisser auprès d'enfants normaux à imiter ? Et si cette petite fille qui n'arrive pas à émettre un son bien articulé ou ce garçon qui vit dans une bulle hors du réel se mettaient à l'influencer ? Et cet autre qui fait une crise de colère toutes les quinze minutes ? Sans compter mon temps perdu à le transporter si loin de chez nous. Je n'en ai pas dormi durant des nuits.

Un jour, désespérée, j'ai pris la décision de mettre les cartes sur table et d'en discuter honnêtement avec la prof. Mademoiselle Claire s'est empressée de me rassurer.

— Dans une classe normale, Félix se sentirait toujours à part des autres, il resterait bon dernier et risquerait même l'exclusion par les autres enfants. Ici, il sera parmi les meilleurs. Quoi de plus stimulant ? Et surtout, surtout, il avancera à sa propre cadence. On lui enseignera la même chose qu'en première année ordinaire, mais on avancera à son rythme et avec des moyens adaptés à ses besoins. Il apprendra à lire, il travaillera les mots et leur compréhension, on stimulera son langage, mais surtout, on fera tout ce que l'enseignante d'une classe normale n'a pas le temps de faire individuellement, soit travailler en fonction de son cas particulier.

— Mais chaque matin, c'est la même histoire : il refuse carrément de monter dans l'autobus. Je ne pourrai pas le transporter soir et matin durant toute l'année, moi !

— Devant l'effort à fournir, il arrive que certains enfants réagissent de la sorte. Hum, voyons voir… Félix possède-t-il encore une doudoune ou un toutou qu'il chérit particulièrement et pourrait apporter avec lui à l'école ?

— Il y a bien son lion de peluche, mais il s'en détache de plus en plus. Justement, son parrain et sa marraine songent à offrir prochainement un vrai chien à nos enfants, histoire de détendre un peu l'atmosphère chez nous. Ils n'attendent que notre permission. J'hésite un peu, je vous avoue.

— Un chien ? Quelle bonne idée ! Alors, voici ma suggestion. Si jamais vous avez un animal en votre possession, dépêchez-vous de prendre sa photo et demandez à Félix d'en apporter un agrandissement. Nous allons l'accrocher bien en vue sur le babillard. Le petit aura alors le sentiment que son nouveau copain l'attend dans sa classe et reconnaît sa voix. Je serais bien surprise que ça ne marche pas, car Félix va le retrouver avec plaisir et pouvoir le montrer à ses amis chaque matin.

Ça a marché ! Dès le lendemain, Simon et Fanie, maintenant parents d'une adorable petite fille, sont allés choisir un chiot dans un chenil spécialisé en Golden Retrievers. Ils sont tombés amoureux de Canelle, une petite chienne dorée déjà sensible à leurs caresses et, mine de rien et sans avertir, ils l'ont aussitôt apportée à la maison dans un mystérieux sac de papier qu'ils ont déposé au milieu du salon sans dire un mot. Jean-Patrick et moi, convertis en observateurs derrière notre journal, n'osions bouger, convaincus d'assister, quelques instants plus tard, à une scène inoubliable.

Le sac a d'abord piqué la curiosité de Gabrielle, attirée par les froissements décelés à l'intérieur. Elle s'en est rapidement approchée, suivie de son frère. Les cris de joie n'ont pas tardé à fuser quand ils ont découvert la petite bête toute grouillante qui allait de l'un à l'autre en frétillant joyeusement de la queue. Petit paquet de vie, d'amour, de tendresse, symbole d'espoir qui allait faire la joie de toute notre famille, et dont le gros plan photographique minutieusement pris et repris par Jean-Patrick a indubitablement révolutionné la vie scolaire du fils de la maison.

En effet, Félix a cessé de protester pour aller à l'école, convaincu que son chien l'attendait, perché sur le babillard de la classe de langage de l'école Bel-Avenir.

Le lendemain de ce jour mémorable, j'ai vu surgir ma mère sans crier gare. Mise au courant par mon frère de l'arrivée du chien, elle tenait à bout de bras un autre mystérieux paquet. Oh là là ! Celui-là, je ne l'avais pas prévu ! Encore une fois, Gabrielle fut la première à réagir pour y découvrir un adorable chaton tout noir qui, bien sûr, a pris le nom fort peu original de Noiraud. La chère grand-maman Nicole m'a jeté un regard coupable, appréhendant, il va de soi, ma réaction.

— Je ne voulais pas que… que l'un des enfants se sente en reste. Chacun aura maintenant son animal, tu comprends ?

Émue, j'ai sauté au cou de maman. Oui, je comprenais. En bonne grand-mère, elle a remarqué à quel point je consacre mes énergies à Félix tout en négligeant parfois Gabrielle sans trop m'en rendre compte. Maladroitement, involontairement, injustement… Bravo, maman, tu n'as pas eu besoin de la visite d'une Claudette au CLSC pour constater ce fait et réagir, toi !

— Merci pour ta délicatesse et ta générosité envers ta petite-fille… et son tannant de frère ! Maman, je t'aime.

Contre toute attente, les deux nouveaux membres de notre famille font bon ménage malgré leurs différences congénitales. Quand je les regarde se lécher l'un l'autre et s'amuser ensemble follement et sans agressivité, je rêve d'une telle tolérance entre mes enfants, tout aussi différents puissent-ils être, non seulement par leur sexe et leur âge, mais surtout par leur santé mentale et leur personnalité. Que les liens qui les attachent présentement demeurent éternels. Le soir, quand je vois Canelle et Noiraud s'endormir blottis l'un contre l'autre, je les perçois comme des symboles d'espoir. L'impossible se peut…

Au tournant d'octobre, j'ai pu enfin reprendre paisiblement mes activités normales de travailleuse sociale, trois jours par semaine, et celles de chef de famille, cinq jours sur sept. Pour les deux autres jours, j'adore retrouver mes fonctions de conjointe et de partenaire parentale. Même si Jean-Patrick a prolongé une fois de plus son séjour à Jolicœur, il se montre fidèle à rentrer au bercail toutes les fins de semaine. Par contre, je vois poindre les temps froids non sans quelques serrements de cœur. Qui sait si le mauvais temps, qui ne manquera pas de survenir bientôt, ne lui servira pas encore de prétexte pour rester là-bas, certains week-ends ?

En ce paisible vendredi soir, pas question de tempête de neige. J'accueillerai mon homme avec chaleur et tendresse. Nous prendrons tous les quatre un bon petit souper puis nous nous amuserons avec les enfants, le chat et le chien. Plus tard, quand ils seront au lit…

Plus tard, ça ne dépendra pas seulement de moi !

CHAPITRE 19

— Dis donc, toi, t'as pas l'air dans ton assiette !

— Bof, ça pourrait aller mieux.

Mon amie Catherine Lecours n'est pas arrivée au restaurant depuis dix minutes que déjà elle taponne nerveusement la nappe du bout des doigts. À peine si elle a ouvert la bouche depuis qu'elle s'est assise en face de moi. Passablement amaigrie, cheveux mal coiffés, vêtements aux couleurs mal assorties. Je retrouve soudain la femme déprimée venue chercher de l'aide à mon bureau du centre communautaire, il y a quelques années, et avec laquelle je me suis liée d'amitié. Ces derniers temps, je ne sais trop pourquoi, nos rencontres se sont espacées sans raison valable. J'aurais dû me douter que quelque chose ne tournait pas rond et lui téléphoner.

— Que se passe-t-il donc, Catherine ? Tu peux tout me raconter, tu le sais bien. Je reste toujours ton amie.

— Justement ! Je croyais qu'on laissait nos tracas à la maison et venait au restaurant pour se changer les idées, toi et moi.

— On ne peut pas apprécier une visite au restaurant quand on souffre d'un gros mal de dents. Il faut d'abord régler le mal de dents, tu comprends?

Ma compagne baisse la tête et se bute dans son mutisme. Je n'ose insister et me réfugie dans la carte du menu. L'approche de la serveuse pour prendre les commandes réussit quelque peu à détendre l'atmosphère. Rapidement, je lui dicte mes choix.

— Coq au vin et soupe du jour comme entrée. Et un verre de vin rouge, s'il vous plaît.

— Pour moi, ce sera un café seulement.

— Trop mal aux dents, Catherine?

Il n'en fallait pas plus pour la faire exploser. L'abcès allait peut-être crever, je le souhaitai ardemment.

— La semaine dernière, pour la première fois de ma vie, j'ai composé le 9-1-1 pour faire venir la police chez nous à cause de Julien.

— Ah! Seigneur! Que s'est-il passé? Il n'a pas sauté sur toi, j'espère?

— Non, non, cette histoire d'érection en ma présence n'aura été qu'une simple passade. Il n'y pense même plus! Non, il s'agit de tout autre chose. Mardi dernier, Julien s'en est pris subitement à son père qui lui imposait d'avaler tous les aliments de son assiette comme s'il avait encore cinq ans. Le coquin s'obstine toujours à ne pas manger ses légumes, et les jette parfois par terre. Comme Raymond ne travaille plus dans les chantiers depuis un certain temps, le père et le fils se côtoient plus souvent. Malheureusement, ils ne se tolèrent pas davantage. Au contraire! Même s'il semble avoir oublié le sexe, Julien croit toujours et encore que je n'appartiens qu'à lui seul et que lui n'appartient qu'à moi. Les ordres de Raymond ont aussitôt fait sauter la vapeur comme le couvercle d'une marmite à pression. Insulté, mon gars s'est levé brusquement, l'écume lui coulant sur le menton, et il s'est fait basculer sur son père en l'écrasant de tout son poids. Puis, il a commencé à lui assener des coups sur la tête avec un ustensile, tout en tirant sur la nappe. Tout ce qui se trouvait sur la table a éclaté par terre, les assiettes, les tasses, le beurrier, la nourriture, tout ! Tu aurais dû voir les dégâts ! Il y avait des éclats de verre partout. T'as pas idée comme j'ai eu peur ! Il aurait pu crever un œil à son père, tu sais !

— Et tes deux autres enfants, comment ont-ils réagi ?

— Heureusement, ils se trouvaient chez ma sœur, ce soir-là. Pris au dépourvu, Raymond a bien essayé de maîtriser Julien, mais le petit a eu le temps de lui arracher son linge et de lui griffer le dos. À vrai dire, le fils dépasse maintenant le père de quelques centimètres et il est certainement devenu plus costaud.

J'écoute religieusement la description du drame sans faire de commentaires. Catherine parle encore de son grand fils de vingt ans, aîné de la famille par surcroît, en le nommant « le petit », s'en rend-elle compte ? Mais, emportée par son élan, elle ne prend même pas le temps de reprendre son souffle avant de poursuivre son terrible récit.

— J'ai dû m'en mêler, Geneviève, croirais-tu ça ? J'ai dû me jeter sur Julien pour l'immobiliser en le suppliant de se calmer, car il ne se possédait plus ! Mon petit garçon était devenu complètement fou ! Raymond et moi avons finalement réussi à le tirer par terre jusque dans sa chambre et à refermer la porte derrière lui. Évidemment, il a continué de casser tout ce qui lui tombait sous la main. Seule la vue des policiers a réussi à l'apaiser et le ramener à la réalité. Nous l'avons alors transporté à l'hôpital où on lui a administré un puissant calmant.

— Va-t-on le traiter sur une base régulière au moins ?

— Le médecin lui a prescrit des anxiolytiques. Mais ils ne sont pas assez puissants, je pense, car hier soir, Julien a fait une récidive devant mon neveu et ma nièce. Sans raison. À croire qu'on ne s'occupait pas assez de lui! Cette fois, son frère et sa sœur étaient présents et ça les a impressionnés. S'il fallait qu'ils se mettent à avoir peur de lui, ou pire, que Julien entreprenne de les agresser... Ah, mon Dieu, je n'ose y penser! Cette fois, Raymond a réussi à le remettre à sa place avant qu'il ne recommence à faire du grabuge et à tout casser. L'avenir me fait peur, Geneviève, si tu savais!

— Si Julien est dangereux, Catherine, il va falloir y voir sérieusement. Désolée de te dire ça, mais ça urge!

— Je le sais, je le sais... Je me sens découragée. Raymond refuse d'en parler, il se défoule dans le travail. Soixante-cinq heures par semaine qu'il travaille, mon mari, à son nouvel emploi. Ça ne règle pas facilement les problèmes de famille, ça! Sans compter que mes deux autres ados souffrent de l'absence de leur père. À croire que les difficultés de la famille et surtout de Julien ne concernent que moi, la mère, uniquement moi! Moi, prise à la gorge vingt-quatre heures par jour, sept jours par semaine. Moi, incapable d'exécuter un autre travail que celui de mère d'un handicapé. Moi, qui n'en peux plus, Geneviève...

Catherine se met à trembler, de toute évidence dépassée par l'ampleur de son casse-tête familial. Elle non plus ne semble pas connaître l'école du parent parfait!

— À ce que je vois, depuis notre première rencontre, bien des choses ont changé à la longue, et pas toujours pour le mieux!

Sans donner suite à mes constatations, Catherine poursuit sa complainte sur le même ton pathétique.

— Tu sais, Geneviève, Julien exige une surveillance constante et il m'est impossible de le laisser seul à la maison. Alors, il me suit partout dans sa chaise roulante à moteur, à l'épicerie, à la banque, au dépanneur, partout! Peux-tu imaginer ce qu'est devenue ma vie? Un enfer! Même dans la cuisine, il touche à tout et je l'ai perpétuellement dans les jambes. Je ne suis plus capable, plus capable...

— Ma pauvre, pauvre amie. Il n'existe pas beaucoup de solutions pour ce genre de problèmes. Julien ne part-il pas trois jours par semaine pour travailler dans une usine où on embauche certaines personnes souffrant d'une déficience intellectuelle?

— Ah, ça, ma chère, depuis quelques mois, il refuse carrément d'y aller. En vieillissant, mon fils se rend de plus en plus compte de sa marginalité et il possède suffisamment d'intelligence pour s'apercevoir qu'à cet endroit, il est à part des autres.

À mon tour de garder le silence. Mon questionnement de l'autre jour sur l'attitude à adopter pour une mère d'enfant handicapé remonte à la surface: exigence ou laisser-aller? Sévérité ou laxisme? De toute évidence, mon amie a besoin de l'aide d'un psychologue afin de prendre conscience et surtout d'analyser tous les éléments de sa situation, on ne peut plus dramatique, de femme déchirée entre un mari, sur le point d'exploser, et ses trois enfants dont un fils violent et quelque peu manipulateur qui aurait besoin d'aide et de suivi, lui aussi.

Le temps semble venu pour elle, ou plutôt pour elle et son mari, de prendre une décision définitive et de l'assumer. La situation actuelle, trop génératrice de tensions, ne peut plus durer. De deux choses l'une: ou le père prend ses responsabilités, ou leur couple s'en va vers le divorce. Ils doivent déterminer un choix, soit placer Julien en institution à temps plein ou à temps partiel, soit le garder à la maison pour le reste de ses jours en le faisant soigner pour ses crises d'anxiété et ses menaçantes sautes d'humeur. Un auxiliaire ou éducateur spécialisé d'un organisme communautaire pourrait alors venir le garder, quelques jours par semaine, afin de libérer la mère. De toute évidence, le couple doit réagir de façon urgente, sinon Catherine s'en va directement vers une dépression majeure, et cela ne fera qu'envenimer le problème. Il ne faut pas non plus oublier les deux autres ados. Mon amie doit bien le comprendre: les décisions incombent à elle et à son homme, et non à Julien et ses humeurs.

Pour le moment, je n'ai pas envie de jouer à la psy. Cependant, les problèmes de Catherine Lecours me reconnectent forcément avec les miens pourtant moins graves. Ne venait-on pas au resto pour se changer les idées ? Moi aussi, j'en ai sérieusement besoin... Et si j'avais une dent malade, moi aussi ? Et si j'avais besoin de visites régulières chez une psy, moi aussi, à l'instar de mon amie ? À bien y songer, je me demande toujours pour quelles raisons les réponses aux problèmes familiaux résident trop souvent du côté des femmes. Et les pères, eux ?

Comment aider Catherine à s'en sortir ? Malgré moi, je sens des réactions de professionnelle prendre le pas sur mes sentiments d'amitié. C'est un regard de travailleuse sociale que je jette sur ma copine.

— Catherine, mon amie, vois-tu un psychologue présentement ?

— Non, depuis que je ne travaille plus, je n'ai plus les moyens de m'en payer un. D'ailleurs, mon mari en aurait besoin plus que moi ! Et Julien, donc ! Besoin des soins d'un psychiatre, même ! À cet effet, j'ai d'ailleurs fait appel à un organisme de soutien pour les handicapés intellectuels de la région, appelé Intellectaide. Tu dois certainement connaître ça, Geneviève.

— Oui, oui, j'allais justement t'en parler. Et alors ?

— Alors, après un très long laps de temps, Raymond et moi avons fini par obtenir, de cet organisme, un meeting de groupe avec une infirmière, un psy et une travailleuse sociale, pour parler de Julien, sans même qu'ils ne l'aient jamais vu, croirais-tu ça ? On s'est contenté de nous interroger sur sa condition, rien de plus. La semaine suivante, nous avons reçu par la poste un compte rendu officiel de cette rencontre avec une proposition de rendez-vous avec un psychiatre pour... onze mois plus tard ! Julien y est allé dernièrement et le cher spécialiste nous a rappelé simplement pour nous annoncer que notre garçon souffre d'un TOC[8], de ci, de ça… Rien de plus, croirais-tu ça ? Son appel s'est limité à nous donner le diagnostic officiel. Le nom des maladies de Julien, on s'en fiche, on les sait depuis des années ! Nous, on veut apprendre des moyens pour améliorer le sort de notre enfant et le nôtre. Est-ce donc si difficile à comprendre ?

— Catherine, je connais une bonne psychologue qui pourrait sans doute aider Julien. Et ton couple aussi. Surtout ton couple. Tu te rends compte que ça presse, n'est-ce pas ? Viens au bureau, lundi, tu pourras rencontrer une de mes consœurs. Elle va essayer de t'organiser un rendez-vous, et ça ne va pas prendre onze mois, je te le garantis !

— Comment ça, une de tes consœurs ? Pourquoi pas toi ?

— Je ne peux plus m'occuper de toi à cause de notre amitié. La déontologie, ma chère !

— Bon. Puisque tu le dis… Mais tu as raison, ma famille et moi vivons actuellement dans un marécage en train de se transformer en cloaque, je le sens bien. Je dirais même plus, en sables mouvants, tiens ! Alors je me présenterai lundi, c'est certain.

La serveuse revient remplir nos verres d'eau et demande à Catherine si elle n'a pas changé d'idée au sujet du menu.

— Ben coudon… Apportez-moi un coq au vin à moi aussi, ça a l'air bon. Et n'oubliez pas le p'tit rouge. La vie doit continuer, hein, mon amie ?

— À qui le dis-tu !

Soudain, une idée m'effleure l'esprit. Une brillante idée, je crois.

---

8. Trouble obsessionnel compulsif.

— Dis donc, si tu arrivais à te libérer ce soir, tu pourrais m'accompagner au lancement du livre de quelqu'un que j'admire beaucoup. Cela te remonterait probablement le moral.

— Ah oui ? Comment cela ?

— Il s'agit de la publication d'un roman écrit par quelqu'un de très spécial. À mes yeux, ce livre représente la preuve que rien n'est impossible. Une œuvre d'espoir, intitulée *Paysages effleurés*.

— *Paysages effleurés...* Tiens ! Ça me fait penser à ma vie, ça ! Tellement pognée que je dois sans cesse me contenter d'effleurer les choses, les paysages comme le reste. Paysages sur le point d'éclater, je le crains, si ça continue comme c'est parti.

— Alors ? Penses-tu pouvoir venir ?

— Pas certaine de pouvoir me libérer...

⤳⟐⤶

Ni Catherine Lecours ni Jean-Patrick ne m'accompagnent dans la librairie où a lieu le lancement du roman de Maxime Sigouin. Étrange et merveilleux lancement où l'auteur en chaise roulante s'avère tout à fait incapable d'écrire fièrement son nom à la main et encore moins de rédiger une dédicace en première page de son livre, comme le font tous les auteurs de l'univers.

En pénétrant dans les lieux, j'entends Maxime tonitruer bien avant de l'apercevoir dans un recoin du magasin, tentant d'expliquer, baguettes en l'air, je ne sais quoi à une interlocutrice. Une foule assez nombreuse est présente, verre de vin à la main. Non seulement l'hebdomadaire et le magazine pour lesquels Maxime rédige ses chroniques lui ont fait une publicité monstre, mais sa condition de handicapé a attiré les médias. La curiosité se lit, d'ailleurs, sur tous les visages qui jettent des regards en catimini sur le mystérieux auteur. « Quoi ? Celui dont je lis les articles chaque semaine est à ce point amoché ? Quoi ? Ce gars-là a vraiment écrit ce livre ? Quoi ? Il est à ce point intelligent malgré son allure ? Quoi ? Quoi ? »

Oui, mesdames et messieurs, ce gars-là se bat héroïquement tous les jours pour accomplir le centième, voire le millième de ce que vous, vous accomplissez machinalement sans même y songer. Ce gars-là, mesdames et messieurs, est un héros. Un héros authentique, un vrai, le plus grand des héros. Il n'a pas vaincu l'Everest, il n'a pas changé le cours de l'Histoire, il n'a inventé ni les mathématiques ni les ordinateurs. Il n'a pas, non plus, les yeux « bleu-couchette » du plus grand acteur de la planète. Non, Maxime Sigouin est un héros de la vie, de la vraie vie. Un merveilleux héros.

Quand il me voit m'approcher de lui, Maxime lance un cri rauque qui se voudrait un cri de joie. Émue, je ne peux m'empêcher de le serrer dans mes bras.

— Maxime, tu as toute mon admiration. Je t'apprécie ben gros !

— Ouâ... si... fous... zaime !

Derrière lui, Anne, sa copine bénévole, affiche un visage rayonnant de fierté. Jamais je ne l'ai vue aussi belle.

— Il s'agit d'un grand jour pour vous aussi, n'est-ce pas, Anne ? Ce livre est un peu votre bébé aussi, car sans vous, sa secrétaire, il n'aurait jamais existé.

La jeune fille m'interrompt en prenant un air mystérieux qui n'arrive pas à masquer son sourire difficilement retenu.

— Madame Martin, Maxime et moi avons une grande nouvelle à vous annoncer, et vous avez la primeur : lui et moi allons nous marier l'été prochain.

Il n'en faut pas plus pour que je lance un cri de joie. Surtout quand je vois la jeune fille introduire un crayon dans la main de Maxime, un crayon qu'il tient le poing fermé. Avec précaution, elle tient ouverte la première page du roman afin de lui permettre d'y esquisser un barbouillage. À ma grande surprise, je le vois se concentrer, yeux plissés et dents serrés, et tracer d'une main à peine maîtrisée, la vague forme d'un cœur. Un grand cœur maladroit, trop large et mal formé. Un cœur à peine reconnaissable, mais un cœur.

La signature d'un héros.

Je rentre chez moi lentement, en biglant sur les livres étrangement dédicacés placés sur le siège du passager, l'un pour moi et l'un pour mon fils, et deux autres pour Catherine Lecours et la bénévole de l'Association québécoise de la dysphasie. Dans mon esprit, une image se superpose à celle de Maxime Sigouin en train de dédicacer ses livres: je vois Julien jouant habilement de la flûte à bec pour mon fils.

Une étoile brille toujours quelque part, même pour les handicapés.

CHAPITRE 20

Il y avait foule dans le grand parc municipal, en ce dernier beau dimanche de la saison. À croire que les Québécois, au seuil de l'interminable hiver, voulaient faire provision de soleil et utiliser une dernière fois les tables de pique-nique avant qu'on ne les empile dans la remise pour les longs mois d'hiver.

Est-ce la présence d'autant de monde qui a énervé Félix ? Mon fils ne s'était pas montré aussi détestable depuis des lunes. S'il a réalisé quelques progrès sur la maîtrise de ses humeurs depuis son intégration en classe de langage, la matinée d'hier a tout fait basculer. Je rêvais pourtant d'une paisible journée de bonheur familial. Jean-Patrick et moi allions jaser tranquillement pendant que les enfants s'amuseraient aux alentours avec leur ballon. Forte de ma prise de conscience de l'autre jour, j'avais même invité une petite amie de Gabrielle à nous accompagner. C'en est assez de consacrer toutes ses énergies à materner son frère et à faire ses quatre volontés. Ma fille a droit à sa vie bien à elle. Tous ensemble, nous allions déguster le bon pique-nique que j'avais préparé avec un zèle tout particulier.

Que de fabulations ! Le cher garçon n'a pas mis de temps à transformer mon rêve en cauchemar, s'entêtant à défaire méchamment les tas de feuilles mortes accumulés par les filles ou s'amusant à lancer systématiquement le ballon sur les autres pique-niqueurs autour de nous. Quand il a commencé à se rouler par terre et à donner des coups de pied rageurs parce que son père venait de se lever une troisième fois pour aller le chercher en haut de la butte, il a essuyé la volée du siècle sous le regard ahuri des voisins.

Évidemment, la fessée n'a pas arrangé les choses, bien au contraire ! Félix s'est alors mis à courir jusqu'au bord de l'étang auprès duquel on lui avait interdit de s'approcher. Ce qui devait arriver arriva. Il est tombé tout d'un bloc dans l'eau glacée, opaque et dégueulasse. Malgré le peu de profondeur, Jean-Patrick a décidé de s'y jeter pour l'en sortir lui-même à bout de bras. Il a ensuite remonté la pente en le tenant couché sur son épaule, tout dégoulinant et hurlant, ce qui n'était pas sans me rappeler certaines scènes des années passées. Aussi ulcéré que son fils, le père l'a brutalement déposé sur l'herbe.

— Ramasse les affaires, Geneviève, on s'en va.

— Mais… on n'a pas encore mangé ! Tu n'as même pas terminé ta bière ! Tu n'as que les pieds mouillés et j'ai d'autres vêtements pour le petit.

— M'en crisse, on s'en va !

Les lèvres serrées et la gorge sèche, j'ai remis le lunch dans la glacière, les jouets dans le sac, plié les chaises pendant que Jean-Patrick transportait le tout jusqu'à la voiture. À mes côtés, Félix continuait de gémir tandis que Gabrielle et sa copine se tenaient coites, figées de stupeur. L'idée m'a effleurée pendant une seconde que l'on sacrifiait encore une fois la grande sœur à cause de son frère.

Félix ne s'est calmé qu'en tombant endormi en cours de route vers la maison. Dans la voiture, personne ne disait mot, pas même les deux filles habituellement bavardes. Je sentais mon homme encore furieux, mains sur le volant, et son silence en disait plus long que tous les sacres ou les jérémiades qu'il aurait pu lancer. J'ai posé doucement le bout des doigts sur son genou mais il est resté sans réaction.

Alors, je me suis enfoncée une fois de plus dans le silence, cet espace de solitude intérieure devenu mon antre depuis six ans. Ce lieu d'enfer où personne ne me voit ni ne m'entend, où personne ne saisit ma douleur ni ne la partage. Où personne ne sait. L'antre de la réclusion entouré de murs bâtis avec les pierres du terrible silence…

Une fois à la maison, Jean-Patrick a rapidement rangé les choses, puis se retournant vers moi, a planté des yeux flamboyants et résolus dans les miens. Des yeux secs.

— Je ne suis plus capable, Geneviève. Plus capable.

Je ne lui ai pas répondu. Il n'y avait rien à répondre, sinon le fameux « Je te comprends » ou encore, plus sincèrement : « Et moi, donc, me penses-tu encore capable ? » Mais je n'ai rien dit, assommée par l'évidence. Notre fils Félix n'est plus à partager entre nous, il ne l'a jamais vraiment été, d'ailleurs. Je le sens bien, je ne le sais que trop bien. Ce « Je ne suis plus capable » est venu tout confirmer. Non, Jean-Patrick et moi n'avons plus rien à partager, à part une adorable fillette de neuf ans qui aurait le droit de grandir dans un milieu familial plus sain. Et qui aurait eu le droit, hier, à un pique-nique familial joyeux en cette extraordinaire journée d'octobre. En ce moment même, la fin de quelque chose se trouve en passe de survenir à l'intérieur de notre famille, un quelque chose que j'ai toujours obstinément refusé d'admettre et de regarder en face.

Une fois sa douche prise et ses vêtements mouillés changés, Jean-Patrick s'est dirigé vers sa voiture en m'annonçant sur un ton sans réplique qu'il s'en allait chez sa mère pour le reste de la journée.

— Ça va me changer les idées, j'en ai besoin. Ne m'attends pas ce soir, je vais partir directement de là pour Jolicœur.

Et vlan! sur la portière de l'auto, et vlan! sur mon cœur!

Ce n'est qu'aujourd'hui, au lendemain de cette sombre journée, que je viens de découvrir, en revenant du travail, les tiroirs et la garde-robe de Jean-Patrick complètement vidés de leur contenu.

Pour moi, la fin du monde vient d'arriver.

～⁂～

Les premiers jours d'absence de Jean-Patrick se sont écoulés de façon tellement pénible que, maintenant, j'arrive à peine à m'en souvenir, préférant les enfouir au plus profond du coffre-fort de l'oubli. À vrai dire, la séparation d'avec mon conjoint représente pour moi autant un soulagement qu'une lourde épreuve, sans parler de l'écrasant sentiment d'avoir subi un échec, un échec lamentable. Bien sûr, au début, les remords n'ont pas manqué de surgir. Peut-être aurais-je dû me montrer plus patiente? Peut-être aurions-nous dû chercher davantage d'aide pour nous deux et consulter plus de spécialistes? Peut-être ai-je manqué de compréhension, de tolérance? Peut-être, peut-être…

Après le fameux soir où j'ai constaté le départ irrévocable de mon conjoint, j'ai tenté en vain de le joindre en composant à de multiples reprises le numéro de son téléphone portable ou celui de son appartement de Jolicœur. Même à son travail, on me faisait invariablement la même réponse : « Monsieur Lapierre est absent pour la semaine ». J'ai eu beau m'identifier, décréter une certaine urgence de lui parler, rien n'y fit. Eux aussi paraissaient ignorer où se trouvait mon homme. Même sa mère ne semblait au courant de rien.

Je n'arrivais pas à croire à sa disparition, ressassant je ne sais combien de scénarios différents dans ma tête, dont le plus terrible était une échappatoire dans le suicide et le moindre, une simple vacance de quelques jours en homme libre, histoire de faire le point dans sa vie. Bien sûr, le spectre d'une aventure amoureuse avec la première pin-up venue ou, pire, l'entretien d'une aguichante maîtresse à Jolicœur ou ailleurs depuis des mois et à mon insu, ne manquaient pas de m'embroussailler les esprits.

Je ne pouvais non plus signaler sa disparition à la police, les tiroirs vides et les cintres suspendus sans vêtements dans le placard prouvaient hors de tout doute qu'il s'agissait d'un départ volontaire et planifié. Je ne tenais plus en place quand finalement, ce matin, au bout de cinq jours, le facteur a déposé une lettre sur laquelle j'ai aussitôt reconnu l'écriture large et légèrement penchée de mon conjoint. Enfin des nouvelles! Hélas, elles m'apparurent catastrophiques pour nous tous.

Ma chère Geneviève,

Sache que je ne suis pas parti de la maison sur un coup de tête. L'idée de ce départ mijotait depuis belle lurette dans mon esprit, et les événements de dimanche dernier m'en ont donné l'occasion en faisant déborder le vase. Pendant des jours, j'ai mûri ma décision et sérieusement pesé le pour et le contre. Je ne te quitte pas parce que je ne t'aime plus. Oh non, au contraire! Je te trouve tellement forte et courageuse que j'en ai développé des complexes, moi, l'impatient, le bouillant, l'intolérant, moi, l'incapable de supporter mon propre fils. J'aime mon garçon pourtant, à tout le moins j'essaye sincèrement de l'aimer comme un père normal aime son fils normal. Mais le mien n'est pas normal... et je n'arrive pas à l'accepter. C'est à en devenir dingue, Geneviève, peux-tu comprendre ça?

Cet enfant qui saisit mal, s'exprime mal, fonctionne mal, se comporte mal est en train de me rendre fou. Je n'en peux plus, j'ai besoin d'une pause, d'une longue pause. Peut-être durera-t-elle seulement quelques jours ou quelques semaines, mais peut-être aussi s'éternisera-t-elle pour le reste de notre vie, je n'en sais rien. Pour le moment, perturbé et écœuré comme je le suis, je ne peux jurer de quoi que ce soit.

Par contre, sois certaine que je continuerai à subvenir aux besoins de la famille et que, si tu le permets, je m'occuperai de Gabrielle toutes les deux fins de semaine. Et qui sait… Félix, je l'espère, continuera de grandir et d'évoluer pour le mieux. Peut-être réussira-t-il à m'apprivoiser à la longue? Je le souhaite ardemment, tu peux me croire.

Pardonne-moi, mon amour, pardonne ma lâcheté et tout ce mal que je te fais, et sois assurée, malgré tout, de mes sentiments les meilleurs. Ne t'en fais pas pour moi. Je t'aimerai toujours,

Jean-Patrick

xxx

« Ne t'en fais pas pour moi »… Il a eu le toupet d'écrire ça! S'en fait-il pour moi, lui qui prétend m'aimer pour toujours? Balivernes! Bel amour que le sien! J'ai bien compris le message : « Je te délaisse parce que je ne peux plus supporter notre enfant. Toi, tu pourras toujours t'arranger avec lui. Après tout, je t'enverrai des chèques, vu que je t'aime! Quant à ton cœur brisé, tes sentiments bafoués, ta frustration, ta peine d'amour, ta solitude, ton échec, quant à notre famille éclatée et ton obligation de t'en occuper seule dorénavant, tu peux toujours ravaler tout ça, toi, tellement forte et courageuse! L'homme de ta vie, ce n'était pas moi, que veux-tu! Pas assez aguerri, le gars qui aspirait à une petite vie paisible et sans problèmes. Les problèmes, je te les refile, ma chérie, vu que je t'aime tant. Et quant à ma présence paternelle auprès des enfants ou au modèle masculin pour notre fils, bof… Pourquoi s'embarrasser des histoires de Freud quand on a un fils handicapé souffrant de dysphasie? »

Voilà, mon cher Jean-Patrick, mon interprétation de ta lettre sans adresse de retour. Lourde épreuve pour moi, en effet, que ce cruel abandon non mérité, mais aussi soulagement de ne plus vivre aux côtés d'un homme sans colonne vertébrale. Fini, le stress des fins de semaine lié à la crainte insupportable de voir Félix te faire enrager sans arrêt ! Finies, tes défilades déguisées en obligations professionnelles ! Finis, les mensonges ! Oui, coup dur et sentiment d'échec de n'avoir pas su maintenir la barque familiale en eaux calmes, mais aussi libération pour moi ! Et, surtout, mon cher Jean-Patrick, colère, colère, colère…

J'ai découvert alors que pleurer de rage ne soulage guère et fait aussi mal que pleurer de regret, d'angoisse ou de dépit. Surtout quand l'impuissance alimente cette rage avec l'effet du bris des vannes d'une écluse…

⌖

La colère, bien plus que le reste, m'a jetée par terre pendant près d'une semaine. Sept jours où j'ai détesté Jean-Patrick à m'en égratigner la peau rien qu'à y songer. Sept jours, furieuse au point d'en devenir non fonctionnelle. Incapable de me rendre au bureau, incapable de gérer ma famille, moi, la femme « tellement forte et courageuse » de la lettre de Jean-Patrick ! Paralysée d'indignation !

Maman est aussitôt accourue à ma rescousse avec son compagnon Philippe Beausoleil, l'homme qui a embelli sa vie ces dernières années. Ensemble, ils ont tenté de me remonter le moral, lui autant qu'elle, avec sa bonhomie et son air masculin capable de tout comprendre.

— Tu sais, Geneviève, nous, les hommes de mon âge, on est mal faits. Petits garçons, on nous a enseigné à « faire le grand », celui qui ne pleure jamais et sait se montrer fort et raisonnable, sinon on passait pour un mièvre ou une fille manquée. À la longue, ceux de ma génération en sont venus à ne rien exprimer et à réprimer leurs émotions au plus profond d'eux-mêmes. Qui sait si les parents de Jean-Patrick ne l'ont pas élevé de cette manière ? Devant la déception d'avoir procréé un enfant anormal, il a dû jouer au surhomme et accumuler silencieusement ses frustrations au lieu d'aller chercher de l'aide pour apprendre à accepter ce qu'il considère comme inacceptable. Un jour, n'en pouvant plus, il a éclaté. Ton homme porte probablement en lui une grande souffrance, ma belle Geneviève, et il doit se sentir affreusement malheureux.

« Une grande souffrance »… « affreusement malheureux »… Le beau Philippe de maman a peut-être raison. Moi, en tant que femme faisant face à la condition de Félix, j'ai réagi au contraire par l'action positive, j'ai retroussé mes manches et me suis battue jour après jour pour améliorer son sort. Jean-Patrick, lui, dépassé par l'ampleur du problème a ravalé ses émotions. Pour survivre, il a réagi dans le déni et l'immobilisme. Dans le silence… Pas surprenant de le voir maintenant désespéré, incapable d'envisager d'autres solutions de rechange que la débandade !

Soudain, une bouffée de tendresse vient décanter ma colère. Mon pauvre Jean-Patrick… Maintenant, je te comprends mieux, je peux saisir ta douleur, ta complète déroute. Cela n'excuse en rien la bassesse de ta fuite, mais au moins, je possède une explication plausible avec laquelle me consoler. Oh ! l'absolution n'est pas pour aujourd'hui, mais une lueur existe quelque part, je le sens. Sans doute le trouverai-je un jour dans un avenir incertain, cet impossible pardon enseveli trop profondément sous les ronces de la rancœur. Je vais devoir travailler à le débroussailler ! Mais de ce pardon, en voudras-tu, au moins ?

Pendant un certain temps, ma mère ne m'a pas lâchée d'une semelle et m'a dorlotée comme un bébé.

— Prendrais-tu un bon café, ma fille ? Tiens ! je t'ai préparé ton gâteau préféré, cet après-midi. Va dormir, Philippe et moi, on va s'occuper des enfants.

— Merci, maman, d'être là, merci à vous deux.

Au bout de quelques jours, ils sont repartis en me faisant jurer de les appeler au moindre signe de désespoir. Mais je me sens déjà mieux, prête à reprendre le travail. Le plus difficile sera d'expliquer aux enfants l'absence prolongée de leur père. Déjà habitués à le voir uniquement les samedis et les dimanches, ils n'en feront pas grand cas au début, mais à la longue, cela risque de devenir compliqué. Et Félix acceptera-t-il facilement de voir partir Gabrielle avec son père toutes les deux semaines, alors que lui…

Au fond, j'ignore si Jean-Patrick a rejeté complètement et irrémédiablement son fils, ou bien s'il va se retourner un de ces jours. Dans sa lettre, il parle de se laisser apprivoiser. J'éprouve toutefois des doutes sur l'apprivoisement par l'absence. Je crois plutôt en de grands yeux bruns, naïfs et purs, je crois en des petits bras autour de notre cou et en un rire d'enfant spontané et cristallin, je crois en une menotte blottie dans la nôtre avec confiance, je crois en des syllabes prononcées avec effort, si inintelligibles soient-elles, preuves d'un espoir tangible de progrès.

Je ne crois pas en l'absence.

Ah, mon Dieu! dans quelle galère je me trouve! En dépit de mon attente secrète de voir rebondir Jean-Patrick aujourd'hui, en ce dimanche suivant son départ, ma décision est prise: tout rentrera dans l'ordre demain matin: je retournerai au centre local de services communautaires, et les enfants prendront le chemin de l'école comme à l'accoutumée. Au moment de me mettre au lit, la sonnerie du téléphone me tire de mes pensées que je tente pitoyablement de rendre positives.

— Geneviève? C'est moi! Je… Je… Comment ça va? Comment se sont passés ces derniers jours?

Pendant une seconde, j'ai envie d'envoyer promener Jean-Patrick et de lui fermer la ligne au nez. En quoi ma semaine l'intéresse-t-elle? Il ne mérite rien d'autre que de récolter ce qu'il a semé et de se faire envoyer au diable. Mais les paroles de Philippe Beausoleil remontent à la surface. Grande souffrance, lui aussi…

— Pas si mal, pas si mal.

— …

Je ne sais combien de temps se prolonge entre nous ce silence suffocant, intolérable. Pour quelle raison me téléphone-t-il s'il n'a rien à me dire ? Pour tourner le fer dans la plaie ? Afin de ne pas éclater en sanglots, je me garde bien de m'informer de lui et me dépêche d'en finir au plus vite.

— Bon, bien… je te souhaite une belle semaine, Jean-Patrick.

— Moi aussi. Vendredi soir prochain, je viendrai probablement chercher Gabrielle et te la ramènerai dimanche. Je te rappelle !

— O.K. Salut !

J'arrive mal à dormir en songeant que cet appel pour le moins rudimentaire confirme concrètement la rupture. Pour des raisons de logistique, il se renouvellera sans doute toutes les semaines pour les prochaines années, symbole de ce qu'aura été notre vie de couple où la voix a remporté trop peu de victoires sur le silence.

CHAPITRE 21

Ils ont beau défiler devant moi l'un après l'autre avec la tête remplie d'embêtements et les pieds enfoncés jusqu'aux genoux dans le pétrin, ils ont beau déverser leurs problèmes sur mon bureau et afficher un sourire rare et crispé, en ces temps difficiles, la satisfaction de les aider à avancer me fait du bien. Leur espérance surtout me réconforte, trop souvent hors de toute logique... Ma relation d'aide comme travailleuse sociale ne constituera jamais, bien entendu, le contrepoids du cruel rejet de Jean-Patrick dont mes enfants et moi avons fait l'objet tout récemment. Mais de me sentir importante et précieuse pour mes clients me valorise et me rassure sur la place que j'occupe toujours dans la société, en dehors de ma maison.

Pourtant, auprès de ma fille et de mon fils, mon rôle essoufflant de mère seule ne laisse pas de doute sur mon utilité. Gabrielle et Félix commencent à ressentir l'absence de leur père et ils ne cessent de solliciter mon attention de manière inhabituelle et exigeante. «Maman» par-ci, «maman» par-là, à l'excès, sans compter les pleurs de Félix à tout bout de champ et les protestations bien légitimes de Gabrielle parce que son père n'est jamais venu la chercher tel que promis au téléphone. Et je ne parle pas du chat et du chien à soigner !

Heureusement, Canelle et Noiraud remplissent bien leur rôle de consolateurs. Tout cela n'empêche pas les questions de fuser de toutes parts.

— Maman, il est où, papa ?

— Papa, il est parti en vacances, ma chérie, et un jour, il finira bien par t'emmener pour une fin de semaine avec lui. L'autre jour, il a dû avoir un empêchement, voilà tout !

Félix, lui, se contente de lancer de vagues « Apa ? » de temps à autre, sans attendre de réplique de ma part. Je formule pourtant mentalement une réponse pour lui, toujours la même : « Toi, mon loup, j'ignore si papa arrivera à te donner un bec de temps en temps, si jamais il revient… » Mais cette dernière réponse, je n'oserais jamais l'énoncer à voix haute. Mieux vaut la garder pour moi et la ravaler, car elle me donne des haut-le-cœur. En réalité, pour Félix, je n'ai pas de réponse.

Hélas, les jours s'étirent maintenant en semaines. Je ne sais plus quelles raisons donner à Gabrielle sur le silence de son père. Félix, lui, s'il réclame Jean-Patrick, c'est davantage pour imiter sa sœur que par un réel ennui, j'en suis persuadée. À tout le moins, j'essaye de m'en convaincre.

Dieu merci, mon travail arrive à me distraire de mes préoccupations personnelles durant un certain nombre d'heures, trois jours par semaine, parfois quatre. Heures harassantes mais combien bénies. Ce matin, au CLSC, le premier rendez-vous de la journée m'amène madame Agathe. Je dois me rendre avec elle à la caisse populaire car, ayant fermé son compte le mois dernier sans nous avertir de son déménagement, elle vient se plaindre de n'avoir plus d'argent pour manger. En effet, la chère dame n'a pu recevoir son chèque de pension de vieillesse, le compte n'existant plus à cet endroit ! Sachant à peine lire, incapable de s'exprimer clairement et d'obtenir elle-même de la caisse les papiers dont j'ai besoin pour lui procurer une avance, je l'accompagnerai pour régler l'affaire une fois pour toutes.

Il y a des foisons de personnes du troisième âge et de déficients légers qui n'arrivent pas à se débrouiller avec les complications de la paperasse. L'un ne comprend rien au jargon des formulaires, l'autre ne sait pas écrire, un troisième croule dans la pauvreté, ignorant qu'il a droit à un supplément s'il ne perçoit pas d'autres revenus que sa pension de vieillesse.

Le client suivant, un homme d'âge moyen atteint de schizophré-nie, m'annonce, lui, qu'il fait du bénévolat dans un dépanneur.

— Comment ça, dans un dépanneur? Vous faites quoi comme bénévolat? Vous vendez des fleurs ou des bricoles devant la porte pour un quelconque organisme de charité?

— Non, non, je travaille pour le dépanneur lui-même. Il me fait déballer des boîtes, laver le plancher et les vitres, balayer le trottoir, vider les poubelles, m'occuper du recyclage. Plein de choses!

— Et il ne vous paye pas? Voyons donc!

Sur le bord de la panique, l'homme sort une lettre de sa poche et la lance promptement sur mon bureau comme si elle lui brûlait les doigts.

— Regardez ça! C'est arrivé hier. J'ai peur de ça, moi, des affaires de même! Pas question de signer!

La lettre lui demande de se joindre à un recours collectif contre le propriétaire du dépanneur pour l'exploitation éhontée, depuis des années, de nombreuses personnes souffrant de déficience men-tale. Quelqu'un a découvert le pot aux roses et a décidé, avec raison, de réclamer justice. Mais mon homme, n'y comprenant rien, ne voit pas les choses de la même manière. Je tente de le rassurer.

— Ce recours est une bonne idée, mon cher monsieur. Vous avez le droit de réclamer un salaire à cet homme malhonnête.

— Je veux rien savoir de ça, moi !

— Mais il aurait dû vous payer, il vous doit de l'argent.

— Non, non, ça se peut pas ! Le patron se montre toujours très gentil avec moi. Je vais simplement cesser mon bénévolat à cette place-là, c'est tout !

Comme de raison, la rencontre d'un handicapé intellectuel, même léger, me ramène immanquablement à mon fils qui souffre d'un certain trouble neurologique en dépit de son intelligence non verbale classée dans la moyenne. Mais comment se débrouiller dans la vie, même avec une intelligence moyenne, quand on comprend mal les concepts abstraits, qu'on éprouve de la difficulté à distinguer des sons semblables et même à faire la différence entre le passé et le futur ? Une fois à l'âge adulte, Félix aura-t-il réussi à combler toutes ces lacunes ? Arrivera-t-il à mener une vie normale ou bien va-t-il, comme ce bonhomme-là, se retrouver un bon matin devant une travailleuse sociale, affamé, démuni, exploité par les rapaces et incapable de subvenir à ses propres besoins ? Il va de soi que je veillerai sur lui tant et aussi longtemps que Dieu me prêtera vie, mais ensuite ? Sait-on jamais ce qui pourrait survenir ? Il vaudrait peut-être mieux mettre de l'argent de côté à son nom, en prévision de l'avenir. Ah ! si au moins je pouvais consulter son père…

Allons, ma vieille, calme-toi ! Ta mère, forte de son expérience comme préposée auprès des personnes âgées, ne t'a-t-elle pas toujours enseigné qu'à chaque jour suffit sa peine ? Elle a raison, ma mère, la douce, la sage Nicole. Entièrement raison ! Qui, parmi les habitants de cette planète, peut jurer du lendemain ? Prendre la vie au jour le jour tout en donnant constamment son maximum, voilà la clé. L'unique clé. Advienne que pourra pour la suite ! Le destin s'occupera bien de la suite…

On a beau dire, encore faut-il l'aider, ce fameux destin, à faire basculer les choses du bon côté. Prévoir, pressentir, prévenir, parer et préparer... Je ne me féliciterai jamais assez d'avoir inscrit Félix dans cette classe de langage. Déjà, après seulement quelques semaines d'école, il a réalisé des progrès incroyables. S'il continue sur la même tangente, mon fils se dirige à coup sûr vers une certaine normalité. À tout le moins vers une Hollande fort belle, intéressante et vivable, même si elle restera toujours la Hollande et ne se transformera jamais en Italie. Son avenir, il pourra s'en occuper lui-même !

Le dernier client de la journée se nomme Charles Beauchemin. Bel homme plutôt réservé, la jeune trentaine. Une tête sympathique. Il s'est présenté sans rendez-vous au secrétariat du centre et a insisté pour rencontrer d'urgence une travailleuse sociale. Il s'assoit spontanément face à mon bureau et s'effondre aussitôt. Devant mon regard interrogateur, je l'entends s'écrier :

— J'ai hésité entre venir ici ou aller me pendre !

— Euh... vous parlez sérieusement ?

— Oui, madame, je parle sérieusement.

— Racontez-moi votre histoire. Qu'attendez-vous de moi ?

— Je... j'ai besoin d'aide car je n'en peux plus. Je suis le père de deux filles, et je les élève seul. Celle de quinze ans jouit d'une parfaite santé, mais l'autre, qui aura bientôt dix ans, est... un légume !

— Comment ça, un légume ?

L'homme que je croyais timide se lève inopinément et pose sur mon pupitre ses deux poings fermés aux jointures blanchies avant de planter ses yeux de feu dans les miens.

— Avez-vous déjà entendu parler du procès de l'enfant secouée, Marie-Soleil Beauchemin, il y a maintenant plusieurs années ? Ce procès, fort médiatisé, avait avorté parce qu'on n'avait pas pu déterminer de coupable à cause d'un doute raisonnable. Eh bien! le père de l'enfant secouée, c'est moi, madame!

— Quoi! C'est vous? Je m'en rappelle très bien. Une affaire qui ne s'oublie pas et dont le dénouement à la cour en a révolté plus d'un… Personne n'a été tenu responsable, quelle histoire d'horreur! Ah! mon pauvre monsieur, je partage votre douleur.

— La détective, Isabelle Guay-Deschamps, a fait de son mieux, mais elle n'a pu trouver suffisamment de preuves pour faire condamner ma maudite belle-mère.

— Et votre femme, elle va bien?

— Je n'ai plus de femme. Chantal est partie au lendemain du procès sans laisser d'adresse. Non seulement je ne l'ai jamais revue, mais pas une seule fois, depuis ce temps-là, elle n'a visité sa fille Marie-Soleil gardée dans un établissement psychiatrique. Une vraie honte! La vache ne mérite même pas le nom de mère! Des fois, je me demande si…

— Si quoi?

— Si ce n'est pas elle qui aurait… De toute manière, j'ai le sentiment qu'on ne connaîtra jamais la vérité dans cette affaire. J'essaye d'arrêter de me tourmenter avec ces questions-là, sinon ça devient invivable. C'est à devenir fou, madame, complètement fou ou… Ou c'est à donner le goût d'en finir une fois pour toutes tant l'écœurement est grand. Je pense que j'ai atteint ma limite.

— Je vous comprends! Et l'enfant?

— Ah! l'enfant…

Incapable d'en dire davantage, Charles Beauchemin retourne s'asseoir sur sa chaise, pâle comme un mort. Je vois ses longues inspirations soulever sa poitrine dans l'espoir de retrouver la maîtrise de ses émotions. Il veut bien accepter la boîte de papiers-mouchoirs que je lui tends, mais il refuse obstinément le café ou la tisane proposés dans le but de l'apaiser.

Cette histoire du bébé secoué m'avait passablement impressionnée, à l'époque, quand ma cousine m'en avait révélé tous les détails. Parce qu'un adulte a «pogné les nerfs» pendant quelques secondes, la vie de son enfant a culbuté à jamais dans le néant. Et cet adulte coupable reste impuni et profite de la vie comme si de rien n'était. Quelle horreur! La justice administrée par les humains a parfois de ces failles…

— Ma petite Marie-Soleil, madame, est complètement paralysée d'un côté, elle a un œil aveugle et un drain connecté entre son cerveau et son système digestif qu'on doit changer chirurgicalement une fois par année. Quant à son intelligence, aussi bien dire qu'elle n'en possède pas puisqu'elle arrive à peine à nous reconnaître, sa sœur Tania et moi. Encore faut-il aller la visiter souvent pour qu'elle se souvienne de nous.

— Se trouve-t-elle toujours en institution?

— Justement! Voilà la raison pour laquelle je viens vous consulter. Il y a quelque temps, découragé parce que, dans ce lieu d'hébergement pour handicapés lourds, on la laisse moisir dans un coin sans aucune stimulation, j'ai eu la mauvaise idée de la prendre chez moi avec l'intention de l'aider à se développer davantage. J'allais payer une gardienne durant le jour, pendant que sa sœur Tania irait à l'école et moi au travail.

— Et ça s'est avéré une bonne idée?

— Non! Ce fut une erreur. Tout d'abord, je n'avais pas prévu devoir changer continuellement de gardienne, ces dernières fuyant systématiquement devant l'énormité de la tâche. D'ailleurs, Marie-Soleil n'a accompli aucun progrès depuis qu'elle habite chez nous. Il n'y a rien à faire avec elle, je le vois bien. Ma fille n'évoluera jamais.

— Ça ne doit pas être facile d'admettre ce genre d'évidence…

— Oh que non ! Malheureusement, je ne pensais pas qu'à la longue, submergé par trop de responsabilités, je développerais une grave dépression nerveuse dont j'arrive mal à me remettre. Madame, je n'en peux plus.

— Vous êtes encore malade ?

— Oui, je suis incapable de travailler depuis deux mois, et Marie-Soleil se trouve toujours à la maison. Je n'arrive plus à en prendre soin correctement, madame. Les antidépresseurs qu'on m'oblige à prendre sont très puissants, ils m'abrutissent et me portent à dormir. Je n'ai personne pour m'aider, ni famille proche ni amis. Même ma mère ne va pas très bien. Toute cette histoire l'a profondément perturbée et je crains qu'elle ne soit en train de perdre le nord. Chose certaine, je ne peux pas compter sur elle. Je viens d'atteindre le bas-fond, je crois, car je n'ai plus d'argent non plus.

— Mon cher monsieur, il faut absolument continuer à vous soigner et, avant tout, retourner votre fille Marie-Soleil à son institution le plus vite possible.

— J'ai bien essayé, mais sans résultat. Et tout ça me fait sentir coupable. Même si je veux la placer de nouveau, je n'ai nulle intention de l'abandonner pour autant, vous savez. J'irai la visiter régulièrement pour la prendre dans mes bras et veiller à ce qu'on la traite bien comme je le faisais auparavant.

— Et alors ?

— On a donné sa place à quelqu'un d'autre et son nom se trouve à présent au bas d'une longue liste d'attente. Je suis découragé. Certains jours, si ce n'était de mon adorable Tania, j'aurais envie de… de… d'en finir une fois pour toutes avec tout ça ! Partir doucement avec mes deux trésors et m'en aller sans faire de bruit vers le paradis avec elles… Si le paradis existe, naturellement ! Voilà pourquoi je suis venu ici pour appeler au secours. Je n'en peux plus, madame, je n'en peux plus. Il faut trouver d'urgence une place pour Marie-Soleil.

— Monsieur Beauchemin, vous avez été bien avisé de venir. Nous allons vous aider le mieux possible. Je vais voir ce qu'on peut faire avec Marie-Soleil. Je promets de vous rappeler sans faute d'ici deux ou trois jours. Vous sentez-vous capable de tenir bon jusque-là?

— Oui, oui! Merci, madame, vous êtes un amour!

Je le regarde sortir légèrement rasséréné. Un peu plus et je l'aurais pris dans mes bras, ce brave homme qui a le courage de s'occuper à ce point de son enfant gravement handicapée. Tout le contraire de… quelqu'un que je connais! De ce certain quelqu'un dont je n'ai pas de nouvelles depuis trop longtemps. Au fond, c'est en plein son genre de se balancer des états d'âme de celle qu'« il aime toujours ». Sur l'empathie de Jean-Patrick Lapierre, on peut toujours fantasmer! Quant à ses préoccupations au sujet de son enfant handicapé… Hum!

De retour à la maison, en cette fin d'après-midi, l'image de Charles Beauchemin me poursuit. À sa peine de voir sa fille dont la condition est dégénérée au point de la traiter de légume, se joint la révolte de savoir que cet état ne résulte pas d'un caprice de la nature, mais découle d'un acte violent et impuni posé par quelqu'un. Une personne même pas foutue d'avouer humblement son erreur sans doute involontaire devant les tribunaux et d'exprimer des regrets, une personne indifférente au point de vivre sa vie sans se soucier des conséquences de son geste.

« Je n'ai personne pour m'aider, ni famille proche ni amis » m'a dit Charles Beauchemin. Et si, en dépit du code de déontologie, je devenais son amie? Si ensemble nous partagions nos solitudes? Nos désarrois devant les injustices du destin, mais aussi nos espoirs en une vie meilleure? Non, je rêve en couleurs. Je ferais mieux de me montrer raisonnable et de renoncer à cette folle idée qui risque-rait de me causer des problèmes d'éthique. De toute manière, le handicap de Félix paraîtrait une vétille aux yeux de cet homme, un petit rien, une dent croche, une fossette sur un seul côté du visage, un œil un peu plus grand que l'autre. Ou encore une souris à côté de l'éléphant que représente son problème. Tout est relatif, ma vieille! Relatif, oui, mais la vétille a pourtant suffi à éloigner Jean-Patrick Lapierre de ta vie et de celle de ses enfants! Non, je vais sagement aider monsieur Beauchemin comme une travailleuse sociale doit le faire, rien de plus.

Ce soir, j'ai longuement regardé Gabrielle et Félix s'amuser ensemble dans le salon à bâtir un château en legos en présence de Noiraud et de Canelle. Mon fils, toujours obsédé par les châteaux, les soldats et les chevaliers, riait aux éclats, et ma fille, toujours aussi maternelle et généreuse, jouait le rôle de la princesse.

Mon bonheur se trouve là, à portée de la main, à l'intérieur de ma maison, dans mon salon. Il incombe à moi seule de le préser-ver, je ne veux plus dépendre de personne, surtout pas d'un certain Jean-Patrick Lapierre. Et tant pis pour le reste!

Quand je monte à l'étage pour aller me coucher, le chat et le chien dorment serrés l'un contre l'autre dans un coin de la cuisine. Cette image hors de l'ordinaire me hantera toute la nuit.

L'incroyable peut toujours se produire.

CHAPITRE 22

Dans ma boîte aux lettres, ce matin, je découvre une autre enveloppe marquée d'une écriture aux caractères amples et inclinés. Enfin ! Qui sait si cet envoi ne m'apporte pas de vraies nouvelles du père de mes enfants après presque quatre semaines d'absence et, pire, de silence total à part un généreux chèque entré par la poste la semaine dernière, sans aucun commentaire. Si Gabrielle s'était fait frapper par une voiture, si Félix avait déboulé un escalier ou si moi, j'étais tombée malade ou faisais une dépression majeure comme le père de l'enfant secouée, si notre maison avait brûlé, Jean-Patrick Lapierre n'en aurait jamais rien su, compte tenu que, mystérieusement absent de son travail, il ne m'a pas indiqué comment le joindre en cas d'urgence.

Encore une fois, la rage et la tendresse se font la guerre en moi quand je déchire l'enveloppe d'une main fébrile. Un à un, je dévore à travers mes yeux effarés, les mots qui me chavirent l'âme.

Ma chère Geneviève,

Pardonne-moi ce long silence. J'en avais besoin pour faire le vide, sinon, c'était le péril assuré. Le croirais-tu, au retour d'une semaine de repos dans le Sud, toujours aussi dérouté, je me suis réfugié pendant quelques jours dans un monastère afin de chercher la lumière et surtout la force de continuer. J'imagine que tu qualifieras probablement cela de fuite. Tu auras raison.

Je n'ai pas encore trouvé cette force de tout accepter, mais je sens que ça viendra avec le temps. Je t'en prie, si tu m'aimes encore, laisse-moi le temps de prendre le temps.

Je cherche actuellement un nouvel emploi. Je ne retournerai plus à Jolicœur et je viens de remettre ma démission. Un changement s'impose et me fera du bien, je le sens. J'ai passé une entrevue ce matin et, encore une fois, une autre compagnie de produits pharmaceutiques m'offre un travail dans son laboratoire de recherche situé dans une ville tout aussi éloignée que Jolicœur. Je ne sais si je vais l'accepter ou non. Ce travail ne susciterait pas de grands changements à notre vie commune de ces dernières années, advenant le cas où je déciderais de revenir à la maison. On ne se verrait encore que les fins de semaine, et cela ne te convient pas du tout, je le sais. Ne t'inquiète pas, j'en tiens compte.

Je suis actuellement en période de réflexion et, crois-moi, jamais de mon existence, je ne me suis senti aussi désorienté, aussi perdu dans mes valeurs, mes aspirations, mes attentes, mes engagements envers toi et les enfants mais aussi ceux envers moi-même. Je ne sais plus où j'en suis, Geneviève, et à partir de demain, j'entreprends une sérieuse thérapie dans le but de voir plus clair en moi. Pardonne-moi tout le mal que je vous fais sans doute, à tous les trois.

Je te demande encore un peu de patience, le temps finira bien par me ramener vers toi, je le sens. Mais cette fois, si je rentre au bercail, ce sera pour de bon, tu comprends? Je ne veux plus jouer avec ton cœur comme je l'ai fait cruellement ces dernières années, j'en ai pleinement conscience.

En attendant d'établir définitivement mes certitudes, que dirais-tu d'une journée en famille, dimanche prochain ? Je n'ai pas vu les enfants depuis si longtemps et je m'en ennuie. Et de Félix tout autant, quoique tu en penses ! Serais-tu d'accord si j'arrivais en début d'après-midi et repartais après le souper ? Connaissant ton grand cœur, tu vas accepter, je le sais ! D'ici là, porte-toi bien et embrasse les petits pour moi.

Je t'aime toujours,
Jean-Patrick.

Embrasser les enfants pour lui, je veux bien, mais je me garde, par contre, de les informer de cette visite pour le moins incertaine. Avec ses tâtonnements et ses réactions impulsives, je crois plus ou moins aux belles paroles et aux promesses de mon conjoint – ou s'agit-il de mon ex-conjoint ? Au fil du temps, je me sens de plus en plus confuse quant à mon amour pour lui. Ma confiance s'est effritée et un scepticisme inquiet s'est installé. L'autodéfense, sans doute... Je ne veux plus souffrir.

« La force de continuer »... Il a le front de m'écrire ça ! La force, la force... Et ma force à moi, il en fait quoi ? Comme si notre vie de famille était devenue un enfer alors que je consacre toutes mes énergies, depuis des années, à la rendre agréable en dépit des difficultés. Et elles ne mènent quand même pas à la fin du monde, ces difficultés ! Quand je fais des comparaisons avec mon amie Catherine et son Julien devenu dangereusement agressif envers son père... Quand je songe à Charles Beauchemin... Lui, il en affronte, des difficultés majeures, avec sa fille. Pas nous ! Surtout que Félix semble de plus en plus sur la bonne voie.

Si Jean-Patrick s'attend à une réception avec des fleurs et, sur la table, ses petits plats préférés amoureusement fricotés, il se trompe. On commandera de la pizza si jamais il se pointe. Si jamais... car je ne le crois plus ! N'avait-il pas promis de venir chercher Gabrielle la fin de semaine suivant son départ ? Dimanche prochain, s'il sonne à la porte, les enfants vont se montrer surpris. Tout comme moi, d'ailleurs! Et pourtant, je ne peux m'empêcher d'imaginer déjà leurs cris de joie.

Et moi, vais-je sauter de joie aussi? Je ne sais pas, je ne sais plus.

⟡

La semaine m'a paru à la fois trop courte et interminable. J'ai vu venir ce dimanche matin avec effarement. Jean-Patrick viendra-t-il?

Cette semaine, la fête de l'Halloween, entre autres, m'a laissé un goût amer. Comme convenu, Félix, n'ayant pas d'ami, devait parcourir le quartier avec sa sœur, sous ma supervision. Ma fille et moi avons donc choisi au magasin deux costumes allant de pair. Quand est venu le temps de s'habiller, le soir tant attendu, Gabrielle a expliqué leur déguisement pour la xième fois à son frère.

— Moi, je porterai un costume d'infirmière et toi…

— De fermière?

— Non, Félix, d'infirmière. Regarde.

Lui, le grand amoureux des animaux, s'est montré fort déçu de devoir déambuler auprès d'une garde-malade au lieu d'une fermière comme celles qui s'occupent des animaux sur la ferme.

— Et toi, Félix, tu seras un docteur.

— Un aviateur?

Qu'à cela ne tienne, l'idée de devenir un pilote d'avion lui seyait bien. Avant même de le laisser exploser de bonheur, Gabrielle lui a présenté son costume, genre de sarrau vert porté par les chirurgiens en salle d'opération. Cela a déclenché la crise. Félix a lancé au loin le stéthoscope de plastique qu'il devait s'enrouler autour du cou et a obstinément refusé de coiffer le bonnet, vert lui aussi, et de porter le masque.

À la vérité, il ne comprenait pas grand-chose à cette fête. Au lieu de m'acharner à le lui expliquer, je me disais à tort qu'en voyant, dans la rue, les autres enfants déguisés en train de sonner aux portes pour recevoir des bonbons, il saisirait vite le sens fort agréable du jeu.

Les choses ne se sont nullement passées de la sorte. Dès la première récolte, il a voulu manger immédiatement toutes les friandises contenues dans le petit sac remis gentiment par la voisine d'en face. Je l'ai laissé faire. Après tout, les bonbons lui appartenaient! Mais quand, rendu à la quatrième adresse, il reproduisait toujours le même scénario avec les mêmes cris et les mêmes coups de pied, j'ai décidé que c'en était fait de l'Halloween pour Félix Lapierre. Je l'ai saisi furieusement par le bras et me suis dirigée vers la maison d'un pas résolu jusqu'à ce qu'une petite voix timide ne vienne interrompre ma course.

— Et moi, maman? Tu me laisses toute seule à la noirceur? Est-ce que je dois rentrer moi aussi?

Une gifle en pleine figure ne m'aurait pas fait plus de mal. Gabrielle! Comment ai-je pu l'oublier, ma belle douce, ma chérie, mon amour, ma trop bonne? C'est elle qui, à ce moment-là, aurait eu le droit de piquer un crise pour réclamer mon attention injustement détournée et faire valoir son droit bien légitime à la fête, elle dont l'enfance se trouve perpétuellement perturbée à cause des folies et des caprices de son frère déficient.

Mon adorable petite... C'est elle, bien plus que moi et mille fois plus que son père, qui supporte Félix à la journée longue, le console, le cajole, fait ses quatre volontés, s'oublie pour lui. Tu es un ange, ma fille, et moi ta mère, femme mature dans la fleur de l'âge, j'ai tout à apprendre de toi, de ton effacement, de ta générosité, de ta belle âme.

— Non, non, Gabrielle, ne t'en fais pas. Je ne vais pas t'abandonner platement sur le coin de la rue, voyons! Nous allons plutôt poursuivre ensemble notre promenade, et ton frère restera bien sagement auprès de moi au lieu de se présenter aux portes. Et s'il hurle, ce sera tant pis! On prétendra qu'un petit monstre s'est déguisé en docteur! Après tout, c'est l'Halloween!

Il a hurlé, en effet, il a vociféré, s'est roulé par terre, est devenu l'objet de curiosité du quartier. Mais, cette fois, il n'a pas gagné. L'image de Jean-Patrick n'a pas manqué de m'effleurer à quelques reprises. Si au moins son père se trouvait là pour partager la tâche, hein? D'un autre côté, s'il avait été là justement, l'histoire aurait pu tourner de façon encore plus dramatique. Alors, j'ai relevé la tête et maintenu ma fermeté jusqu'à ce que Gabrielle me secoue le bras.

— J'ai une idée, maman. Donne-moi son sac, je vais le présenter aux gens et dire que c'est pour mon petit frère très malade. Ainsi, Félix aura quand même des bonbons.

Son «petit frère très malade»… Ne l'est-il pas, de toute évidence? Si je me réjouissais de son amélioration à l'école, je réalise qu'il a encore un long bout de chemin à parcourir, le frérot! Quelle famille insolite que la mienne: un ange, un petit frère très malade, un père absent et une mère malhabile! Cette évidence tristement réaliste m'a frappée de plein fouet en ce soir où les sorcières étaient reines. Pour quelle raison, alors, jeter la pierre au père et le blâmer pour sa débandade si notre famille s'avère si tordue?

Non, en dépit de tout, je n'approuverai jamais la fuite de mon conjoint. Un chef qui se désiste ne mérite pas le titre de chef, fût-il chef de tribu, chef de police ou chef de famille. Fût-il l'époux de la pire des sorcières… Après tout, Jean-Patrick, simple humain normal aux attentes normales, a bien le droit de se sentir déçu et dépassé par certaines responsabilités, non?

Deux jours plus tard, un autre événement est venu tout autant altérer ma sérénité. Vendredi, en fin d'après-midi, juste au moment où je m'apprêtais à quitter le bureau, s'est de nouveau présenté Charles Beauchemin, le père de l'enfant secouée. L'homme m'a paru toujours aussi sympathique, toujours aussi séduisant avec ses tempes prématurément striées de fils d'argent et son regard franc. Il tenait à bout de bras une jolie rose de bois déposée dans une petite boîte de carton.

— J'ai moi-même sculpté cette fleur pour vous, ma chère dame, afin de vous remercier pour votre bon travail. Depuis quelques semaines, grâce à votre influence, on a accepté de prendre tempo-rairement Marie-Soleil dans une pension spécialisée en attendant de lui redonner sa place dans le même établissement où elle se trou-vait et d'où j'ai tant regretté de l'avoir retirée. Tout rentre tranquil-lement dans l'ordre, maintenant, et je retrouve enfin la paix et la joie de vivre. J'ai même commencé à me chercher un emploi. Je ne vous remercierai jamais assez, madame.

— Tant mieux si les choses se remettent en place. J'ai simple-ment fait mon travail, mon bon monsieur. Cette rose est vraiment magnifique.

Pourquoi me regardait-il ainsi, au fond des yeux, en insistant ? Il semblait hésiter à repartir. Devinait-il mon trouble ? Je me sentais littéralement en train de fondre. D'où me venait cet affolement sou-dain ? Sans doute mal à l'aise lui aussi, il s'est empressé de briser le silence avec la dernière déclaration à laquelle je me serais attendue.

— C'est fou… Pour tout l'or du monde, je souhaite ardemment ne plus vous rencontrer ici, madame Martin, car revenir au centre local de services communautaires signifierait l'apparition de nou-veaux ennuis. Mais vous revoir ailleurs, en dehors de ces murs, me ferait grandement plaisir, vous savez. Si jamais…

— …

Grands dieux ! Que lui répondre ? Bien entendu, les familiarités ne sont pas de mise avec les clients, même si certains manifestent parfois une attirance parce qu'on s'occupe d'eux. Bien entendu, de retrouver cet homme pour mieux le connaître ne me déplairait

guère, quoique… Étais-je une femme libre, moi? Professionnel-
lement, certainement pas. Toujours cette satanée déontologie…
Mais socialement? Affectivement?

— Ne soyez pas troublée. Je ne sais même pas si vous êtes une
femme libre!

— Moi non plus!

— Faites-moi signe si jamais…

Il est parti sans terminer sa phrase, se contentant de me serrer
la main poliment et de disparaître derrière la porte avant même
d'entendre ma réplique qui ne venait pas. Je n'aurais jamais dû lui
laisser entrevoir ma confusion. Quelle étourderie, tout de même!

Je me suis dépêchée d'ouvrir la petite enveloppe accompagnant
la rose. La carte, ornée de deux cœurs rouges, portait un message
pour le moins troublant:

Il faut parfois aider le destin.
Charles Beauchemin 555 743-2597

Bouleversée, j'ai rangé la carte au fond du tiroir de ma table de
chevet en espérant oublier ce numéro de téléphone clignotant dans
ma mémoire comme un phare dans la nuit. Puis, j'ai installé la rose
bien à la vue sur le buffet de la salle à dîner. Après tout, j'ai bien le
droit de recevoir des cadeaux de remerciement, n'est-ce pas?

Hier après-midi, samedi, pendant que Félix jouait dehors avec
le chien, malgré moi, oh! combien malgré moi, j'ai sorti mes casseroles et mon rouleau à pâte et j'ai cuisiné, avec l'aide de Gabrielle
mais sans lui dire à qui ils étaient destinés, un pâté à la dinde, le
mets préféré de Jean-Patrick, ainsi qu'un énorme gâteau au chocolat. Ça lui fera plaisir… si jamais il vient!

Parce que… c'est plus fort que moi, je l'attends! Voilà pourquoi, en ce dimanche matin, je me retrouve assise devant la fenêtre
du salon, savamment coiffée et vêtue de ma plus jolie robe, le regard

fixé sur la rue comme si rien d'autre au monde n'importait davantage que la vue d'une certaine voiture bleue tournant le coin.

CHAPITRE 23

Il est venu, les bras chargés de fleurs et de cadeaux, accueilli par les cris joyeux mais surpris des enfants. Même moi, je n'ai pu m'empêcher de me jeter dans ses bras après avoir remarqué la maigreur et la pâleur de son beau visage. Mon amour... enfin te revoilà !

Gabrielle a manifesté sa joie à sa manière féminine et cajoleuse.

— Mon petit papa d'amour, enfin tu es là ! Je m'ennuyais de toi, moi ! Tu ne vas plus repartir, hein ?

Félix, tout en manipulant l'épée de plastique flexible offerte par son père, a tenté de répéter les mots prononcés par sa sœur.

— Apa... amour... non... ar-tir, hein ?

Jean-Patrick, sans doute trop ému par la chaleur de l'accueil, s'est mis à pleurer en pressant longuement ses enfants contre sa poitrine. Puis je l'ai vu soulever le menton de Félix et braquer son regard humide sur lui en plissant les paupières.

— Écoute-moi bien, mon Félix. Oui, ce soir, papa va repartir encore, mais pas pour longtemps. Regarde-moi bien dans les yeux. Comprends-tu ce que je te dis ? Papa va revenir un jour. PA-PA

RE-VE-NIR. Si maman le veut, évidemment... Tu as compris, Gabrielle?

Ces derniers mots m'ont ébranlée. Je n'oublierai jamais l'intensité du regard lancé par mon homme tenant sa fille et son fils dans ses bras. Un regard suppliant, empreint de souffrance mais aussi d'espérance. Le regard de celui qui, dévoré de regrets, se met entièrement à ma merci.

Je me suis contentée de soupirer sans répondre. Mes réflexions des dernières semaines m'ont menée en territoire neutre. Je veux bien pardonner, mais cette fois, je refuse de porter le poids de la décision. Je ne prendrai pas plus sur mes épaules la responsabilité de l'éclatement de notre famille que la charge d'en rassembler les éléments. «Si maman le veut...» Il en a de bonnes, ce cher Jean-Patrick! Trop facile pour lui de soumettre notre avenir familial à un simple oui ou non de ma part. À lui de s'aguerrir et de changer la donne. S'il veut retrouver sa place, il doit la mériter.

Un retour en maintenant ses positions de père «plus capable» s'avérerait catastrophique. Ah non! Dans ce cas, Jean-Patrick peut bien demeurer à Saint-Clinclin ou ailleurs et me ficher la paix. Je ne veux plus subir le même calvaire. J'ai besoin de paix et de sérénité pour affronter les tempêtes. Aimer quelqu'un qui me fait la vie dure n'a aucun sens. S'il ne revient pas, les feux de mon cœur finiront bien par s'éteindre.

Moi, je n'ai pas claqué la porte en criant: «Plus capable!». Moi, je n'ai pas renié mes fonctions. En dépit des difficultés, j'ai continué de jouer vaille que vaille mon rôle d'épouse et de mère sans protester, sans broncher, sans crier: «Plus capable!» Au contraire, l'absence de mon conjoint, ces dernières semaines, m'a en quelque sorte sécurisée, confortée dans ma capacité de réussir à m'organiser sans lui.

La porte ouverte de ce dimanche devrait suffire à lui démontrer que «maman le veut». Il reste que l'obligation de recoller les morceaux du pot cassé relève de lui, uniquement de lui. À lui de retrousser ses manches !

Je le lui ai fait clairement entendre en fin de journée, attablés tous les deux face à face en sirotant un dernier verre de vin, une fois les enfants couchés. La déroute de Jean-Patrick m'est apparue comme une évidence en même temps que sa franchise et son désir réel et sincère de ramener les choses à la normale.

— Je souffre d'une grave dépression, Geneviève, selon les dires du médecin, et je suis maintenant sous médication. Tu n'as pas idée de ma confusion. Vais-je un jour revenir à la normale ? Parfois, je me le demande ! Mon p'tit gars, je l'adore, tu le sais bien, et je peux très bien l'aimer tel qu'il est. Pour Gabrielle, je ne me pose même pas la question. Quant à toi, je n'ai jamais cessé de t'aimer et de penser à toi. Je ne voudrais tellement pas briser ta vie. D'où me vient donc cette déprime qui m'empêche de fonctionner normalement et me rend fou ?

— Jean-Patrick, prends tout le temps dont tu as besoin, mais si tu décides de revenir, tu devras changer d'attitude. Tes fuites et tes retours continuels me rendent dingue ! D'un autre côté, si tu choisis de mener ta vie hors d'ici, de grâce, n'abandonne plus tes enfants comme tu l'as fait ce dernier mois. Ils ont besoin de toi, tu comprends ? Moi, je peux toujours me débrouiller seule, mais eux…

— Si ça peut te rassurer, mon amour, j'ai finalement refusé cet emploi trop loin d'ici. Je vais plutôt continuer à chercher aux alentours, car si je reviens, ce sera pour de bon et sept jours par semaine. Et de manière inconditionnelle et irrévocable, je t'en fais le serment solennel.

Jean-Patrick s'est levé pour m'embrasser tendrement, ce qu'il n'avait pas fait de la journée. Ah ! ce baiser… Nous aurions pu terminer la soirée au lit, mais le besoin de rapprocher nos deux âmes a transcendé l'attirance charnelle. Pour une fois, elles se sont vraiment mises à nu, ces âmes, avec une franchise et une ouverture encore jamais égalées dans notre vie de couple.

Alors l'espoir, cet espoir que je croyais éteint, est remonté à la surface en même temps que ma confiance en celui qui est mon conjoint depuis nombre d'années.

Après son départ, j'ai relégué la rose sculptée au fond d'une armoire, hors de ma vue.

Jean-Patrick a mis quelques mois à retrouver ses assises et rétablir ses certitudes, mais, à partir de cette première rencontre, il a néanmoins tenu sa promesse de venir chercher les enfants toutes les deux fins de semaine, autant Félix que sa sœur, à mon grand étonnement.

— Tu viens chercher Félix aussi? Je croyais… Tu m'avais laissé entendre au début…

— Je veux un retour à la normale, Geneviève, pas à la même situation qu'avant. Un retour À LA NORMALE, tu comprends?

J'ai alors vraiment saisi le sérieux de ses intentions. De plus, vers le début de février, l'espoir a monté d'un cran le jour où je lui ai demandé de m'accompagner comme observateur dans la classe de langage de Félix.

Ce matin-là, notre fils ne tenait plus en place. Dès notre arrivée dans la porte de la classe, il m'a pratiquement ignorée pour prendre, tout content, son père par le bras et l'entraîner à l'avant afin de lui montrer la photo agrandie de Canelle, affichée bien à la vue sur le babillard.

— Anelle, Anelle!

Au premier son de la cloche, mademoiselle Claire a demandé à chacun de ses huit élèves de venir se présenter à nous à l'avant, en prononçant son nom de façon claire et nette. Je n'ai saisi à peu près aucun des prénoms baragouinés sur un ton inaudible. Certains ont ajouté leur date de naissance de façon tout aussi inintelligible. Heureusement, chaque pupitre portait un carton sur lequel on avait inscrit le nom de l'élève. Jean-Patrick et moi avons ensuite pris place sur deux chaises disposées derrière la classe afin de ne pas déranger les enfants. Félix se retournait souvent pour nous regarder mais, comme les autres, il en est venu à oublier notre présence.

Avant de commencer son enseignement proprement dit, mademoiselle Claire a rappelé aux élèves qu'ils pouvaient toujours aller consulter l'éducatrice spécialisée Aline, s'ils ne se sentaient pas bien ou éprouvaient des problèmes. À ma grande surprise, elle a pointé, du bout de sa baguette, la photo de la femme en question suspendue au mur, et dont le bureau était situé de l'autre côté du corridor, juste en face de la classe. Je me suis demandé si certains enfants étaient atteints au point de ne pouvoir l'identifier en entendant simplement son nom.

Ensuite, l'enseignante a demandé aux élèves à tour de rôle de prononcer les sons inscrits sur des pancartes. Plusieurs ont éprouvé des difficultés mais notre Félix nous a fait honneur. Avec une grande facilité, il a reconnu les lettres et prononcé correctement les sons : an, on, ou, ille. Quand elle lui a demandé de donner des exemples, il s'est lancé : maman-tannant-chant, puis : chanson-bonbon-suçon et bijou-hibou-toutou, et enfin : fille-brille… Il a hésité pour le dernier, et c'est en se tournant vers nous qu'il s'est écrié : « Amille ! »

Mon cœur s'est arrêté de battre et j'ai senti la main de Jean-Patrick prendre discrètement la mienne. Oui, mon tout-petit, tu en as une famille, ne t'inquiète plus.

Le moment du conte est alors venu. Ce matin-là, à la lecture d'un texte agrémenté d'images, on allait raconter l'histoire de Quack, le petit canard tombé dans le bol de toilette pendant qu'il faisait pipi. Mademoiselle Claire a demandé aux enfants de venir s'asseoir par terre autour d'elle. La plupart se sont montrés obéissants, sauf un garçon qui n'a pas compris la consigne et l'une des deux seules fillettes de la classe qui a regimbé comme elle l'avait fait à toutes les consignes depuis notre arrivée. Butée, elle s'est croisé les bras et s'est obstinée à demeurer sur sa chaise.

— Non! Pas Quack!

— Viens, Marylène, viens t'asseoir avec les autres.

— Non!

— Viens, tu vas m'entendre mieux.

— Non!

— Approche, tu vas mieux voir les images de mon livre.

La fillette n'a pas semblé comprendre ce que disait la prof et elle s'est mise à pleurnicher.

— Marylène, est-ce que tu aimerais aller parler à Aline, l'éducatrice spécialisée? Ça ne va pas bien, ce matin, n'est-ce pas?

En disant ces mots, l'enseignante lui a désigné la photo puis la porte vers laquelle la fillette s'est dirigée à la hâte, sans demander son reste. Mais l'histoire de Quack venait à peine de commencer depuis deux ou trois minutes qu'elle réintégrait la classe en souriant et se joignait aux autres sans plus faire d'histoire. Il va s'en dire qu'elle n'avait certainement pas eu le temps de consulter la fameuse Aline dans le local d'en face. D'elle-même, elle avait réussi à changer son attitude seulement en traversant la porte.

J'ai jeté un coup d'œil à Jean-Patrick. Ainsi, il existait des moyens magiques pour calmer les enfants et obtenir d'eux ce que l'on veut? À la fin du conte, mademoiselle Claire a posé quelques questions sur l'histoire fort simplette. Plusieurs n'y avaient rien compris, incapables de dire que Quack était un canard jaune ayant déroulé tout le papier de toilette de la salle de bain pour éponger l'eau renversée par terre. Trop de données en même temps les avait fourvoyés, et ils se sont mis à émettre des sons insensés et incompréhensibles. Même Félix s'est trompé en répondant à la question.

— Quack est un petit canard jaune. Dis-moi, Félix, qui est Quack?

— Quack... pipi.

Je me suis mordu les lèvres en jetant un regard en oblique à son père. S'il voulait l'accepter tel qu'il était, il devait le voir tel qu'il était... La prof a dû s'apercevoir de notre déception, car elle s'est empressée de nous rassurer.

— Ne vous en faites pas, Félix est parmi les plus intelligents de la classe et il arrive le premier en maths. De plus, il possède beaucoup de connaissances générales. Il adore les livres de la bibliothèque et s'intéresse beaucoup aux histoires de chevalerie. Il en connaît toutes les images. Cet enfant-là a une véritable soif d'apprendre et avant longtemps, il pourra lire des livres, croyez-moi.

Jean-Patrick a eu beau se garder de respirer trop bruyamment, son soupir ne m'a pas échappé. Quand est venu le temps de la collation, une autre surprise nous attendait. Sur les huit enfants présents, quelques-uns avaient apporté des fruits, mais au moins deux n'avaient aucune collation, un autre avait des céréales bêtement versées dans un sac de plastique, sans lait ni rien. Un quatrième a montré deux biscottes sèches et sans accompagnement alors qu'un autre a sorti deux suçons de son sac, sucreries proscrites à l'école. À force de manipulations, mademoiselle Claire a réussi à troquer les bonbons pour des bouts de carottes qu'elle-même avait préparés et qu'elle a distribués à la ronde.

Je lui ai fait part de mon étonnement devant le je-m'en-foutisme des parents au sujet de ce léger goûter.

— Si ce n'était que ça! Tant de parents se fichent de leur enfant, vous n'avez pas idée. Peu importe son problème, ils l'envoient à l'école et c'est à l'école d'y voir. « Qu'ils s'arrangent avec, moi, j'ai pas le temps ! » Voilà la philosophie de trop nombreux parents, de nos jours. Comment voulez-vous que ces enfants progressent quand il n'y a pas de suivi à la maison ? L'école ne suffit pas pour des cas lourds comme ceux de cette classe, ça prend des parents intéressés et zélés.

Mon regard jeté discrètement en oblique à Jean-Patrick a échappé à mademoiselle Claire, et elle a poursuivi, emportée par sa révolte causée par l'indifférence de certains parents.

— Tenez, regardez la pile d'agendas. Je les remplis et les remets quotidiennement à chaque enfant. Cinq parents sur huit l'ont lu, hier, et ont laissé une réponse à la question que je leur posais. Les autres ne l'ont probablement même pas retiré du sac d'école de leur petit et n'ont donc donné aucune suite aux exercices proposés. Pour ces gens irresponsables, il incombe à l'école, et à l'école seulement, d'appliquer une thérapie pour leur enfant handicapé. Eux, ils ont d'autres chats à fouetter.

Quand est venu le temps d'illustrer le conte et de dessiner le portrait de Quack, on a décidé de jumeler les enfants et de rapprocher les pupitres. Encore une fois, Marylène a fait des siennes et a refusé la compagnie de l'un des élèves. Folle de rage, elle s'est jetée par terre en hurlant. J'ai eu une pensée pour sa mère ! Fidèle à elle-même, mademoiselle Claire a manifesté une patience d'ange et l'a renvoyée promptement dans le corridor à la recherche d'Aline, toujours invisible. Et encore une fois, la fillette est revenue toute souriante, une minute plus tard.

Avec émotion, Jean-Patrick et moi avons regardé notre petit garçon tout concentré, la langue entre les dents, tenter d'imiter le modèle de canard dessiné au tableau par l'enseignante. Il a superbement réussi et y a même ajouté un décor de sa propre inspiration. On reconnaissait facilement le canard jaune en train de nager sur les vaguelettes d'un étang surmonté d'un énorme soleil, alors que sur la page d'autres enfants, on ne voyait que des barbouillages.

Bien sûr, le décor aurait dû ressembler à celui d'une salle de bain, mais au moins, le dessin représentait un vrai canard! Un garçon a même mis quatre pattes au sien! J'ai pu alors lire la fierté sur le visage de mon homme, et cela a achevé de me rassurer.

Au moment de partir, nous avons fait part à mademoiselle Claire de notre admiration pour sa patience impressionnante, sa compétence et sa bienveillance. Notre fils se trouvait en bonnes mains, aucun doute là-dessus. Et de le voir évoluer parmi d'autres enfants souffrant du même trouble mais à un degré pire que le sien a dissipé nos craintes et ramené l'espoir à la surface. Un bel avenir existe pour Félix Lapierre à la condition de tenir bon dans le développement de son potentiel.

À la sortie de l'école, Jean-Patrick s'est renseigné pour la première fois sur les séances de Félix chez l'orthophoniste auxquelles j'assiste scrupuleusement toutes les semaines.

— Dis-moi, Geneviève, comment ça se passe?

— On fait différents jeux et exercices encore plus précis qu'en classe et surtout mieux adaptés aux besoins particuliers et personnels de Félix.

— On t'oblige à y assister?

— Non, mais j'y tiens. Je ne manque jamais un rendez-vous, d'autant plus qu'il ne peut utiliser le transport scolaire, ces jours-là.

Jean-Patrick a baissé la tête et est demeuré muet. Sans doute prenait-il conscience d'en manquer un grand bout dans l'éducation de son fils. Ses dernières paroles avant de repartir, ce jour-là, se sont avérées brèves et concises.

— Merci d'être là, Geneviève.

Je n'ai pas trouvé d'autre réponse que le silence.

CHAPITRE 24

Contre toute attente et tout espoir, mon conjoint a continué de maintenir les distances entre nous.

Le hic est de me tenir occupée durant les fins de semaine où il vient chercher les enfants. À part un dimanche, l'automne dernier et une autre journée durant la période des Fêtes, sans compter le jour où il m'a accompagnée dans la classe de Félix, il ne s'est rien passé de nouveau entre lui et moi. Un bonjour ou un au revoir entre deux portes, accompagné d'un bec du bout des lèvres, tous les deux vendredis et dimanches soirs, en venant chercher ou reconduire les enfants, rien de plus.

Oh! il y a bien eu une ou deux lettres avec de vagues promesses, mais j'en ai assez de sa dépression et de l'amour à distance! Il avait promis aux enfants de revenir «si maman le veut», eh bien! je l'ai voulu et démontré, mais cela n'a rien changé. Je supporte de moins en moins le statu quo qu'il m'impose. À la longue, je sens à mon tour l'abattement m'envahir. Qu'est-ce donc que j'attends encore d'un conjoint qui se comporte de plus en plus comme un ex-conjoint? Ne suis-je pas écœurée de vivre à côté de la réalité, de la vraie vie, toujours écartelée entre l'espoir et le désespoir? Ah, qu'il aille au diable, Jean-Patrick Lapierre! QU'IL AILLE AU DIABLE!

Ce matin, en ce beau samedi d'hiver ensoleillé, je me retrouve Gros-Jean comme devant, avec personne à la maison et sans aucun projet précis. Je n'ai pas envie de rester seule, mais ni ma mère, ni ma cousine Isabelle, ni les deux amies appelées au téléphone ne sont disponibles. Pas même Catherine Lecours.

La rose de bois ressortie de l'armoire et réinstallée sur la commode de ma chambre depuis quelque temps semble me narguer, avec la carte qui l'accompagne, porteuse de deux cœurs enlacés au-dessus d'un message empoisonné : « *Il faut parfois aider le destin* », suivi d'un numéro de téléphone que je connais par cœur. Il me brûle le bout des doigts et me torture la conscience. Le composer constituerait une faute professionnelle grave dont je n'ose même pas imaginer les conséquences. Perte de mon emploi, ou pire, radiation de l'Ordre des travailleurs sociaux.

Mais, il s'agit du numéro du destin…

Quel dilemme ! Je finis par craquer. Tant pis, j'assumerai les conséquences, s'il le faut ! D'une main fébrile, je compose le numéro de Charles Beauchemin. Pas de réponse, pas même de répondeur. Je le compose de nouveau et laisse la sonnerie se poursuivre inutilement pendant deux longues minutes. Rien.

Sans doute la réponse du destin ! J'aurais presque envie de me jeter à genoux pour le remercier de m'éviter une folie. À la fois déçue et soulagée, je replace le combiné et m'empare du journal, à la recherche des films à l'affiche. Aucun ne m'intéresse. À la vérité, pas grand-chose ne m'intéresse. Allons, je dois réagir ! Je sors alors mon habit de neige et mes patins du placard. Et puis, non ! Je ne vais tout de même pas tourner le fer dans la plaie et me joindre aux petites familles qui s'amuseront sous mes yeux à la patinoire. Ça, je ne pourrai pas le supporter ! Quoi, alors ? Lire un bon roman durant toute la journée ? Pas question ! Préparer une quantité astronomique de sauce à spaghetti et la congeler pour les mois à venir ? Yark !

Je vais sortir, je veux sortir. Que j'aille au parc, au centre commercial, au musée ou au restaurant, peu importe, mais je dois sortir. Juste au moment où je m'apprête à quitter la maison, la sonnerie du téléphone m'arrête pile sur le pas de la porte. Et si c'était Charles Beauchemin ? Le beau monsieur se trouvait peut-être sous la douche quand j'ai téléphoné, qui sait ? Facile de retrouver le numéro du dernier appel et de le composer. Hélas, j'ai à peine le temps de me retourner que la sonnerie s'interrompt. Zut ! Et aucun message laissé sur mon répondeur.

Moi aussi, je pourrais bien rechercher la provenance de cette communication, mais… Mais quoi ? Voilà que j'hésite à présent ? Et puis, non ! Certains jours, je me demande bien envers qui je reste fidèle ! Que le diable emporte Jean-Pactrick Lapierre et qu'il emporte en même temps le code de déontologie de l'Ordre professionnel des travailleurs sociaux ! Tant pis, je refuse de laisser le destin se moquer de moi de la sorte. Fébrilement, j'appuie sur les touches nécessaires pour connaître ce numéro. 555 743 2597. C'est lui ! C'est Charles Beauchemin !

Allons, ma vieille, rappelle-le tout de suite ! Après tout, tu as fait les premiers pas tantôt, eh bien, assume-toi maintenant ! Oui, mais pour le destin… Pense au message de la carte : il faut parfois l'aider, cette fameuse fatalité. Alors, à ton tour, ma chère !

Ah ! Cette belle voix de basse, je la reconnaîtrais entre mille !

— Bonjour, monsieur Beauchemin. Geneviève Martin à l'appareil, vous me reconnaissez ?

— Madame Martin ! Quel plaisir de vous entendre ! Vous venez de me téléphoner, je crois. Je ne reconnaissais pas ce numéro-là et j'ai pris une chance de rappeler. Votre voix, sur votre répondeur…

— Je voulais juste savoir comment vous allez.

— Hum… pour moi, ça va. Mais je ne peux en dire autant pour Marie-Soleil. Ça, c'est une autre histoire.

— Racontez-moi ça !

— Non, non, pas au téléphone. Vous expliquer mes déboires avec l'institut où elle habite prendrait trop de votre temps. Je vous en parlerai lors de mon prochain rendez-vous au CLSC.

— Ça adonne bien, je suis libre aujourd'hui.

— Vous travaillez le samedi ?

— Non, non, mais je pourrais vous accorder du temps cet après-midi.

— Vous accepteriez de me recevoir aujourd'hui même ? Non, non ! Il n'y a pas d'urgence et jamais je n'oserais abuser de votre temps un samedi. Je vous verrai la semaine prochaine, voilà tout ! Vous faites vraiment trop de zèle, ma chère madame Martin, vous allez vous épuiser.

Après deux longues secondes de silence et une profonde inspiration, je me jette à l'eau.

— Il ne s'agit pas de travail, monsieur Beauchemin. Il s'agit de… euh… d'aider le destin !

L'enthousiasme spontané de mon interlocuteur ne me déçoit pas. Deux heures plus tard, nous nous rencontrons tous les deux, timides et impressionnés, à l'entrée du Musée d'art contemporain, où nous nous sommes donné rendez-vous. Quelques minutes après le premier contact et les politesses d'usage, Charles établit lui-même, avec un sourire espiègle, les conditions de la rencontre à laquelle il veut absolument donner un caractère amical : obligation de se tutoyer et de s'appeler par nos prénoms et interdiction for-melle de discuter de nos problèmes familiaux ou personnels. Je lui rends son sourire. Quel homme, tout de même !

À la vérité, j'aurais envie de me plier à tous ses caprices tant j'apprécie sa présence aujourd'hui. Et son apparence, si séduisante dans ce costume gris faisant ressortir la transparence de ses yeux bleus, ne gâche rien. Un homme beau et grand, fort surtout, compte tenu de ses expériences cauchemardesques auprès d'une fille qu'il considère comme une « enfant légume »… Espérons qu'aujourd'hui, le destin se montrera bienveillant envers nous deux.

En quelques minutes, nous nous retrouvons assis l'un à côté de l'autre sur une large banquette, au milieu d'une salle d'exposition complètement déserte. Je fixe d'un œil interrogateur une immense toile jaune à peu près vide de lignes et de formes, à part une tache brune aux contours inégaux sur la partie supérieure à gauche. Charles, lui, a les yeux braqués sur un gribouillis incroyable d'aussi grande dimension, sans forme ni couleur précises. Le silence règne en maître.

Soudain, nos regards se croisent, et je devine, au fond de ses prunelles, le même fou rire retenu que celui qui me chatouille la gorge depuis quelques minutes. Sans nous consulter davantage et sans prononcer un seul mot, voilà que nous éclatons en même temps d'un grand rire à nous en tenir les côtes, à tel point que Charles doit s'essuyer les yeux avec le papier-mouchoir que je lui tends. Ce geste me rappelle sa première visite à mon bureau où, là aussi, j'avais dû lui tendre un papier-mouchoir pour une tout autre raison. Aujourd'hui, il me paraît bien dans sa peau, complètement remis de son découragement.

— Pardonne-moi, Geneviève, mais je n'y comprends absolument rien en art contemporain. Ma fille Marie-Soleil pourrait réussir un barbouillage semblable, j'en suis certain !

— Et moi, mon jeune fils exécute des dessins mille fois plus réussis et significatifs que ce stupide tableau jaune !

Nous rions tellement qu'un gardien vient jeter sur nous un coup d'œil inquisiteur. Comme cette complicité m'est douce !

— À vrai dire, je n'en connais pas plus que toi sur la peinture moderne. Il doit pourtant exister une explication…

— Dis donc, ma travailleuse sociale préférée, si on sortait d'ici ? Que dirais-tu d'aller prendre un verre quelque part ? Je connais un bar tranquille juste à côté, où on pourrait jaser en paix.

Bonne idée ! On s'y rend en marchant côte à côte sur le trottoir. L'endroit, plutôt exigu et éclairé de lampes tamisées, favorise l'intimité et les conversations à mi-voix. Un petit air de jazz en sourdine, des fauteuils confortables dans un coin paisible et, devant moi, un deuxième Saint-Raphaël sur glace, me conduisent enfin à la détente. J'écoute, en me délectant, la voix chaude et enveloppante de l'homme le plus gentil de la terre, tout souriant de l'autre côté de la table.

Hélas, je dois résister, me mettre sur mes gardes : un troisième apéritif, et je ne répondrai plus de moi !

— Parle-moi de toi, Geneviève. Comment expliquer de te voir libre, un samedi, toi, une épouse et une mère de famille ? Es-tu divorcée ?

— Non, pas encore. Mais ça se pointe sérieusement à l'horizon !

— Tu dois donc vivre des jours difficiles, en ce moment, je suppose.

— Oui, mais ce soir… Ce soir, je… Ce soir, ça va bien !

Je serre mes mains sur mes genoux pour me retenir de les poser sur la table à la portée de Charles, de peur de le voir s'emparer de l'une d'elles. Je vous en supplie, monsieur Beauchemin, ne me troublez plus davantage avec vos interrogations, et surtout avec votre empathie si apaisante pour mon cœur. Quelqu'un, à part ma mère, s'intéresse à moi, s'en fait pour moi… Wow ! Je n'en reviens pas !

Instinctivement, je tente de chasser ces folles idées et favorise plutôt le non-dit en réponse à ses questions. Est-ce par intuition ou par sollicitude ? Charles respecte ce silence et se contente de me sourire en s'enfonçant moelleusement dans son siège. Je voudrais voir le moment présent s'éterniser, se renouveler sans jamais s'interrompre. Ah! N'exister que pour maintenant! Que pour nous deux, ici, maintenant, en ce moment même. Ensemble et en silence.

Au bout d'un certain temps, mon compagnon me ramène gentiment sur terre.

— Alors? On renouvelle nos consommations ou bien on va souper? Il est un peu tôt pour bouffer, tu ne trouves pas, Geneviève? Que dirais-tu d'aller marcher un peu? Au bout de cette rue, se trouve un grand escalier menant directement sur un sentier de la montagne. On y va?

Une petite neige romantique avec ça, monsieur Beauchemin? Je devrais refuser, établir une distance, me sauver chez moi en courant. Dans quelle galère me suis-je embarquée? Et puis, non! Pour une fois, je me laisse porter par le destin. Je me le dois à moi-même. Après tout, je fabule sûrement. Cet homme ne m'a même pas pris la main et, encore moins, conté fleurette. Alors? Te croyais-tu la femme la plus irrésistible de la terre, Geneviève Martin? Rêveuse, va! Nous allons marcher sur un sentier peu éclairé et jaser entre amis, rien de plus. Je ne vais tout de même pas coucher avec lui dans la neige, hein? Et le fait de nous appeler par nos prénoms ne signifie pas qu'il va chambarder ma vie, que diable!

La neige est au rendez-vous. De gros flocons tombent doucement autour de nous, et transforment le décor en un lieu immaculé, lisse et pur. Un lieu où laisser de nouvelles traces. Nos traces. Charles aurait-il saisi mes pensées? Mieux que la main, il saisit mon bras, nous obligeant à un certain rapprochement. Soudain, nous formons un couple, et nos pas dessinent un long sillon presque lumineux au milieu du chemin. Nous avons tant de choses à nous dire et pourtant, comme je le souhaitais, le silence nous accompagne. Seul le bruit de nos pas cadencés sur la neige meuble la nuit. Ma nuit.

Combien de temps marchons-nous sur ce sentier désert, sans prononcer une parole? Je l'ignore, mais je n'oublierai jamais ce moment de grâce. Hélas, le pragmatique estomac de l'homme vient brusquement briser le charme.

— As-tu faim, Geneviève? De quoi as-tu envie? Fondue? Fruits de mer? Steak? Sushis?

Il ne sait pas comme je m'en fiche. Tout ce que je veux, c'est de voir cette soirée se poursuivre encore et encore.

— N'importe quoi, Charles. Je te laisse décider.

Chandelles, bon vin, bonne bouffe et, cette fois, petite musique classique. La totale, quoi! Mais aucune main, encore, pour effleurer la mienne que j'ose maintenant laisser s'égarer sur la nappe. Peu m'importe, je suis ailleurs, dans un autre univers. Jean-Patrick, Gabrielle et Félix n'existent plus, je les ai perdus à l'autre bout de l'oubli. Je suis libre et je me sens bien. Que désirer de plus? Une aventure amoureuse avec Charles Beauchemin qui n'aboutirait sans doute à rien? Je me contente de savourer l'instant présent avec toute l'intensité dont je suis capable. Vive l'instant présent, et tant pis pour le reste!

Pour toute la durée du repas, Charles maintient notre pacte d'amitié, et je lui en suis reconnaissante. Nous discutons actualité, politique, gastronomie, voyages, santé, et, afin d'éviter de buter sur l'écueil de nos préoccupations personnelles, nous évitons avec précaution les sujets épineux de nos enfants et de nos conditions de vie respectives. Ils remonteront bien assez vite à la surface, tôt ou tard. Tard? Je devrais plutôt songer que d'ici peu, je serai de retour chez moi, seule avec mes problèmes.

J'essaye encore de m'en convaincre quand, dans le stationnement, vient le temps de nous dire au revoir. Je n'avais pas prévu l'intensité de son regard muet, un regard insistant et presque suppliant auquel je n'arrive pas à résister, pas plus qu'à ces lèvres douces et ces bras soudainement tendus vers moi pour une étreinte ardente, à travers nos épais manteaux d'hiver. Une étreinte trop longtemps retenue. Je me sens fondre et ne résiste pas à lui offrir mes lèvres pour un long moment.

Puis, incapable de me ressaisir, au lieu de le saluer, je lui lance à brûle-pourpoint les mots de perdition mûris dans ma tête depuis des heures.

— Que dirais-tu, Charles, d'un digestif, chez moi, devant un bon feu de foyer ? J'ai à la maison une bouteille de Courvoisier VSOP pas piqué des vers !

Ce n'est qu'en ce dimanche matin, au lendemain d'une torride nuit amoureuse, que la réalité nous rejoint, Charles et moi. Je n'en reviens pas d'avoir perdu la tête à ce point et surtout d'avoir éprouvé autant de plaisir ! Si j'avais envoyé Jean-Patrick au diable hier matin, moi j'ai connu le septième ciel au cours de la nuit ! L'appât du fruit défendu, sans doute ! Jamais je n'aurais cru pouvoir me donner sans restriction à un étranger et réussir à me laisser couler aussi lascivement dans la jouissance. Et jamais un homme n'a aussi bien répondu à mes attentes, comme s'il avait deviné chacun de mes désirs secrets.

Tout en sirotant notre café, à peine remis de nos émotions, nous parlons enfin « des vraies affaires », et mettons sur table nos existences et les embûches qui s'y dressent.

Pour Charles, toujours convaincu des mauvais traitements subis par sa fille Marie-Soleil à l'institution où elle habite toujours temporairement, l'idée de la reprendre chez lui refait surface. Comme il n'en sent plus la force, les sentiments de culpabilité ne manquent pas de l'envahir. Quant à son autre fille, Tania, aux prises avec les problèmes usuels de l'adolescence, elle déroute aussi son père.

Pour ma part, je n'ose étaler au grand jour mes ennuis familiaux, en dépit des interrogations nettes et précises dont me bombarde mon interlocuteur.

— Parle-moi de toi. Es-tu heureuse ? Aimes-tu encore ton conjoint ? Pour quelle raison le trompes-tu avec un autre homme ? Ça t'arrive souvent ?

À vrai dire, je ne sais plus où j'en suis dans mes sentiments pour Jean-Patrick. En particulier aujourd'hui ! Depuis des mois, j'hésite à demander une séparation officielle et à faire éclater ma famille qui, au fond, vit déjà l'éclatement. Ne resterait qu'à la rendre officielle. J'ignore ce qui me retient. Un sentiment d'amour qui perdure encore ? Le refus d'imposer une rupture finale à mes petits ? Jamais je ne me suis sentie aussi confuse.

Charles Beauchemin me semble bien mal placé pour me donner des conseils à cet effet, et même recevoir mes confidences, surtout après cette nuit chaude et tumultueuse ! Je prends la décision de me taire. Me lamenter au sujet de mon fils dysphasique, passe toujours, mais lui raconter mes histoires avec mon conjoint, lui révéler ses multiples départs et retours, les faux espoirs qu'il sème à tous vents ? Non ! Charles risquerait trop de me taxer de mollesse.

Mystérieusement, si le destin a réellement marqué cette fin de semaine, il ne manque pas de me dicter la réponse aux questions de cet ami trop nouveau. À l'instant précis où je cherche à me soustraire à cette embarrassante conversation, le clignotant du répondeur de la cuisine attire mon attention. Tiens ? Quelqu'un a téléphoné ! L'appel a dû se produire hier, durant mon absence, et, dans le feu du retour à la maison avec un éventuel amant, je ne l'ai pas remarqué. Je m'empresse d'écouter le message en oubliant de fermer le volume. Le discours n'échappe pas à Charles qui l'écoute, les yeux ronds de stupéfaction.

— Bonjour, ma chérie. Je t'appelle pour t'informer que tout va bien avec les enfants. Pour être franc, j'avais envie de te dire que je t'aime et que tu me manques. Que dirais-tu si on allait tous les trois te chercher pour le reste du week-end ? Ces fins de semaine, éloignés l'un de l'autre, n'ont plus de sens. Cela a assez duré. Les choses doivent revenir à la normale. Rappelle-moi dès ton arrivée, tu veux bien ? En attendant, je laisse les enfants te livrer leur petit message.

— Allo, maman ! Papa et moi, on t'a préparé un beau souper pour ce soir.

— Allo… man ?… t'aime… viens… t'en !

Malgré moi, oh ! combien malgré moi, j'éclate en sanglots et m'effondre sur une chaise. Qui aurait dit qu'un certain Charles Beauchemin, amant d'une nuit, deviendrait mon consolateur dans une telle situation ? Doucement, il me prend dans ses bras et me berce, comme une petite fille.

— Ta place se trouve avec eux, Geneviève, tu le vois bien. Mais rien ne nous empêche de rester de bons amis, toi et moi. De vrais amis ! Et la nuit que nous venons de passer ensemble restera notre secret, à tous les deux. Et si jamais… Et si jamais le destin te joue encore des mauvais tours, je serai là, ne l'oublie pas ! En attendant, rappelle-les vite ! Ne vois-tu pas que le bonheur t'attend ?

Une fois son café et sa tartine au beurre d'érable terminés, il me quitte avec un chaste baiser sur le front. Un baiser d'ami.

Sapré destin, il aura toujours le dernier mot !

CHAPITRE 25

Lundi se présente, un peu plus lumineux qu'à l'accoutumée, mais il traîne avec lui son cortège de tâches et d'obligations en même temps que de précieuses occasions de cultiver mon sentiment d'utilité. Ce matin, j'en ai rudement besoin!

Hier, après le départ quelque peu précipité de Charles Beauchemin, je n'ai pu rejoindre Jean-Patrick, malgré mes nombreuses tentatives. Les enfants, rentrés tout contents après le souper, m'ont raconté être allés au cinéma avec leur père, puis chez McDonald's. Nul n'a fait mention de l'appel téléphonique resté sans réponse de samedi après-midi. Jean-Patrick, quant à lui, a préféré ne pas descendre de sa voiture pour venir me saluer, et ce geste, plus que n'importe quoi, a jeté mon moral par terre. Se moque-t-il de moi?

Je m'achemine donc, d'un pas allègre, vers le centre communautaire, mais n'ai pas encore franchi la porte d'entrée que j'entends déjà, à travers la salle d'attente, les pleurs d'une jeune femme en train de sangloter entre les bras d'une autre plus âgée, sans doute sa mère. Le voile porté par les deux femmes et la djellaba de la mère trahissent une nationalité étrangère d'allégeance musulmane. En levant les yeux au ciel, la secrétaire m'indique à voix basse qu'elles sont arrivées depuis plus d'une heure, se lamentant à tue-tête sous le regard outré des autres clients.

Je m'empresse de les accueillir avec mon plus beau sourire dans l'espoir de disposer de suffisamment de pouvoirs pour apaiser un tel déploiement de douleur. En pénétrant dans mon bureau, la plus âgée se jette pratiquement sur moi et baragouine un discours dans une langue inconnue que la plus jeune, se ressaisissant avec peine, se dépêche de me traduire en français.

— Il a volé mon petit! Azan a volé mon petit Jamid!

— Qui a volé votre petit, madame?

— Son père. Euh... mon mari... c'est-à-dire... Azan, mon ex-mari. Il me faisait des menaces et je ne le croyais pas. Jamais je n'aurais pensé qu'il irait jusque-là pour se venger de moi. Il me détestait, il me déteste.

— Expliquez-vous, ma chère dame. Pour quelle raison, dites-vous, aurait-il volé votre enfant s'il est son père?

— Azan a emmené mon fils Jamid à Téhéran, et cette fois, il ne reviendra plus, je le sais, je le sens.

— Il aurait fallu vous rendre au bureau de la police, pas ici!

La mère et la grand-mère se remettent à pleurer de plus belle, en dépit de mes efforts pour voir clair dans cette affaire. Au bout d'un certain temps, je finis par comprendre que Fayal, citoyenne canadienne depuis son enfance, a été plaquée par son mari, il y a deux ans. Elle a alors obtenu des tribunaux la garde de son fils de dix-huit mois. Le père, Azan, à cause de ses mœurs plutôt dissolues, avait le droit de recevoir l'enfant chez lui un jour par semaine seulement.

Les premiers temps, cela s'est bien passé, mais un jour, Azan a décidé, sans avertissement, d'emmener son fils en voyage en Iran. Fayal, morte d'inquiétude, a pensé devenir folle. Le père, rentré seulement trois semaines plus tard, a remis le garçon à sa mère sans donner d'explications, puis il s'en est retourné vivre dans son pays d'origine. Maintenant, Fayal ne fait plus confiance à cet homme, surtout depuis qu'elle a appris, par l'entremise d'une ex-belle-sœur avec laquelle elle a gardé contact, qu'il s'est remarié là-bas.

Pendant près de deux ans, lors de chacun de ses nombreux retours au Québec pour raisons d'affaires, Azan n'a cessé de revendiquer à grands cris ses droits à la paternité. Sous la menace et sans moyens pour protester et se défendre, Fayal l'a, à regret, laissé partir à plusieurs reprises avec le bambin hurlant et tendant désespérément les bras vers sa mère. La dernière fois, l'homme n'a pas ramené l'enfant tel qu'entendu. Fayal se trouve maintenant sans nouvelles de son fils depuis soixante-seize jours. Un appel téléphonique, hier, à son ex-belle-sœur de Téhéran, lui a dressé les cheveux sur la tête : Azan n'habite plus l'Iran mais l'Arabie Saoudite où il s'est enfui avec le garçon sans laisser d'adresse, après une dispute majeure avec sa famille. Disparu, l'Iranien et disparu, le petit Jamid…

— Je ne sais plus quoi faire, madame. Je vous en prie, aidez-moi à retrouver mon enfant !

De désespoir, les deux femmes se lèvent et retombent dans les bras l'une de l'autre. Au moins, Fayal ne reste pas seule dans son épreuve. Mais cela n'arrange pas vraiment les choses.

— Mesdames, je peux comprendre votre détresse. Il faut absolument contacter l'organisme Enfant-Retour. Eux vont aviser le corps policier et le ministère des Affaires étrangères, de même que les consulats de ces deux pays.

— Mon ex-belle-sœur m'a affirmé qu'Azan leur a montré des papiers soi-disant signés par moi l'autorisant à s'expatrier avec l'enfant. Madame, je vous jure n'avoir jamais signé de tels papiers. Ce sont des faux.

— S'il s'agit de faux, un tribunal international finira bien par le prouver. Vous devez leur faire confiance. Bien sûr, on ne retrouve pas tous les enfants disparus, mais il ne faut pas perdre espoir. Tous ensemble, nous allons travailler pour récupérer votre petit garçon. Qui sait si Azan ne sonnera pas à votre porte, un bon matin, tenant Jamid par la main...

— Je n'y crois plus. Cela fait trop longtemps. Je serais prête à partir dès demain pour aller le chercher moi-même. Je ne possède pas d'argent mais je quêterai au coin de la rue, s'il le faut. Et puis, j'ai le soutien de ma famille. Mais où aller?

Je voudrais lui faire des promesses, lui donner des moyens, l'assurer que tout va bien se passer, mais je mentirais. Le dénouement de cette histoire reste des plus aléatoires. Les murs des bureaux d'Enfant-Retour sont tapissés d'avis de recherche et de portraits d'enfants jamais retrouvés. Innocente Fayal, écrasée par le malheur parce qu'elle s'est montrée trop soumise et pas assez méfiante. Je lui fixe immédiatement un rendez-vous à l'Aide juridique et lui remets l'adresse d'Enfant-Retour. Je l'envoie également pour un suivi avec une travailleuse sociale d'une équipe jeunesse pour un soutien psychosocial dans ses démarches. Puis, je lui serre la main en lui souhaitant la meilleure chance du monde.

Je la regarde partir en soupirant, me demandant bien de quoi, moi, j'ai à me plaindre.

À ma grande surprise, ma deuxième cliente est Catherine Lecours que je n'ai pas vue depuis un certain temps.

— Catherine? Que viens-tu faire ici? Je ne peux plus faire office de travailleuse sociale auprès de toi à cause de nos liens amicaux, tu le sais bien...

— Oui, oui, je le sais! Je venais seulement jaser quelques minutes avec toi, en passant. Question de voir comment tu vas.

Je me retiens de lui raconter ma fin de semaine avec Charles Beauchemin, mais elle ne cesse de me questionner sur mes états d'âme et l'évolution de ma situation familiale.

— Ton Jean-Patrick n'est donc pas encore revenu chez toi?

Pas encore revenu… Non, le père de mes enfants n'est pas encore revenu après six mois d'absence. Catherine parle du retour de mon conjoint comme si cela s'avérait une certitude. Moi, ce dernier dimanche, j'y ai cru durant une demi-journée. Maintenant, je le croirai quand, non seulement il aura réintégré mon lit, mais quand ses chandails et ses bobettes rempliront de nouveau ses tiroirs et que ses bas pendront sur ma corde à linge chaque semaine!

— Non, Jean-Patrick a encore besoin de solitude et soigne toujours sa dépression depuis septembre à coups de médicaments et de visites chez une psychologue. Mais j'en ai marre, je t'avoue.

Si elle savait ce que j'ai vécu en fin de semaine! Je me sens soudainement mal à l'aise de ne pas lui révéler la vérité. Surtout ici, dans mon bureau. «Notre secret» a dit Charles… On a beau parler d'amitié, Catherine et moi, je me trouve en ce moment en mauvaise position devant une cliente qui, avec ses questions insistantes, semble vouloir renverser les rôles. Même assise de l'autre côté du bureau, elle donne l'impression d'animer une séance de thérapie pour sa travailleuse sociale. Le monde à l'envers, quoi! Nous ne nous trouvons pas au restaurant mais dans un bureau du CLSC, et il m'incombe, à moi, de poser les questions même si je ne peux plus considérer Catherine comme une cliente.

Secoue-toi, ma vieille, et reprends vite les rênes de l'entretien! Cesse donc de te leurrer. Catherine n'est certainement pas venue ici pour te parler de toi-même mais bien plus d'elle et de ses difficultés. Je lui trouve pourtant bonne mine, à ma copine. Elle paraît même élégante dans ce chandail vert qui l'avantage. Hé! Hé! J'espère que son Raymond l'a remarqué, ce matin! Je me demande bien pour quelle raison elle ne m'a pas donné rendez-vous ailleurs.

— Et toi, Catherine, quel bon vent t'amène? Parle-moi de toi.

— Moi… Bof, tout ne roule pas sur des roulettes. Toutefois, depuis que, grâce à toi, Julien part tout content, trois matins par semaine, pour aller travailler dans cette nouvelle usine subvention-née pour insertion sociale, je me sens vraiment mieux. Enfin, je peux respirer ! Le médecin a aussi changé sa dose de médicaments et mon fils se montre maintenant plus docile et conciliant. Ses crises agressives s'estompent et deviennent petit à petit une histoire du passé. Il faut dire que les occasions de se rencontrer se font de plus en plus rares entre le père et le fils, car Raymond a encore accepté un surplus d'heures de travail. On le voit si peu ! Mais les trois enfants et moi n'avons pas le choix d'accepter cette situation. Tu me comprends, n'est-ce pas, Geneviève ?

— Oui, ma chère, je te comprends ! La fuite, je connais ça !

— Sauf que je m'ennuie, seule toute la journée à la maison. Je me demandais si je ne devrais pas retourner travailler.

Je pousse un soupir. Je viens de comprendre : Catherine est venue chercher de l'aide pour se trouver un emploi.

— Ça adonne bien, j'ai quelque chose pour toi ! On a juste-ment placardé une annonce sur le babillard du centre, ce matin. Le secrétariat se cherche une nouvelle employée pour trois jours par semaine. Je te recommande de postuler dès maintenant si ça t'intéresse. De toute manière, tu n'as rien à perdre. Je pourrais même écrire un petit mot de recommandation pour toi, si tu veux. Ça te ferait du bien de te changer les idées de temps en temps, tu ne penses pas ? Et en plus, ça te rapporterait des sous. Tiens, voici le formulaire. Dépêche-toi de le remplir. Il faut parfois aider le destin…

Catherine saute sur ses pieds, déjà prête à partir après un furtif baiser sur ma joue au-dessus du bureau et une promesse de nous revoir très bientôt.

— Je vais faire bien mieux que ça, Geneviève, je vais me rendre de ce pas proposer ma candidature à la direction. C'est au deuxième étage, si je ne me trompe pas. Merci pour le renseignement. Merci pour tout. Salut, on s'appelle !

— N'oublie pas de m'en donner des nouvelles, mais… dans un autre endroit qu'ici !

Je lui offre mon plus beau sourire en lui souhaitant bonne chance. Quand un simple petit emploi à temps partiel constitue une planche de salut, un tremplin pour un saut vers l'équilibre, il ne faut pas le manquer.

Lui succède une jeune immigrée baragouinant un français rudimentaire fortement teinté d'espagnol. Heureusement, l'accompagne une Québécoise pure laine qui s'occupera de la traduction. Lola Pontas dépose sur mon bureau un tas de paperasse en tentant de m'expliquer tant bien que mal qu'arrivée ici depuis quelque deux ans, elle vient de recevoir de la Cour fédérale un ultime refus pour sa demande de sursis afin de prolonger son séjour au Canada.

L'accompagnatrice m'explique alors qu'un soir, dans son pays, au Nicaragua, Lola et son frère aîné ont été kidnappés par des trafiquants de drogue, membres d'une bande organisée, connue et secrètement tolérée par les autorités du pays. Son frère faisait partie de ce gang, mais Lola n'en savait rien. Il avait commis, semble-t-il, plusieurs actes de trahison envers la bande.

Une fois arrêtés, on a torturé le jeune homme par vengeance, sous les yeux horrifiés de sa sœur, pour le décapiter par la suite. Une heure plus tard, elle-même a dû subir un viol collectif par une dizaine de ces voyous, suivi d'une volée de coups de bâton sur tout le corps afin de lui rompre les os. Puis on l'a laissée à demi-morte au fond d'un fossé. Le lendemain, des paysans l'ont trouvée, inconsciente et sur le point de rendre l'âme. Sans le crier sur les toits, car ils craignaient pour sa vie et la leur, ils l'ont ramenée chez eux pour la ranimer et la soigner. Une fois remise sur pied, au bout de deux mois et demi, ils l'ont aidée à fuir vers le Canada où elle a demandé asile.

Mais le gouvernement canadien a toujours refusé sa requête. Cette fois, on lui intime l'ordre formel de quitter immédiatement le pays, alléguant le peu de crédibilité de son témoignage sur les raisons de sa demande de statut de réfugiée. On lui reproche de confondre les dates de l'agression, de n'avoir pas porté plainte à la police de son pays, une fois rétablie de ses blessures, et de n'avoir pas tenté de contacter sa famille de là-bas durant tout ce temps, même si elle se trouvait ici en parfaite sécurité. Elle a eu beau brandir devant la Commission de l'immigration sa peur de se faire assassiner, elle a eu beau protester de son innocence et crier sur tous les toits qu'elle n'a rien à voir avec la bande de bandits infiltrés partout et à laquelle appartenait son frère, rien n'y a fait. On a persisté à rejeter ses appels, même si elle occupe maintenant un emploi, s'est trouvé un amoureux québécois et se comporte en citoyenne honnête en train de s'intégrer parfaitement.

La jeune femme s'agrippe sur le bord de mon bureau et prend un ton suppliant.

— Yé vous lé joure, m'dame, tout céla, il est vrai ! Ils vont mé touer si moi yé rétourne dans mi païsse. Aidez-moi, yé vous en soupplie...

Par l'entremise de sa traductrice, elle se dit dépassée par les événements et affirme toujours souffrir d'un puissant choc post-traumatique. Je lui donne d'abord l'adresse de l'Aide juridique. Son problème relève de la loi, et un avocat pourra la conseiller, voire défendre son point de vue auprès d'Immigration Canada. Je la dirige ensuite vers un centre d'aide et de lutte contre les agressions à caractère sexuel. Là, au moins, elle trouvera support moral et compréhension.

Comment les autorités peuvent-elles supposer qu'une telle jeune femme, violée et jetée mourante au fond d'un fossé, aurait réagi normalement et appelé les policiers pour témoigner contre ses agresseurs quand elle sait que ces trafiquants disséminés dans la bonne société de son pays n'hésiteraient pas à se venger sur ses proches comme ils l'ont fait pour son frère ? Allons donc ! Et pour-quoi mentirait-elle devant la Commission ? Pour répondre à un désir d'émigrer au Canada ? Il existe des moyens beaucoup plus simples pour arriver à obtenir le statut d'immigrée avec permis de résidence permanente, il me semble !

Je jette un regard inquisiteur sur la jeune Nicaraguayenne qui n'a pas versé une larme depuis le début de l'entretien. Ouais… Et elle trouve malgré tout le moyen de porter une savante coiffure impeccablement platine, un maquillage outrageux qui ne me dit rien qui vaille, des bijoux de prix et des vêtements de bonne coupe. La pauvreté n'est pas son fait, de toute évidence.

Et si elle mentait ? Sait-on jamais ! Il faut envisager toutes les possibilités, le gouvernement ne la refuse pas pour rien, après tout. Si elle était entrée précipitamment au Canada afin de créer des contacts et instaurer une plus large clientèle pour les trafiquants de drogue de son pays ? Plus aisé de rentrer rapidement ici en demandant le statut de réfugiée… Mais alors, que viendrait-elle faire ici, dans mon bureau ?

Je secoue la tête. Tout cela ne relève pas de mes fonctions mais plutôt du travail d'enquêteurs spécialisés. Et ce travail, ils ont bien dû l'exécuter.

— Mademoiselle, je ne possède pas de grands pouvoirs dans cette affaire. Si un juge a déjà statué que vous devez repartir et vous a envoyé un ultimatum, je doute qu'on puisse le faire changer d'idée. Dépêchez-vous de consulter un conseiller juridique à l'adresse que je vous ai remise. Il saura mieux que moi vous informer des derniers recours possibles. Vous pourriez aussi aviser un journaliste d'un grand journal. Votre histoire pourrait l'intéresser et il pourrait la divulguer sur la place publique. La sympathie et même la pression des citoyens pourraient peut-être amener le Tribunal à reconsidérer sa décision. Quoique si vous avez peur et désirez conserver l'anonymat… À vous de décider. Mais n'oubliez pas, surtout, de consulter le centre d'aide pour viol. Je pourrais également vous recommander à une travailleuse sociale qui vous accompagnerait dans vos démarches. Cela vous intéresserait-il ?

La femme se lève d'un bond et se dirige vers la porte sans me répondre ni se retourner. Même l'accompagnatrice se contente de hausser les épaules et oublie de refermer la porte derrière elle. Qu'attendait-on de moi? Que j'engueule le juge? Que je cache cette femme chez moi?

En détournant mon regard vers la salle d'attente, un rire gras et saccadé, un rire que je reconnaîtrais entre tous, attire mon attention: le rire de Richard. L'ancien prisonnier va bien. Après sa dernière visite, il s'était empressé de m'annoncer par téléphone s'être trouvé un autre emploi de concierge et occupait toujours le même appartement. De plus, il avait repris ses amours avec son ancienne blonde et surtout, surtout, il continuait de pratiquer une abstinence rigoureuse concernant l'alcool et la drogue. Je souhaite secrètement qu'il ait continué sur la même trajectoire.

Il pénètre dans mon bureau d'un pied ferme, le visage rayonnant et les yeux plissés sous les arcades broussailleuses. Une femme plutôt grassouillette le suit d'un pas hésitant, en me jetant un regard timide.

— Bonjour, madame Martin! Je vous présente Clémentine, la femme la plus fine au monde et la meilleure *cook* de la province.

— Bonjour Richard, bonjour Clémentine. Quel plaisir de vous revoir, mon cher! J'espère que vous allez bien. Que puis-je faire pour vous, aujourd'hui?

— Ce que vous pouvez faire pour nous autres? C'est ben simple: accepter la tourtière merveilleusement extraordinaire fabriquée par ma douce Clémentine. Vous vous rappelez de ma première blonde, quand je suis sorti de tôle? Ben je l'ai r'trouvée, c'est Clémentine! Une vraie soie! Pis je lui ai commandé cette tourtière exprès pour vous, madame Martin. Pour vous dire marci pour votre aide qui a pas de prix. En prononçant ces mots, l'homme dépose sur mon bureau un paquet savamment enrobé dans du papier d'emballage vert que Clémentine vient d'extirper d'un immense sac de plastique.

— Oh là là ! Quel beau cadeau ! Je… je suis confuse, Richard. Je ne fais que mon travail, vous savez.

— Ben vous le faites ben, pis ça mérite d'être dit, câline !

— Merci infiniment à vous deux. Vous êtes des amours ! Je vous souhaite de rester aussi heureux que vous en avez l'air !

— Vous aussi, madame Martin. Salut, pis marci encore !

Je les regarde partir le cœur serré. Étrange métier où l'on s'attache aux gens mais souhaite ne pas les voir rebondir un de ces jours, leur retour signifiant habituellement la résurgence de problèmes.

Je range la tourtière dans notre frigo, au rez-de-chaussée. Surtout ne pas l'oublier ce soir en rentrant. Je la mettrai au congélateur. Jean-Patrick adore la tourtière. Si jamais il décide de revenir un de ces soirs, je la lui servirai. Je me mords les lèvres, me refusant d'y songer. En passant dans le corridor, je jette de nouveau un œil dans la salle d'attente. Pas de Charles Beauchemin à l'horizon. Pas de rendez-vous officiel sélectionné pour lui cette semaine, non plus. Ni de rendez-vous personnel.

Soudain, je sens la pointe d'un remords m'aiguillonner. Comment puis-je avoir l'audace de désirer dorloter mon Jean-Patrick et, en même temps, espérer revoir Charles Beauchemin ? Vais-je attendre son appel téléphonique ou sa venue au bureau chaque jour, au nom de l'amitié ? Allons donc ! Mieux vaudrait tirer un trait définitif sur cette aventure, oublier complètement cet homme et le confier à une autre travailleuse sociale du centre. À courir deux lièvres à la fois, je risque trop de perdre les deux !

Non, je ne composerai plus le numéro de téléphone de ce nouvel ami tant et aussi longtemps que Jean-Patrick restera dans le décor. Le hic, c'est que le père de mes enfants n'apparaît presque plus dans le décor. Il aurait pu entrer pour me saluer, en ramenant les enfants, dimanche soir dernier, hein ?

Pour quelle raison devrais-je rester fidèle à un absent ? Qui me dit qu'il la pratique, lui, la fidélité, hein ? Oui, j'en ai assez de cette vie-là, et oui, le temps est venu pour moi de mettre de l'ordre dans mon existence. Cette situation sur la corde raide a assez duré. Il va falloir te brancher, mon chéri, sinon notre histoire d'amour va se terminer drette là et je vais te renvoyer définitivement au diable, tu peux en être certain ! Et ce sera définitif, cette fois, tu peux me croire !

Les enfants ne le savent pas encore, mais ce soir, ils vont manger de la tourtière. Voilà, c'est décidé ! Comment il a dit ça, Richard ? De la « tourtière merveilleusement extraordinaire fabriquée par la meilleure *cook* de la province ». Et ce sera tant pis pour toi, Jean-Patrick Lapierre ! Tu n'as qu'à être là ! Ne dit-on pas que les absents ont toujours tort ?

Ma journée terminée, je m'achemine vers la maison d'un pas rageur.

Maudit destin !

CHAPITRE 26

— Tu ferais ça pour moi, Jean-Patrick? N'oublie pas que son bureau se situe dans le sous-sol de l'école Bel-Avenir à trente-deux kilomètres d'ici.

— Mais oui, Geneviève, je ferais ça pour toi, voyons! Et pas seulement pour toi, mais pour Félix surtout.

— ...

— Tu ne dis rien? Ça te surprend que j'y aille avec lui? Allons donc! Pas question de lui faire manquer son important rendez-vous de demain. Puis t'inquiète pas si on revient seulement après le souper. Oui, ma chère, en sortant de là, mon fils et moi allons nous taper les hot-dogs du siècle. Et on ne se dépêchera pas pour rentrer. J'ai déniché un terrain de go-karts dans les environs. Je pense qu'ils en ont pour les enfants.

J'en aurais braillé tellement je me sentais émue et contente. Félix et son père feront ensemble une «sortie de gars»... *Yes!* La représentation de la comédie musicale jouée par les élèves de la classe de Gabrielle ayant lieu exactement le jour de la rencontre de Félix avec l'orthophoniste, ma mère Nicole occupée ailleurs et mon frère Simon parti en voyage et ne pouvant me remplacer, je me suis trouvée prise au dépourvu. Devais-je annuler le rendez-vous de Félix en thérapie ou bien ne pas me rendre au spectacle de ma fille ? Comme ces visites chez la spécialiste, prévues chaque semaine, s'avèrent quasi impossibles à déplacer, je ne savais que choisir entre les deux priorités. Après tout, ma petite Gabrielle a aussi le droit de voir sa mère assister à ses performances sur la scène. Jamais je n'aurais cru que le dépanneur idéal, en la personne de Jean-Patrick, volerait à mon secours.

— Prends tout le temps que tu voudras, mais n'oublie pas que l'autobus vient chercher Félix à sept heures, le lendemain matin, pour le ramener à l'école. Euh… Jean-Patrick ?

— Ben quoi ? Y a-t-il autre chose ?

— Non, non. Je voulais juste te dire merci. Je ne m'attendais pas à ça. C'est-à-dire…

— Il n'y a pas de quoi ! À demain, alors !

En raccrochant le combiné, je réalise avoir raté une belle occasion de lui souligner mon immense besoin de faire définitivement le point entre nous deux et la nécessité impérative d'une « conférence au sommet ». J'ai serré les dents en songeant que demain soir, lors de son retour avec le petit, au lieu du rendez-vous en tête-à-tête que j'aurais pu lui fixer, Jean-Patrick me fera probablement un signe amical, assis dans sa voiture, en attendant que Félix pénètre dans le vestibule. Puis, comme d'habitude, il disparaîtra au tournant de la rue pour une autre longue période d'absence et de silence. Merde !

En ce premier mercredi d'avril, l'hiver n'a pas encore dit son dernier mot, et je n'avais pas prévu voir la tempête du siècle débuter au beau milieu de l'après-midi. Je me retrouve donc, ce soir, le nez collé contre la vitre du salon, préoccupée par le retard de mes deux hommes au lieu de m'émerveiller sur la beauté du paysage. J'ai déjà oublié le charme extraordinaire du spectacle de Gabrielle en fin d'après-midi et j'ai dû mettre au rancart mes idées d'une sérieuse conversation avec Jean-Patrick.

À huit heures, la sonnerie du téléphone vient troubler le silence. C'est sûrement Jean-Patrick pour m'annoncer un retard bien explicable. Je saisis le combiné, déjà soulagée d'un énorme poids, ne m'attendant pas à entendre une autre voix.

— Geneviève? C'est Charles Beauchemin. Je voulais juste savoir comment tu vas.

— Euh... ça va. Je m'énerve un peu à cause de la tempête, mais rien de grave.

— Tu attends quelqu'un?

— Oui, oui, Jean-Patrick et Félix. La neige a dû les retarder. Mais... quel bon vent t'amène? Toi, tu vas bien?

— Tu as repris avec ton conjoint, à ce que je vois.

— Pas tout à fait, mais ça s'en vient, je pense. De temps à autre, il remplit parfaitement bien sa fonction de père.

— Bonne nouvelle, ça! Je ne te dérange pas plus longtemps.

— Mais voyons, tu ne me déranges pas! Tu ne m'as même pas dit comment tu vas!

— Tout va pour le mieux. Je te laisse, je ne veux pas monopoliser la ligne téléphonique au cas où ton chéri essayerait de t'appeler. Salut, je t'embrasse!

Il m'embrasse et puis, clic! Un beau bec d'ami sur le front, je suppose! Intérieurement, je lui fais mes adieux, bien consciente qu'il ne rappellera plus. Il en vaut mieux ainsi, dirait ma mère! Ouais...

Rapidement, mon esprit retourne à mes deux hommes, le grand et le petit. L'anxiété prend toute la place, et j'attends avec impatience de voir apparaître le faisceau lumineux des phares de la Chevrolet à travers le tourbillon étourdissant des flocons de neige.

Neuf heures, dix heures, et toujours ce maudit répondeur sur le portable de Jean-Patrick. Il aurait pu m'appeler pour me rassurer, non ? Ça lui ressemble d'oublier parfois ce genre de délicatesse. Il sait pourtant à quel point je peux m'inquiéter pour un rien. Le centre de go-karts n'était certainement pas ouvert par un temps pareil ! Et je veux bien croire qu'il neige à plein ciel, mais ça ne prend pas trois heures pour manger deux ou trois hot-dogs et parcourir une trentaine de kilomètres jusqu'ici, que je sache ! Un peu plus et je me rongerais les ongles ! Le plus déroutant, c'est que je me surprends à m'énerver autant pour le père que pour le fils !

Soudain, Dieu soit loué, la pression tombe d'un trait. Je vois enfin la voiture tourner lentement le coin, intacte et sans bosselures. Mais au lieu de s'arrêter devant la maison au milieu de la rue, elle vient se garer directement dans l'entrée du garage, à sa place habituelle d'autrefois. Ah ? J'aperçois alors Jean-Patrick prendre son fils ensommeillé dans ses bras et le monter délicatement jusqu'à la porte d'entrée.

— Le pauvre petit s'est endormi en cours de route, évidemment !

— Que s'est-il passé ? Pourquoi ce si long retard ? Je me suis fait du mauvais sang. Tu aurais pu me téléphoner pour m'avertir.

— T'as pas vu la neige ? Imagine-toi donc qu'on a fermé l'autoroute à cause d'un accident. On nous a laissé poireauter là pendant je ne sais combien de temps. J'ai alors décidé de prendre la première sortie et de revenir par des chemins de campagne. Malheureusement, aucune route secondaire n'avait été déneigée. Ouf ! Quant à t'appeler, je l'aurais fait volontiers, mais pour le faire exprès, la pile de mon téléphone portable a rendu l'âme !

— Bon. Vous êtes sains et saufs tous les deux, voilà l'essentiel.

À mon grand étonnement, je vois Jean-Patrick transporter Félix toujours endormi jusqu'à sa chambre et commencer à le dévêtir avec mille précautions pour lui enfiler son pyjama. Et ce geste paternel on ne peut plus banal, normal, ordinaire, ce geste dont je n'avais pas été témoin depuis des lustres, m'émeut jusqu'au fond de l'âme. Appuyée contre le cadre de la porte, je retiens difficilement mes larmes. Mon amour, ma tendre moitié, mon homme est là, chez nous, dans notre maison, et je le regarde se pencher tendrement sur son fils, notre fils, le bécotant et le bordant d'un geste affectueux. Puis, il s'achemine vers la chambre de Gabrielle, endormie, pour la border et déposer un doux baiser sur sa joue.

Je dois rêver, je vais me réveiller tantôt, et je serai seule dans mon lit, seule dans ma maison avec mes deux petits, seule dans ma vie, seule encore et toujours. Et frustrée de constater encore le vide après avoir renoncé héroïquement à un autre homme.

Jean-Patrick a-t-il deviné mes pensées? Il se retourne et me fait signe d'approcher. Non, je ne rêve pas. Il pose ses mains sur mes épaules et là, au chevet du lit de notre enfant, dans la pénombre de sa chambre, il pose son front contre le mien en fermant les yeux.

— Tu vois, je suis revenu, Geneviève. Veux-tu encore de moi?

Cette nuit passée entre les bras de l'homme de ma vie a effacé celle de samedi dernier auprès de Charles, et elle s'est avérée la plus belle et la plus douce de mon existence. Je ne réalisais pas à quel point sa chaleur, sa force, sa douceur me manquaient. Mon refuge! J'avais oublié la douceur de son épiderme brun et duveteux, la tendresse de ses mains frôlant ma peau, la tiédeur de son souffle dans mon cou. Sans qu'il s'en doute, chacun de ses gestes tendres a posé un voile par-dessus les traces laissées par Charles et les a enfouies bien profondément sous le terreau de l'oubli. Ensemble, mon homme et moi avons éprouvé du plaisir, ensemble nous avons ri et nous avons pleuré. Puis, le sommeil nous a emportés sans que la conversation tant souhaitée n'ait lieu. Mais, pour cette nuit-là, le retour de Jean-Patrick dans mon lit, en dépit de son mutisme obstiné, m'a amplement suffi.

Le lendemain se présente tout de même un peu plus difficilement quand, aux premières lueurs de l'aube, il découvre, sur ma table de chevet, la carte ornée de cœurs et porteuse d'un message ambigu.

— Qui est ce Charles Beauchemin? Un prétendant? M'as-tu trompé, Geneviève? Si tu l'as fait, j'aurais aimé le savoir!

— Et toi, Jean-Patrick Lapierre, m'as-tu trompée? Moi aussi, j'aurais aimé le savoir!

— Je n'aime pas me faire jouer dans le dos!

— C'est drôle, moi non plus!

— Qui est ce type qui t'écrit sur une carte avec des cœurs? As-tu composé le numéro de téléphone inscrit sous son nom? As-tu couché avec lui?

— Tu as l'audace de me demander ça, toi, Jean-Patrick Lapierre? Tu sauras que moi, je ne me suis pas lâchement enfuie d'ici pendant des mois. Moi, je suis demeurée en place chaque jour et chaque nuit pour jouer mon rôle de mère et prendre soin de TES enfants. Tu ne vas pas me faire une crise de jalousie, quand même! Et encore moins me donner une leçon de morale! Tes questions indiscrètes, tu peux les ravaler, je n'y répondrai pas. Je n'y répondrai jamais, comprends-moi bien! Si tu tenais tant que ça à moi, tu n'avais qu'à rester ici et à assumer tes responsabilités, mon cher! L'amour, ça s'entretient comme un feu de camp. Si tu n'y ajoutes pas de bûches, il met peu de temps à s'éteindre, tu sauras, surtout en lui lançant du sable, de la terre et de l'eau comme tu l'as fait dernièrement! Encore chanceux de te trouver ici ce matin, mon cher!

Je sens la moutarde me monter au nez. Plus grande que ma volonté de reprendre la vie commune avec Jean-Patrick, l'exaspération de le voir s'imposer en enquêteur contribue à gonfler ma colère. De quel droit se permet-il de me questionner alors que je l'accueille à bras ouverts jusque dans mon lit ? Ne revient-il pas à moi d'emblée de l'interroger sur ses écarts éventuels de conduite, moi, l'abandonnée, la délaissée restée en place qui ne sait rien de lui depuis des lunes ? J'admets qu'un fond de culpabilité, là, bien enfoui au creux de ma conscience, ne manque pas d'ajouter à ma confusion. Oui, Charles Beauchemin m'a passablement troublée, et oui, il m'obsède encore, je l'admets. Mais cela ne concerne nullement mon conjoint puisqu'il conserve encore sa place dans mon existence. Cependant, il ne faudrait pas qu'il manifeste encore longtemps une telle attitude parce que...

Et puis après, hein ? Je ne l'ai composé qu'à une seule occasion, ce fameux numéro de téléphone ! Pour le reste, j'ai pratiqué la vertu de loyauté, moi ! Même hier soir, au téléphone, je n'ai manifesté rien d'autre que de la froideur et de l'indifférence à ce beau Charles. De quoi le chasser à jamais ! Pourtant, si je m'étais laissée aller... Alors, hein, ses petits élans de possessivité, Jean-Patrick Lapierre peut se les mettre où je pense !

D'ailleurs, au moment du départ impromptu du cher père de mes enfants, l'an dernier, aucune entente sur la fidélité n'avait été formulée, que je sache ! Si le cher monsieur veut s'enfuir une fois de plus en claquant la porte, qu'il le fasse ! Cette fois sera irrémédiablement la dernière, je le jure sur la tête de mes deux enfants. Ma patience a assez duré, cette porte-là, il ne la franchira plus jamais, aussi vrai que je m'appelle Geneviève Martin !

— Tu as parfaitement raison, Geneviève, excuse-moi. Je suis un con. Je n'avais pas l'intention de... de commencer la chicane ! Pas du tout ! J'ai plutôt besoin qu'on s'explique clairement et franchement, toi et moi, pas qu'on se dispute inutilement à couteaux tirés.

— Tiens, tiens ! Toi aussi, tu voudrais mettre les cartes sur table ? Ça adonne bien parce que moi, j'en peux plus. Tu es revenu pour ça, n'est-ce pas ? Pour qu'on s'explique ?

— Je suis revenu parce que je t'aime Geneviève. Je me sens lâche et coupable, tu n'as pas idée. J'ai honte d'avoir fui de la sorte, mais je n'en pouvais plus, peux-tu comprendre ça ? Je me sentais tellement déprimé, tellement dépassé. J'ai souffert de cette dépression au point de… au point de vouloir mourir, tu sais. Je ne voulais pas t'emmerder avec ça, tu en avais déjà bien assez sur les épaules avec les enfants, et je me suis tenu au loin. On m'a soigné, médicamenté, pratiquement guéri, et je vais mieux maintenant. Et j'ai pris le temps de réfléchir, car je me suis tellement cherché dans toute cette histoire. J'aimerais discuter de tes projets, de tes attentes à mon sujet. Je voudrais surtout m'assurer de ton pardon. Tôt ou tard, il faudra bien prendre une décision. Je m'ennuie de toi. Je voudrais me racheter et je…

— Tu m'aimes encore, as-tu dit, Jean-Patrick ?

— Oui, je t'aime encore.

Jean-Patrick perçoit-il le long soupir que je pousse enfin, un soupir libérateur de toutes les tensions, comme le cordon que l'on détache abruptement devant une foule en attente pour la laisser enfin sortir ? La foule de mes tourments et de mes colères refoulées…

— Et toi, Geneviève, m'aimes-tu toujours ?

— Je t'avoue sincèrement que parfois, je ne le sais plus.

Comme s'il voulait créer une diversion, Jean-Patrick change aussitôt de sujet.

— Ma chérie, je voudrais parler de Félix. Cette visite d'hier chez l'orthophoniste m'a impressionné. Dans mon esprit, cela a officialisé son handicap et mis un nom dessus. La dysphasie est devenue quelque chose de concret, de tangible. Quelque chose de décrit médicalement, tu comprends? Quelque chose de réel contre laquelle lutter. Une bataille à livrer contre un ennemi connu et bien en face. Quelque chose à améliorer, une victoire à gagner, quoi! Et il y a de l'espoir...

— Ton fils fait partie d'une classe de dysphasiques depuis des mois. Tu as mis tout ce temps-là à comprendre ça, toi? Bravo!

— Geneviève, ne soit pas cynique, je t'en prie. Il n'existe pas de mots pour te dire à quel point je m'en veux. Et combien je regrette mes maladresses.

— Écoute, dès le lever des enfants, je téléphonerai au CLSC pour signaler mon absence, ce matin, pour des raisons personnelles et incontournables. Après leur départ pour l'école, on continuera de se parler tranquillement et de faire le point, qu'en penses-tu? Et on prendra des décisions. Des vraies.

Bien entendu, les petits sautent de joie en découvrant leur père en train d'envoyer en l'air, à l'aide d'un poêlon, des crêpes au-dessus de la cuisinière. Gabrielle lui saute au cou la première.

— Papa, mon petit papa d'amour, tu as dormi ici! Je suis tellement contente, si tu savais! Tu ne vas plus repartir, hein?

Félix suit sa sœur de près et assène en riant une claque amicale sur le bras de son père. Déjà un geste d'homme, accompagné, hélas, de paroles d'enfant. D'un enfant de sept ans bien particulier.

— Apa, ici, apa...!

Cette fois, c'est Jean-Patrick qui se met à sangloter comme un bébé. Sans trop s'en rendre compte, il lâche tout et prend affectueusement son fils et sa fille dans ses bras, sous mon regard attendri... jusqu'à ce que la crêpe prenne feu au fond de la poêle. Mais parfaitement maître de son système nerveux, il l'éteint instantanément sous le robinet. L'énervement général se transforme aussitôt en joyeux applaudissements.

En voyant la fumée noire et sale emportée vers l'extérieur par le ventilateur de la hotte, je prononce sourdement le vœu de voir disparaître en même temps, hors de ma maison, les incompréhensions, les rancœurs, les refus, les mésententes, les révoltes qui ont empoisonné notre existence, ces dernières années. Que cette fois soit la bonne, et que notre vie familiale redevienne aussi belle, aussi merveilleuse que la nature autour de notre demeure, rendue féerique par la neige, en ce beau matin de lendemain de tempête. Comme si Jean-Patrick comprenait mon état d'âme, il m'enlace soudainement au milieu de la cuisine et, à mon grand étonnement, il prononce les plus délicieux mots de la terre.

— Tu sais pas quoi ? J'aurais bien envie de te demander en mariage, toi !

Secrètement, je fais un clin d'œil au destin. Ma famille vient de renaître.

CHAPITRE 27

Jean-Patrick a mis un certain temps avant de se réinstaller irrévocablement dans notre foyer. La nouvelle organisation de la vie familiale s'est produite graduellement. Il s'était donné pour objectif prioritaire, avant son retour à la maison, de se trouver un travail à proximité. Le hasard a bien fait les choses – ou est-ce encore ce cher destin ? – puisqu'un poste s'est justement ouvert au département de pharmacie de l'Hôpital général, situé tout près d'ici. Qu'à cela ne tienne ! Il a aussitôt saisi sa chance et obtenu cet emploi stable, régulier et bien rémunéré. Finis les absences inexpliquées, les éloignements à n'en plus finir, les Jolicœur et compagnie ! Et vive la famille Lapierre reconstituée !

Certes, mon conjoint ne s'implique pas auprès de Félix comme je l'avais rêvé. Les vieilles habitudes n'ont guère changé, et les exercices orthophoniques, les devoirs et les leçons, tout comme les remontrances, continuent de relever de la mère. Même l'accompagnement chez la spécialiste du langage me revient d'emblée en exclusivité, contrairement à mes attentes.

Par contre, Jean-Patrick semble maintenant accepter son fils tel qu'il est et il supporte mieux ses crises de frustration, d'ailleurs de plus en plus rares et de moins en moins intenses. Avec une meilleure compréhension du langage et une communication plus facile avec ses semblables, Félix peut enfin s'ouvrir au monde et faire valoir sa place auprès des siens autrement que par des colères à répétition. Même avec Gabrielle, il accepte davantage de négocier et de s'expliquer, au lieu de se rouler par terre en hurlant comme autrefois à la moindre contradiction.

Aujourd'hui, en cet après-midi pluvieux de juin, a lieu le spectacle de fin d'année de la classe de Félix, à l'école Bel-Avenir. Un message de mademoiselle Claire sur mon répondeur, avant-hier, a suscité ma curiosité. Quoi? Il faut emmener Canelle à l'école pour la représentation? La coquine a refusé de m'en donner la raison lorsque je l'ai rappelée. Comme de juste, cela a eu pour effet de réveiller en moi de mauvais souvenirs et de m'inquiéter outre mesure. Félix fait-il encore des siennes comme au début de l'année alors qu'il a fallu accrocher la photo du chien sur le tableau pour le convaincre de se rendre à l'école? Et s'il exigeait maintenant la présence réelle du chien pour consentir à participer à une petite séance de rien du tout? Comment son père va-t-il accepter cela?

J'ai beau questionner mon fils, il me répond obstinément en mettant son index sur sa bouche, comme s'il s'agissait d'un secret. Mais je vois de la lumière dans ses yeux, et cet éclat me vaut toutes les explications et achève de me rassurer.

Nous voici donc, Jean-Patrick, Gabrielle, les deux grands-mères et moi, assis sur des chaises droites placées à l'arrière de la classe de langage, parmi d'autres parents et grands-parents à la fois aussi excités et anxieux que nous. La plupart jettent des regards intrigués sur Canelle, sagement tenue en laisse et couchée à côté de la chaise de Jean-Patrick, au grand dam de ma belle-mère, Norma, qui n'a pas manqué de chialer quand elle a vu le chien nous accompagner. À la vérité, la curiosité me dévore, moi aussi, d'autant plus que la photo agrandie de Canelle se trouve toujours suspendue sur le babillard à l'avant, parmi les dessins des enfants.

Une fois les élèves sortis de la classe et en attente dans le corridor, mademoiselle Claire, vêtue d'une très jolie robe d'été, vient interrompre les conversations et saluer l'assistance, le sourire aux lèvres.

— Bonjour, mesdames et messieurs, merci d'être venus si nombreux pour assister à une fort belle performance de vos petits. J'espère que vous apprécierez leurs progrès accomplis cette année. Pour débuter, voici le *Carnaval des animaux* de Camille Saint-Saëns.

Au grand étonnement des spectateurs, elle met en marche un système de son disposé à l'avant, et une musique de parade royale vient aussitôt briser le silence. Dès que les deux pianos de l'orchestre amorcent un glissando rappelant une porte de cage qui s'ouvre en glissant, mademoiselle Claire fait entrer les enfants déguisés en animaux. Ils se mettent à tourner en rond autour de la classe en battant la mesure et en tapant du pied au rythme de la musique. De toute évidence, ils ont bricolé eux-mêmes leurs costumes. Cependant, j'arrive difficilement à identifier quels animaux ils représentent. Mais, pour notre grand plaisir à tous, la musique parlera elle-même pour ces petits sans voix qui ne savent s'exprimer qu'à leur manière.

Au thème de *La marche royale du lion* engendré dans le bas registre du piano, un jeune garçon portant autour du cou un large collet de laine échevelée s'avance à l'avant et fait sautiller une longue queue faite d'un cordon auquel il a attaché un pompon jaune. Il suscite les rires en se pavanant et donnant des coups de pattes à gauche et à droite aux accents de la musique. Ses grognements tentent d'imiter ceux du roi de la jungle, répétés par les autres enfants qui reçoivent l'ordre de se retirer à l'arrière.

Quand, par la suite, la musique entreprend un nouveau mouvement, deux oiseaux de basse-cour, une poule et un coq ornés de plumes découpées dans du papier de différentes couleurs, viennent caqueter en même temps que les archets des violons glissent dans le registre aigu, au grand amusement de l'assistance.

Un peu plus tard, au thème de *La Tortue* composé volontairement et exceptionnellement sur un rythme excessivement lent, un bambin, portant un plat à salade sur la tête et un sac à dos en guise de carapace, lève une jambe après l'autre avec indolence et tourne mollement sur lui-même à l'instar d'une vieille tortue paresseuse qui s'est mis dans la tête de danser le french cancan.

Lui succède alors un autre garçon déguisé en éléphant, exhibant de gigantesques oreilles de carton et une énorme trompe faite d'un bout de tuyau d'aspirateur. Il vient danser à l'avant avec une lourdeur extrême sur les trois temps d'une valse peu entraînante jouée par la contrebasse et le piano. C'est un plaisir de le voir tourner pesamment en essayant de traduire le barrissement de l'éléphant.

Avec une fébrilité bien légitime, j'attends le tour de mon Félix. Il surgit enfin, tout content d'exhiber ses deux longues oreilles bien droites et sa queue fabriquée dans un écheveau de laine grise. Au grand amusement des spectateurs, il lève joyeusement la tête et lance les hi-han tonitruants de l'âne, de concert avec les violons de l'orchestre. Cette fois, Jean-Patrick éprouve toute la misère du monde à retenir une Canelle passablement énervée qui n'a qu'une idée en tête : rejoindre son cher Félix !

Puis vient le tour du violoncelle d'annoncer *Le cygne*. Les deux fillettes de la classe, en tutu et ailes blanches de papier collées sur les bras, imitent alors avec une grâce enfantine des cygnes glissant sur l'eau en lançant des petits cris aigus qui ne ressemblent en rien au cri de cet oiseau.

Quel spectacle adorable et inusité ! La classe croule sous les applaudissements des spectateurs. Mais le plus extraordinaire, le point culminant à nos yeux, reste le sourire de nos enfants. Le sourire le plus mignon, le plus vrai, le plus fier du monde.

Le numéro suivant sera moins réussi. Chaque enfant placé à l'avant par ordre alphabétique doit prononcer les deux ou trois mots d'une phrase inscrite au tableau : *Chers parents, merci d'être venus dans notre classe pour partager notre plaisir au cours de cette belle fête.* Mon cœur se serre en constatant que deux des enfants n'arrivent pas à prononcer clairement les deux ou trois mots qu'ils ont pourtant dû apprendre par cœur et répéter maintes fois. D'autres articulent de façon à peine audible, tandis qu'une petite fille reste complètement muette. Mais quel bonheur de voir notre Félix lever sans cesse la main afin de dépanner ses compagnons. Il connaît très bien tous les mots et arrive à les énoncer assez clairement. Étrange consolation que celle de réaliser qu'il existe pire que soi…

Plus ou moins satisfaite de l'exercice sans doute trop difficile pour certains de ses élèves, mademoiselle Claire s'empresse de reprendre la parole.

— Voici maintenant l'heure de l'improvisation. Cette fois, vos enfants n'ont aucune idée de ce qu'ils auront à lire. Hélas, encore cette année, comme vous avez pu le constater, certains d'entre eux n'ont pas réussi à surmonter les difficultés de la lecture. Cependant, chacun, à sa façon et avec ses ressources personnelles, a réalisé de véritables progrès. Nous allons voir si, tous ensemble et en s'entraidant les uns les autres, ils vont réussir à comprendre le message que voici. Car l'apprentissage de la coopération et de la solidarité existe largement dans cette classe.

Elle déroule alors deux grands cartons et les suspend rapidement sur le tableau. Sur l'un d'eux, différents mots sont épinglés de manière désordonnée : *et des jus - pour tout - des beignes - mademoiselle Claire - au chocolat - le monde - du lait - a acheté.* Sur l'autre carton, des images correspondantes aux mots ont également été fixées.

À tour de rôle, chaque enfant vient lire un mot. S'il a réussi, il peut le décoller pour aller l'épingler sous l'image correspondante.

À mon grand désarroi, les deux mêmes enfants incapables de lire la première phrase n'arrivent pas encore à déchiffrer leur mot. Spontanément, tous les autres viennent leur prêter main forte dans une cacophonie incroyable. À croire qu'entre eux, ils réussissent à se comprendre ! Une fois le mot identifié, même ceux qui ont éprouvé des difficultés arrivent à le fixer sous l'image correspondante, au soulagement de l'assistance. Une fois tous les mots transférés sur le tableau aux images, mademoiselle Claire tente de rétablir le calme et donne une nouvelle consigne.

— Il faut maintenant placer ces mots en ordre pour construire une phrase et en comprendre le message.

La nouvelle directive fait particulièrement appel à l'intelligence des enfants, et on peut voir les plus débrouillards se faire aller les méninges. Pendant un certain temps, selon les premiers concepts élaborés, le *au chocolat* précède *des beignes* dans *le monde* ! À croire que « *Pour tout, mademoiselle Claire a acheté du lait, le monde au chocolat pour des beignes, et des jus* » ! Bien sûr, Félix nous fait honneur et réussit à jumeler les mots *des beignes* et *au chocolat*, lui qui adore ça ! Un autre enfant décide que *et des jus* et *du lait* vont de pair quoique *du lait* et *au chocolat* peuvent aller ensemble aussi… Au bout de quelques minutes de grande agitation, on finit par comprendre que l'enseignante a acheté une collation du tonnerre pour tous. Les cris de joie se mettent à fuser dans tous les recoins de la classe, autant du côté des parents que de celui des enfants.

L'enseignante nous fournit alors une magnifique démonstration de son autorité en obtenant des enfants de réintégrer tranquillement leur place malgré leur excitation délirante. Canelle lance alors quelques jappements sonores en agitant la queue, folle d'envie depuis près d'une heure d'aller rejoindre les enfants et surtout Félix.

Je vois ma belle-mère grincer des dents, alors que tout le monde s'esclaffe de rire. À coup sûr, elle aurait préféré se retrouver dans une classe de première année remplie d'enfants sages et normaux où son brillant petit-fils aurait remporté tous les méritas. Ma mère, Nicole, quant à elle, réagit très peu et reste muette, sans doute attendrie comme Jean-Patrick qui, très ému, se contente de serrer ma main à m'en rompre les os! Devant l'impatience manifeste des enfants ne rêvant plus qu'aux beignes au chocolat, mademoiselle Claire reprend aussitôt la parole de sa voix flûtée.

— Mes chers amis, avant de déguster notre festin, il y a un garçon de la classe qui aimerait bien, par un petit exposé oral, partager un secret avec vous et vous parler de son chien. Permettez-moi de vous présenter Félix Lapierre et la belle Canelle.

Félix met un certain temps à comprendre le mot de sa prof et à réaliser que son tour est venu.

Rouge jusqu'aux oreilles, mon fils chéri s'avance à l'avant en faisant signe à son père de laisser le chien venir à lui. Canelle ne se fait pas prier. Toute frétillante, elle n'en peut plus de joie et sautille follement autour de Félix. Ce dernier semble avoir momentanément oublié son rôle et il se met à caresser son chien avec tendresse.

L'enseignante revient vers l'avant et lui touche le bras pour le rappeler à l'ordre.

— Félix? Tu as des choses à nous dire, t'en rappelles-tu? Félix? Allez, parle!

Aussitôt, je le vois revenir à l'instant présent et essayer de se concentrer avec le recueillement d'un moine. Sous l'écoute attentive des parents mais quelque peu lunatique des enfants distraits par le chien, Félix entreprend quelques secondes plus tard son élocution en nous dardant dans les yeux, son père et moi.

— Moi… pas… école. Euh… voulais pas… école. Moi… pleurait fort… Mademoiselle Claire… photo Canelle… là… tableau. Moi, content… moi venu à l'école. Moi… aime Claire. Moi… aime Canelle… Moi… aime apa, aman. Euh… aime Gabrielle et… grand-maman! Aime… deux grands-mamans!

Félix arrive à mettre plusieurs mots ensemble, à suivre une idée! Wow! Retiens-moi, Jean-Patrick, sinon je vais m'écrouler. C'est trop de joie, plus que je ne peux en absorber. Sous un tonnerre d'applaudissements, les enfants se jettent sur Canelle. Elle aura droit à un beigne au chocolat, elle aussi. Quant à moi, je m'enfuis à toutes jambes dans la salle de bain, submergée par un trop-plein d'émotions. Enfermée dans une cabine de toilettes, je sanglote comme une enfant, la tête contre le mur. Mon trésor, mon petit chou, mon amour, capable de prononcer des mots cohérents devant un groupe de personnes... Je crois rêver!

Soudain, j'entends la porte s'entrouvrir doucement et quelqu'un m'appeler.

— Geneviève?

— C'est toi, maman?

— Viens, ma grande, viens-t'en fêter avec tout le monde.

Comme la petite fille qui existe encore au fond de moi, je m'effondre dans les bras de ma mère.

— Je suis aussi contente que toi, ma fille, si tu savais...

— Je le sais, maman, je le sais!

— Félix va s'en tirer, ça se voit bien! Allons, ressaisis-toi, pour l'amour du ciel. Tu es bêtement en train de pleurer de joie entre les quatre murs sales d'une toilette d'école, te rends-tu compte? Viens-t'en avant qu'il ne reste plus de jus et de beignes au chocolat!

J'éclate de rire, mais n'arrive pas plus à maîtriser mon rire que mes larmes. Un peu d'eau froide dans la figure, puis nous nous tamponnons les yeux toutes les deux avant de repartir allègrement, bras dessus, bras dessous, rejoindre ceux qui font la fête dans la classe.

À notre retour, nous retrouvons, retirés dans un coin tranquille, mon Jean-Patrick et sa mère, verre de jus à la main, en grande conversation avec mademoiselle Claire.

— Vous n'avez pas idée à quel point nous apprécions votre bon travail, mademoiselle. Félix s'est vraiment amélioré cette année.

— Oui, il compte parmi les meilleurs. Une autre année en classe de langage et il sera prêt à intégrer sa deuxième année dans une école ordinaire, je pense bien. La dysphasie ne paraîtra plus.

Je me retiens pour ne pas ajouter : « Ou presque plus… » En dépit de cette extraordinaire journée, je n'ai plus envie de cultiver l'illusion.

CHAPITRE 28

Avec les beaux jours de l'été, la paix et la sérénité, et surtout l'amour, ont réintégré notre demeure. J'ai définitivement mis une croix sur Charles Beauchemin. Il ne m'a d'ailleurs jamais rappelée, ni n'est revenu au CLSC. J'ose croire qu'il a réussi à régler les problèmes d'hébergement de sa fille.

Maman a pris, pour l'été, un congé sabbatique du CHSLD[9] où elle travaille. Elle et son beau Philippe, avec leur générosité habituelle, se sont offerts pour s'occuper des enfants durant les trois jours par semaine où je dois m'absenter pour le travail, d'ici la reprise des activités scolaires en septembre. Non seulement je peux partir chaque matin avec l'esprit tranquille, mais au retour, je découvre souvent la plate-bande désherbée, la gouttière réparée, le trottoir balayé, sans parler du souper tout préparé.

Le plus extraordinaire reste le fidèle retour de mon cher Jean-Patrick chaque jour, vers cinq heures et demie. Oh là là ! Dire que j'ai manqué cela pendant si longtemps ! Quel plaisir pour nous deux de nous retrouver, non seulement comme conjoints et parents,

---

9. Centre d'hébergement pour soins de longue durée.

mais surtout comme de bons amis, et de nous raconter nos journées tout en placotant à la table avec les enfants. Parfois, nous nous rendons ensuite avec eux au parc afin d'assister à la partie de soccer de Gabrielle ou pour aller manger une crème glacée en famille. Je n'arriverai jamais, il me semble, à m'habituer à ce petit bonheur grisant et berceur dont j'avais toujours rêvé, et pour lequel je remercie le ciel chaque jour.

Évidemment, les progrès de Félix ne s'avèrent pas aussi faramineux qu'ils l'ont paru en juin, aux derniers jours d'école. Certes, il réussit à parler quelque peu et plus clairement, mais il lui arrive encore de taper sur les nerfs de son père en s'emportant inutilement pour des vétilles. Par contre, à n'en pas douter, Jean-Patrick fait de réels efforts de tolérance et de patience, contrairement à autrefois. Quant au fils, s'il prend de plus en plus de maturité et se montre plus facile à raisonner, il ne réussit pas toujours à se retenir de bouillir de rage s'il ne saisit pas bien le sens d'une phrase. Quant à exprimer systématiquement ses sentiments, ses désirs et ses volontés autrement que par des cris, ce ne sera pas pour cette année, je le crains, en dépit des multiples améliorations dans ce sens.

Voilà que ce soir, par contre, il nous pose la dernière question à laquelle j'aurais voulu répondre. La question qui tue… Elle allait venir tôt ou tard, je le sais, et je l'attendais même, cette question, mais lâchement, au lieu de m'y préparer, je l'ai toujours esquivée et chassée de mon esprit.

Vers sept heures, en cette soirée d'insupportable canicule, Jean-Patrick et moi prenons paresseusement un thé glacé sur le patio. À nos côtés, Gabrielle fabrique des bijoux de plastique avec une copine sur la table de pique-nique et Félix joue seul dans le carré de sable. Je me désole de le voir sans ami depuis le début des vacances, en dépit de la troupe d'enfants pourtant nombreuse de notre rue. Contrairement à ce que nous avons constaté dans sa classe, il semble incapable de se lier d'amitié avec les jeunes de son âge, car les mots s'entremêlent encore trop dans son esprit. Comme il n'arrive pas à les formuler spontanément, il devient vite la risée des autres, d'où sa tendance à s'isoler.

Bien sûr, nous n'avons nullement songé à l'inscrire dans un sport organisé où il aurait dérogé continuellement aux consignes et nuit à l'équipe par manque de compréhension. « Ça viendra, ne cesse de me répéter l'orthophoniste, soyez patiente. » Patiente, patiente, je veux bien, moi ! Je ne fais que ça depuis des années, user de patience ! Mais quand je constate l'isolement dans lequel son maudit handicap le confine, je capote, c'est plus fort que moi !

Ce soir, donc, à un moment donné, je vois mon fils lâcher sa pelle et son camion à la benne remplie de sable sans raison apparente et venir me retrouver tout penaud, en se traînant les pieds sur le patio.

— Maman… moi… pas… normal, hein ?

« Moi – pas – normal », ces trois mots m'arrachent le cœur. Ils me torturent depuis des années, ces trois mots. Depuis pratiquement la naissance de cet enfant, ce bébé qui ne savait pas téter. Ces trois mots hypothèquent mon avenir et celui de mon fils et ils forment la croix que je porte. Cette croix, je la porterai tant et aussi longtemps que Félix n'aura pas franchi l'étape de la parfaite autonomie, si jamais il la franchit véritablement. Trois mots épouvantables, porteurs de cauchemars, de défaites mais aussi de luttes acharnées, trois mots au sujet desquels une mère n'a pas le droit de mentir à son enfant.

Que répondre honnêtement à une telle question ? Oui, mon fils, toi pas normal, toi pas comprendre les mots, et moi pas comprendre pourquoi toi pas capable de les mettre en ordre dans ta tête, les mots. Parfois même, toi pas capable d'en retenir le sens. Non, toi pas normal. Toi posséder une voix pour émettre des sons, crier, te lamenter, rouspéter, mais pas pour dire aisément des mots sensés et bien alignés. Toi pas normal parmi les autres enfants de l'école, et de la rue, et de l'équipe de soccer du quartier, et du monde entier.

Toi pas normal parmi tous les enfants de ton âge du voisinage qui pourraient devenir tes amis mais ne le deviennent pas, parce que toi pas normal. Toi marginal, différent, à part des autres. Toi pas normal, mais toi, je t'aime, je t'aime tant, parce que toi unique. Toi, mon petit Félix pas normal, mais toi, mon fils à moi. Toi pas si « pas normal » que ça, après tout ! Toi, super et adorable petit garçon.

Et tu n'es pas seulement un dysphasique, Félix, pas plus que le petit voisin d'en face n'est qu'un diabétique ! Tu es toi, mon fils, un merveilleux toi ! Hélas, ta marginalité se perçoit plus facilement, voilà tout ! Je me console en te sachant assez intelligent pour te rendre compte que, certes, toi pas normal, même si cela m'apparaît écœurant, révoltant et injuste. Les vrais êtres réellement dépourvus d'intelligence ne se rendent pas compte de leur handicap et ils n'en souffrent pas. Toi pas normal, mais toi intelligent, mon Félix. Et de prendre conscience de ton anomalie, à un si jeune âge, démontre ton degré élevé de compréhension. Oui, toi pas normal, mais toi pourras profiter de la vie, mon fils, peut-être en solitaire et à ta manière à toi, mais tu seras heureux, je le veux, je le veux tellement ! Et moi, maman normale, je te le promets sur ce que j'ai de plus cher.

À nous, tes parents, de cultiver maintenant ton estime et ta confiance en toi, de développer tes atouts, tes talents, ton potentiel pour qu'un jour, tu viennes nous dire en nous regardant dans le blanc des yeux comme tu viens de le faire : « Moi pas normal, mais moi bon à beaucoup de choses, et moi fier de moi. Moi gagné tous les paris, moi remporté toutes les victoires possibles. » À Jean-Patrick et à moi de lutter contre ceux qui te montreront du doigt et te rejetteront comme un bon à rien, comme un pas normal.

Maternellement, j'entoure mon petit de mes bras et prononce ma réponse d'une voix tremblante, ces mots-clés de la bataille déjà engagée depuis maintenant sept ans.

— Toi, pas tellement « pas normal », Félix... Seulement un tout petit peu ! Mais toi beau, toi fin, toi très capable. Toi, mon amour, toi, l'amour de papa et de maman... Et de Gabrielle aussi !

Je me retiens d'enchaîner d'autres mots, car il ne saurait les comprendre : « Toi seras capable de tout. Capable de réaliser tous tes rêves, d'entreprendre des études et de pratiquer le métier que tu voudras, capable de connaître l'amour d'une femme. Capable de devenir un grand homme. » Ces mots, je les garde, convaincue qu'un jour, non seulement Félix saura bien en saisir le sens, mais qu'il les prononcera lui-même et les vivra à chacun des jours de son existence.

Pour le moment, il n'en demande pas tant et s'en retourne assimiler sa propre vérité tout seul dans son carré de sable, tandis que Jean-Patrick se lève brusquement pour s'acheminer en silence vers la cuisine, sans doute submergé par un trop-plein d'émotion. Il en ressort quelques minutes plus tard en tenant un flacon et deux verres à cognac.

— Tiens, ma chérie, je pense qu'on en a besoin ! Toi, maman extraordinaire. Et moi, papa amoureux de toi... et de lui ! T'en fais pas, Félix est tombé sur une bonne famille. On l'aide au maximum. Un jour, espérons que sa dysphasie ne paraîtra plus... Ou presque plus !

L'espace d'une seconde, la vue de la bouteille de Courvoisier réanime au fond de moi un feu que je croyais éteint. Charles Beauchemin. Que devient-il ? Et que serait devenue ma vie actuelle si j'avais poursuivi la trajectoire adoptée par lui et moi, un certain soir, justement devant cette même bouteille de Courvoisier ? Et Félix, où en serait-il, présentement ? Non, je ne regrette rien. Sois heureux, mon cher Charles, mais de grâce ne viens plus hanter mes pensées, maintenant que le pardon et la réconciliation ont réinstallé un père et un amoureux dans notre maison.

Joyeusement, je frappe mon verre sur celui de Jean-Patrick.

— À notre bonheur, mon chéri !

— À notre belle famille !

Il a raison : notre fils est bien tombé. Je ne peux m'empêcher de songer à l'histoire de cette famille Jacob de quatre enfants dont j'ai réussi à connaître le triste dénouement par un appel téléphonique, cet après-midi, au bureau. L'état de grossesse de l'aînée de quatorze ans, rapportée par un médecin, m'avait mis la puce à l'oreille. Mais quand je tentais d'investiguer auprès de l'école ou d'interroger l'entourage, la famille et les enfants eux-mêmes, la mère s'interposait continuellement. Elle en est venue à porter plainte aux autorités du CLSC, me blâmant d'exagérer mes recherches et vérifications au sujet de sa famille soi-disant tout à fait normale. La grossesse de sa fille résultait, selon elle, d'un simple incident de parcours avec un vague compagnon de classe.

Incident de parcours à quatorze ans, hein ? J'ai alors multiplié mes investigations sur cette fameuse malchance. La semaine dernière, après réception de sa troisième lettre de protestations et de menaces, j'ai aussitôt appelé ma cousine Isabelle, la sergente-détective, pour lui demander d'enquêter plus profondément au sujet de cette famille fort louche.

Isabelle n'a pas mis de temps à découvrir le pot aux roses : la mère fait du travail au noir à la maison en plus d'y recevoir très souvent des amis suspects, probablement pour des raisons de prostitution. Le père, lui, est un travesti déguisé en femme avec perruque, soutien-gorge et tout. Grâce à cette enquête et, pourquoi pas, à mon flair qui l'a déclenchée, on vient de séparer les enfants de leurs parents, et la DPJ s'occupe de les placer dans un foyer d'accueil. Voilà une autre famille éclatée, d'autres enfants malheureux arrachés de leur milieu afin d'échapper à l'influence néfaste de parents inadéquats. D'autres qui n'ont pas leur mot à dire...

À bien y songer, ces petits partent dans la vie encore plus handicapés que mon Félix. Quand, devenus adultes dans quelques années, ils marcheront sur la rue parmi la foule, personne ne pourra deviner à quel point on les a meurtris et brisés à l'intérieur d'eux-mêmes, au cours de leur enfance. Et on s'attendra à ce qu'ils se comportent en personnes équilibrées, fiables et investies d'idéal, aimant la vie et croyant en leur bonne étoile. Je me demande s'ils posséderont le potentiel pour devenir d'excellents pères et mères de famille, eux qui n'ont pas connu de foyer normal. Je doute même qu'ils en aient envie.

Lors de l'appel de ma cousine de cet après-midi pour me rendre ses conclusions, j'en ai profité pour lui demander de ses nouvelles. Elle se porte très bien, et avec une fierté évidente, elle m'a annoncé que sa fille Marie-Hélène vient tout juste d'obtenir son diplôme en travail social en plus d'ébaucher des projets d'avenir avec un amoureux sérieux. Son fils Frédéric, quant à lui, terminera l'an prochain son baccalauréat en sciences appliquées à l'École polytechnique, tandis que le petit Matthieu avance allègrement au secondaire. Elle et Robert coulent des années calmes et heureuses et célébreront cette année leur vingt-cinquième anniversaire de mariage. Le temps passe, porteur de zones d'ombre mais surtout de lumière. Elle et moi ne nous sommes pas quittées sans nous donner rendez-vous pour dîner ensemble, un de ces bons midis.

En comparaison avec les enfants de la famille Jacob éparpillés de toute urgence loin de leur nid légitime et naturel, je réalise que mes enfants, tout comme ceux de ma cousine, ne démarrent pas si mal dans la vie. Me remonte soudain à l'esprit l'histoire de ce couple qui se retrouve en Hollande au lieu de débarquer en Italie, la première destination choisie et prévue. Comme ils savent faire contre mauvaise fortune bon cœur, ils décident tous les deux de s'y adapter. Ils font, en fin de compte, un excellent voyage en Hollande contrairement à d'autres qui ne cessent d'entretenir leur rage. À regarder mes deux trésors s'amuser calmement et mon conjoint siroter son cognac à mes côtés en toute quiétude, j'ai l'impression que la Hollande, après tout, ça ne semble pas si mal. Ça me paraît même un beau pays !

Après un certain temps, je ne résiste pas à l'envie de rejoindre mon petit gars sur le bord du carré de sable.

— Félix ? Dis à maman où ton camion va transporter le sable.

— Sable…

— Où le camion va-t-il vider son sable, Félix ?

— Là… sable.

Naïvement, il désigne le carré de sable du bout du doigt. A-t-il saisi le sens de ma question et signifie-t-il précisément l'endroit où il a l'intention de le décharger, ou bien me désigne-t-il tout simplement l'endroit où se trouve le sable ? Je ne le saurai jamais. L'espoir…

Gabrielle et sa copine s'approchent tout à coup et glissent à mon cou, l'air tout content, un énorme collier de perles de plastique de couleur très voyante et, ma foi, pas trop réussi.

— Je l'ai fait pour toi, maman.

— Oh ! merci, mon amour ! Je le trouve magnifique !

— Vas-tu le mettre pour aller travailler demain ?

— Euh… pourquoi pas ?

Jean-Patrick se lève alors et pénètre à la hâte dans la maison.

— Ne bougez pas, je reviens tout de suite !

Deux minutes plus tard, je le vois sortir avec son appareil photo. Sans même le lui demander, la copine se retire du portrait. Gabrielle passe alors ses bras autour de mes épaules et Félix se colle la tête contre mes genoux.

Le bonheur est revenu. Je me sens même pas très loin de la merveilleuse Italie !

CHAPITRE 29

Le mariage de Maxime Sigouin s'effectue dans la plus stricte intimité. Je suis même surprise d'avoir reçu une invitation. La mère et la sœur de Maxime, les parents de la mariée et ses deux frères, quelques rares amis, Jean-Patrick et moi, sommes présents, et personne d'autre. Au fond, cela prouve que j'ai compté pour Maxime et que je compte encore. Tant mieux si j'ai contribué, à mon humble manière, à faciliter son cheminement et à le rendre plus heureux.

Le mariage religieux ne manque pas de nous charmer, au cœur d'une magnifique église où les nouveaux époux se montrent profondément recueillis. Je me surprends à envier leur foi ardente. Qui sait si Maxime ne trouve pas là la confiance et la force de traverser ses épreuves, le cœur rempli de grâce et de lumière, lui, le prisonnier de son corps ? À n'en pas douter, les deux amoureux puiseront dans ce geste officiel devant Dieu et devant les hommes le courage d'affronter bravement l'avenir bien particulier que le destin leur réserve.

Elle, notamment, ne pourra jamais tenir une conversation normale avec son mari, n'exercera jamais d'activités physiques en sa compagnie à part pousser sa chaise roulante. Ils ne partageront pas, non plus, certains petits riens qui cimentent un couple et alimentent sa joie de vivre. Ainsi, ils ne pratiqueront aucun sport ni ne jardineront ensemble, ils ne bricoleront pas non plus dans leur maison ni ne prépareront, en s'entraidant, des petits gueuletons à déguster à la chandelle, en tête-à-tête ou avec un groupe d'amis, tout en se confiant leurs états d'âme ou en réglant les problèmes du monde. Anne épouse un homme intelligent mais aphasique et paralysé dont la condition ne s'améliorera sans doute jamais… Mais ils ont trouvé une formule d'entente et de partage, ils feront les choses à leur manière et cela relève du prodige. Je m'en réjouis sincèrement.

En ce matin lumineux de juillet, Maxime et Anne s'engagent dans un univers aux perspectives monacales, un monde intellectuel fait de compréhension, de vénération, d'amour plus spirituel que physique, un univers intellectuel meublé davantage d'âmes en fusion que de corps tendrement enlacés. Sans doute arrivent-ils à pratiquer l'amour charnel à leur manière bien à eux, mais ils ne se jetteront jamais tout à coup, sous la pulsion d'un désir fou, sur le divan de leur salon ou sur le siège arrière de leur voiture, encore moins sur une botte de foin ou derrière un bosquet, un soir de pleine lune!

Je l'avoue, Anne m'impressionne par l'immensité, la générosité du don d'elle-même offert à son Maxime chéri, avec tous les sacrifices et les renoncements à une existence normale et ordinaire que cela implique.

Une fois le «Oui, je le veux» prononcé d'une voix ferme par la mariée et par un cri éraillé du côté de l'époux, Anne glisse elle-même les anneaux dans l'annulaire de chacun. J'interprète ce geste comme le symbole précurseur des responsabilités qui lui incomberont dans l'avenir et je lève mon chapeau à cette jeune fille et à son engagement en toute connaissance de cause puisqu'elle habite avec Maxime depuis déjà quelques temps. À la fin de la célébration, le prêtre trace un signe de croix au-dessus du couple et récite pour eux une courte et dernière prière.

— Que Dieu vous bénisse, Anne et Maxime, qu'il rende votre mariage heureux et votre vie prospère, remplie de voix d'enfants.

Quoi ? Il en a de bonnes, celui-là ! Souhaiter des enfants à Maxime Sigouin, quel toupet tout de même ! Est-ce bien certain qu'il arriverait à élever un enfant ? Cette idée fait pourtant son chemin dans mon esprit. Élever un enfant ne consiste pas seulement à le nourrir et à le changer de couche, cela, Maxime ne le pourrait pas malgré toute sa bonne volonté. Mais l'éduquer, lui inculquer ses propres valeurs, lui servir de modèle de persévérance, lui transmettre son courage et sa détermination, lui faire aimer les arts, la lecture, le cinéma et, pourquoi pas, l'écriture, lui apprendre à se réaliser lui-même, malgré tout et en dépit des pires embûches, l'aider à se dépasser, ah ! ça, oui, Maxime le pourrait très bien ! Et mieux, même, que n'importe qui, j'en suis convaincue. À cet effet, il pourrait devenir, à sa manière unique et exclusive, un père sans pareil.

Instinctivement, je me rapproche de mon compagnon, tout aussi ébloui que moi par la cérémonie et surtout la beauté et la grandeur du geste, lui, Jean-Patrick, qui joue de mieux en mieux son rôle de père auprès de ses enfants. Soudain, je sens monter une bouffée d'amour, et une idée insolite émerge dans mon esprit, une idée saugrenue et hallucinante. Une idée folle que je m'empresse de chasser avec véhémence. Allons, ma vieille, tu divagues ! Applaudis plutôt les mariés qui sortent de l'église au son des cloches et de la *Marche nuptiale* de Mendelssohn jouée majestueusement à l'orgue. Regarde l'air de triomphe du marié dans son fauteuil motorisé et celui de sa femme, marchant radieusement à ses côtés, toute menue dans sa robe blanche.

L'émotion atteint son comble quand par la suite, au restaurant, la mariée demande le silence au moment de sabler le champagne. D'une main nerveuse, elle sort alors un petit carnet de son sac à main et l'ouvre fébrilement à la première page.

— À vous tous que nous aimons et qui avez accepté de partager notre bonheur, permettez-moi de lire un poème que j'ai écrit pour

Maxime, au tout début de la semaine dernière. Sachez que je ne le lui ai pas montré. Mon petit mari va découvrir le secret du message en même temps que vous tous. Il s'agit du cadeau de noces que je lui offre.

Maxime, mon petit père,
Je t'appelle du ventre de ma mère,
Je te connais déjà bien, tu sais.

Pressé contre le corps de maman,
Le tien me réchauffe souvent.
Je reconnais le son de ta voix
Et tes étranges cris de joie,
Je sens aussi ta tendresse
Quand Anne se blottit
Douillettement contre toi,
Et entre vous deux, le petit moi!

Maxime, mon petit père,
Je t'appelle du ventre de ma mère,
Je te connais déjà bien, tu sais.

Maman me parle souvent
De ton sourire si franc,
De tes yeux brillants,
De ton cran déconcertant.
Elle ne cesse de louanger
Ton courage démesuré.
Elle n'a en tête qu'une idée:
Me voir te ressembler!

Maxime, mon petit père,
Je t'appelle du ventre de ma mère,
Je te connais déjà bien, tu sais.

Je me prends à t'imaginer,
Les yeux écarquillés,
Surpris de me voir si petit
Quand je pousserai mon cri,
Ce premier cri d'amour
Lancé, au premier jour,
Pour vous deux,
Mes parents heureux.

Je t'aimerai déjà,
Mon petit papa,
Innocent et nu que je serai
Le jour où je naîtrai.
Je dors en attendant
Dans le ventre de maman
Depuis quarante-deux jours,
Le cœur déjà plein d'amour.

De la douzaine de personnes présentes dans la petite salle de réception, aucune n'a réussi à retenir ses larmes. Seuls les touchants hurlements de joie de Maxime nous ont ramenés à la réalité.

Comme pour prolonger l'ambiance religieuse de la fin de semaine, voici qu'en ce lundi suivant le mariage, la première cliente à se présenter est Marabella. La femme du Rwanda revient régulièrement au CLSC sans véritable raison, traînant avec elle ses problèmes post-traumatiques non réglés, à la suite du massacre des siens dans son pays, il y a plusieurs années. Comme d'habitude, elle ne manifeste aucune amélioration de sa condition mentale en dépit de l'aide psychologique que nous lui avons procurée sans doute trop tardivement. Ce matin, elle porte autour du cou une bonne douzaine de chapelets de toutes les couleurs en guise de collier.

— Je viens vous apporter la bénédiction de Dieu, ma chère madame Martin.

— C'est très gentil de votre part, Marabella. Comment allez-vous?

— Je vais mieux! J'ai enfin compris pour quelle raison Dieu a permis l'assassinat de mon mari à Kigali, l'an dernier.

— L'an dernier? Mais voyons, Marabella, vous avez perdu votre mari lors du génocide, et il a eu lieu en 1994!

— Non, non! Vous vous trompez! Mon mari est mort l'an passé, lors du carnage dans mon village, et savez-vous pourquoi? Dieu l'a rappelé à lui parce qu'il veut m'épouser, moi!

Devant mon air dubitatif, la femme s'empresse d'apporter des précisions.

— Oui, madame. Je vais me marier avec le Seigneur. Le Saint-Esprit est descendu en moi par l'entremise d'une lettre de mon oncle d'Angleterre qui me dit que Dieu m'attend. J'ai alors tout compris. Je m'appelle maintenant Santa Virgina Marabella, et j'attends la visite de l'archange Gabriel venant m'annoncer que j'attends un enfant, le nouveau Fils de Dieu qui viendra changer le monde.

L'espace d'une seconde, l'idée me vient à l'esprit que Marabella se trouve peut-être enceinte. Je ne me gêne pas pour lui poser directement la question à laquelle, étonnée, elle répond par la négative.

— Pas encore, madame Martin, pas encore. Mais ça viendra! Le Messie arrivera très bientôt, je vous l'annonce en primeur.

— Euh… Marabella, vous ne manquez pas de vous protéger, n'est-ce pas, quand vous avez des relations sexuelles?

— Mais je n'en ai pas, madame. Je n'en ai jamais parce que c'est péché de faire cela hors du mariage, vous le savez bien.

Fasse le ciel que son fameux archange Gabriel reste sage et… chaste! La femme m'apparaît toujours aussi détraquée, mais à part l'absurdité de son raisonnement, elle me semble bien portante, propre et en santé. Néanmoins, je vais l'envoyer de nouveau en psychiatrie pour un suivi. Une nouvelle évaluation pour départager les aspects religieux des symptômes de déficience en santé mentale serait aussi pertinente. Mais j'entretiens peu d'espoir de la voir capable, un jour, de quitter définitivement le foyer pour femmes en difficulté où elle est hébergée. Ses visites impromptues au CLSC où elle reçoit toujours de l'écoute la sécurisent et lui font sans doute du bien.

— Saluez bien votre divin époux pour moi, Marabella. Qu'il nous bénisse tous, on en a rudement besoin!

— Je vais faire bien mieux que ça : je vais lui demander de vous béatifier de votre vivant, madame.

— Mais voyons, je n'ai rien d'une sainte, moi!

— Oui, oui, vous accomplissez des miracles ici même, dans votre bureau. Je le sais, moi!

Non, malheureusement, je n'opère pas de miracles. Si j'en connaissais le truc ou la formule, bien des gens seraient guéris depuis longtemps, à commencer par mon fils. Et certainement, Maxime Sigouin et Julien, le fils de mon amie Catherine… Et tant d'autres!

Succède à Marabella une femme complètement affolée que je rencontre pour la première fois. Elle brandit, de façon agressive, une lettre gouvernementale reçue la veille et me la lance pratiquement par la tête en menaçant d'aller se suicider.

— Calmez-vous, ma belle dame, et prenez le temps de retrouver votre souffle. On va regarder ça ensemble tranquillement, vous voulez bien?

— Me calmer ? Vous voulez rire ! Qu'est-ce que vous feriez, vous, si le gouvernement vous réclamait cent dix piastres, hein ? Je le savais bien que ce maudit passé de violence me rattraperait, un de ces jours ! Elle a dû encore se plaindre, la vache, et vlà qu'on me met à l'amende, astheure. Ç'a pas de sens, stie !

— Passé de violence ? La vache ? Pouvez-vous m'expliquer calmement, s'il vous plaît, de qui il s'agit ?

— Ben… de ma mère, c't'affaire ! Même placée dans une maison de fous, la vieille me rentre encore dedans !

— Je ne saisis pas très bien.

— À m'en veut encore de l'avoir faite interner. Ma mère est rendue folle, comprenez-vous ? Complètement folle ! Pas besoin de se demander pour que cé faire que je pognais toujours les nerfs avec elle. Un soir, ç'a mal tourné. À criait comme une pardue pour rien, absolument rien. À cause des voisins, la police est venue la charcher pour la sortir de la maison pis l'amener à l'hôpital. J'vous dis que ça m'a ben débarrassée. Est jamais r'venue, y l'ont placée.

— Y a-t-il eu des plaintes officielles contre vous ?

— Non, non, j'pense pas. Ma mère avait juste qu'ques bleus que je lui avais faites, rien de ben grave. Que voulez-vous, quand on vit avec une folle, c'est normal de pardre la tête par bouttes. Je l'avais frappée un peu, mais pas trop. Y avait pas de quoi crier comme ça, en tu cas.

— Et vous venez de recevoir une amende pour cette raison ?

— Y m'ont envoyé ça à cause de l'institut où cé qu'à se trouve, astheure. L'autre jour, j'me suis pas gênée pour l'engueuler comme du poésson pourri. À faisait rien que m'ostiner pour une niaiserie en me criant par la tête comme une désâmée ! Évidemment, y m'ont dit de quitter la place, pis je leur ai résisté. Y avaient pas raison de me mettre dehors, j'vous jure. C'est le gardien, un espèce de gros cave, qui m'a faite sortir pis qui m'a dit de pus jamais r'venir, que j'étais barrée su leu liste. Pis là, vlà que le gouvernement me réclame cent-dix piastres d'amende! C'est ben simple, y auront pas une maudite cenne de moé! Ils l'savent pas, mais moé, en sortant d'icitte, je m'en vas su l'pont pour me j'ter à l'eau. Chus pus capable, pus capable…

Je m'empresse alors d'examiner la lettre attentivement et ne mets pas une minute à reconnaître la méprise.

— Il n'est pas question d'amende dans cette lettre, ma pauvre dame. Vous avez commis une erreur en faisant votre déclaration d'impôts, et Revenu Canada vous réclame la somme de cent dix dollars. Ça n'a absolument rien à voir avec votre mère.

— Hein? Quoi? Vous êtes pas sérieuse! C'est que… voyez-vous, j'sais pas lire! J'y avais dit oussi, à ma *boss*, qu'à se trompait dans ses calculs pis qu'à r'tenait pas assez d'argent su ma paye. Ben à va entendre parler de moé, pis tu suite!

— Une minute, une minute… Dites-moi où vous habitez. Quelqu'un s'occupe-t-il de vous? Voyez-vous un médecin de temps en temps?

— Ben… non, j'm'arrange pas pire tu seule, j'ai ma tite job à manufacture, pis ça me suffit. Pis des docteurs, j'ai pas besoin d'ça! Chus pas malade pantoute, moé!

— Je vais vous prendre un rendez-vous pour une évaluation chez un psychologue. Il s'agit de vérifier si vous n'auriez pas besoin d'une thérapie ou de médicaments. Cela pourrait vous soulager de vos souffrances et vous enlèverait l'envie d'aller sur le pont.

— Des pilunes? J'en veux pas! J'ai pas besoin de rien, je viens de vous l'dire!

— Faites-moi confiance et ne manquez surtout pas cette rencontre importante. Cela va sûrement vous aider. Je pourrais même vous accompagner si vous ne voulez pas y aller seule.

Je la regarde partir, billet de rendez-vous en main, aussi énervée qu'à son arrivée malgré mes insistants appels au calme. Que deviendra-t-elle ? Je gagerais ma chemise qu'elle ne respectera pas notre entente et qu'elle ne se rendra jamais à ce rendez-vous.

Quelques minutes plus tard, le temps d'aller me chercher un café, je trouve, assis devant moi, un jeune homme d'une vingtaine d'années tout à fait décontenancé. Issu du troisième mariage de sa mère qui n'a pas plus fonctionné que les deux premiers, Sylvain n'a jamais connu ses frères et sœurs. Sa grand-mère paternelle l'a élevé tant bien que mal. Les visites de sa mère se faisaient rares et fort traumatisantes et dégénéraient systématiquement en engueulades et disputes entre les deux femmes. À la longue, Sylvain s'est mis à détester sa mère et à refuser de la voir, ce pour quoi elle n'a jamais protesté. À la longue, elle a complètement cessé de le visiter. Quant à son père, Sylvain ne l'a à peu près pas connu car l'homme, en quittant le foyer, est retourné vivre dans son pays d'origine.

Le garçon avait quinze ans quand sa grand-mère est décédée. Désorienté, révolté et décrocheur scolaire, il a été pris en charge par la DPJ qui l'a placé dans un foyer jusqu'à l'âge de dix-huit ans. Ensuite, il a dû se débrouiller par lui-même. D'une jobine à l'autre, d'un déménagement à l'autre, d'un gang de rue à l'autre et, inévitablement, d'un *trip* de drogue à l'autre, le pauvre garçon s'est retrouvé à quêter sa pitance sur le coin des rues.

— Ils vont me tuer si j'y vais pas. J'sais plus à qui m'adresser pour qu'ils me fichent la paix.

— De qui parles-tu donc ?

— Deux gars avec qui je me tenais au parc. Ils me font des menaces si je ne vais pas… euh… si je ne fais pas les mauvais coups qu'ils m'obligent à faire. Je leur dois de l'argent, vous comprenez.

— Tu devrais aller raconter ça à la police, mon Sylvain, si tu te penses sérieusement en danger et as besoin de protection.

— Jamais de la vie ! C'est que… j'ai déjà fait quelques mauvais coups, moi aussi, vous comprenez. Je ne vais tout de même pas aller raconter ça à la police !

Le jeune homme tape nerveusement du pied sur le sol et je vois son corps s'agiter de soubresauts pendant que ses doigts taponnent les bras de sa chaise comme s'il jouait du piano.

— Là, je vous fais des confidences, madame. J'espère juste que ça ne sortira pas d'ici !

— Tu n'as pas à t'inquiéter de ça. Mais dis-moi, Sylvain, es-tu vraiment décidé à changer de vie ou bien as-tu seulement peur ? Là, j'exige ta franchise. Je peux t'envoyer voir un travailleur en intégration sociale et t'aider à trouver un travail sérieux. Je pourrais même t'envoyer temporairement dans un foyer d'hébergement en attendant de te trouver un logement.

— Je le sais pas, je le sais plus…

— Si tu es vraiment décidé à fonctionner comme un honnête citoyen, je vais t'aider. Je peux même appeler la police pour toi sans donner ton nom, si tu veux.

Le bonhomme est reparti sans me donner de réponse.

Misère humaine… Quand l'indifférence et l'irresponsabilité des parents brisent à l'avance l'avenir d'un enfant, quand des broutilles deviennent des drames comme pour cette femme aux prises avec un problème de santé mentale, ou encore pour Marabella de plus en plus déconnectée de la réalité. Je me console en pensant que des tragédies peuvent parfois se métamorphoser en de merveilleuses histoires comme celle de Maxime et d'Anne, comme celle de Julien qui ne deviendra jamais plus intelligent mais qui mène une vie acceptable et heureuse.

Oui, à bien y songer, j'aimerais bien pouvoir accomplir des miracles. Des vrais ! Je pense que je m'offrirais le luxe de changer le monde ! À tout le moins, bien du monde.

CHAPITRE 30

Septembre s'est rapidement pointé avec son cortège d'événements, en général prévus et joyeux pour la plupart. Nous nous sommes retrouvés tout d'abord, pour le congé de la fête du Travail, dans la suite d'un petit motel sur le bord du fleuve, à Sainte-Luce-sur-Mer. Les quatre membres de ma famille habitaient l'une des chambres, ma très charmante belle-mère dormait dans l'autre, avec défense formelle aux enfants d'y pénétrer sous aucun prétexte. Les atomes crochus n'existent guère entre elle et moi, je l'avoue, et il y a belle lurette que nous avons écoulé quelques jours de vacances en sa compagnie. Mais il reste que Norma est la mère de Jean-Patrick et la grand-mère de mes enfants, et je me fais un devoir d'organiser parfois des moments en sa compagnie, si assommante puisse-t-elle se montrer.

Et puis, à vrai dire, une idée concernant le quarantième anniversaire de Jean-Patrick me chicotait depuis plusieurs semaines, et j'avais besoin de l'aide de belle-maman pour la réaliser. Cette petite grande idée, née pendant la cérémonie de mariage de Maxime Sigouin, a fait son chemin dans ma tête et dans mon cœur tout au long de l'été. Une idée folle. Une idée folle et belle. Une idée grandiose.

J'en ai donc profité pour confier mes plans à cette chère Norma, au moment où Jean-Patrick a emmené les enfants en excursion de pêche avec les gens du village. À mon grand soulagement, alors que je m'attendais à une crise de protestations, elle a tout de suite endossé mon projet. Nous en avons reparlé à plusieurs reprises en préparant les repas ensemble ou quand notre homme partait sur la plage avec sa progéniture, à la recherche de coquillages ou de je ne sais trop quels trésors.

Finalement, les vacances se sont avérées agréables et, Dieu merci, Félix s'est bien comporté pendant ces quelques jours. La grand-mère a même fait une remarque fort élogieuse à son sujet.

— Je n'en reviens pas de ses progrès ! Il ne fait presque plus de sautes d'humeur et il comprend de mieux en mieux ce qu'on lui dit. Un vrai miracle !

L'espace d'une seconde, l'image de Marabella voulant me béatifier m'a effleuré l'esprit et je n'ai pu réprimer un sourire narquois. Puis, j'ai failli répondre à Norma que les miracles, c'était Félix lui-même qui les avait réalisés grâce à ses efforts et à la sollicitude de son professeur et des spécialistes de son école, sans oublier le soutien de ses parents et de sa grande sœur. Sans oublier, non plus, l'assistance de son autre grand-mère, Nicole, qui s'est occupé de lui trois jours par semaine tout au long de l'été, ressortant les jeux fournis par l'orthophoniste tout au long de la dernière année scolaire. Mais j'ai préféré me taire et entériner gentiment ses prétentions au miracle.

— Oui, avec le temps, il va s'en sortir la tête haute, aucun doute là-dessus !

Ainsi, la plupart des détails à régler concernant l'organisation de la fête de mon conjoint se sont relativement mis en place, à ce moment-là, pour le samedi, vingt-cinq septembre, jour précis de son anniversaire. En début de journée, ma belle-mère devra réclamer l'aide de son fils pour effectuer quelques réparations dans sa maison, travaux ne devant pas s'éterniser plus tard que vers quatre heures et demie. Ce jour-là, après l'appel de Norma, je m'entendrai avec Jean-Patrick pour aller le rejoindre chez sa mère, en fin d'après-midi. Je le mettrai alors au courant d'un souper d'anniversaire justement organisé chez elle. J'insisterai donc pour lui faire apporter des vêtements propres : « Tu connais ta mère, même s'il s'agit d'un simple repas de fête en famille, tu dois te montrer à ton meilleur. Qui sait si elle n'aura pas décidé d'inviter ta sœur et ton beau-frère, et même ton oncle et ta tante. » Je le voyais déjà lever les yeux au ciel en soupirant, mais il mordrait à l'hameçon, je ne lui en laisserais pas le choix, parole de Geneviève Martin !

Je ne m'attendais pas à voir belle-maman approuver ce projet des plus extravagants et accepter de bon gré de jouer le jeu. Je la sentais tout excitée et fière d'y tenir un petit rôle, et cela m'a confortée dans cette initiative plutôt farfelue pour laquelle j'ai tout de même hésité un peu.

— Parfait ! Je vais lui dresser une liste de petites choses à faire, comme en ont toutes les femmes vivant seules dans une maison. Il n'aura pas le choix d'accepter de dépanner sa pauvre mère. Ça le tiendra certainement occupé pour une bonne partie de la journée, tu vas voir.

Je suis donc revenue de ce congé à Sainte-Luce-sur-Mer heureuse et reposée, main dans la main avec un Jean-Patrick jovial, ne se doutant pas le moins du monde de la jolie manigance tramée dans son dos. Quant aux enfants, j'ai décidé de ne pas les mettre dans le coup. Félix n'y comprendrait rien de toute façon, et Gabrielle me semble trop bavarde. Trop facile de vendre la mèche !

Il me reste maintenant à aviser mon frère Simon et les siens, de même que les membres de la famille restreinte des Lapierre. Maman et Philippe Beausoleil sont déjà au courant. D'ailleurs, le frère de Philippe a gentiment accepté de parrainer mon projet. Ne reste plus qu'à compter les jours et à me croiser les doigts pour que tout se déroule tel que prévu.

Le lendemain de notre retour de Sainte-Luce, la rentrée scolaire s'est bien passée. Gabrielle avait hâte d'étrenner ses souliers et son sac d'école et surtout de découvrir quels élèves composeraient sa nouvelle classe. Félix, lui, a retrouvé ses amis de la classe de langage avec une certaine timidité, au premier abord, mais tous n'ont pas mis de temps à recréer le profil amical de juin dernier. Un seul élève sur les huit a été en mesure de passer en deuxième année régulière, après avoir recommencé à deux reprises la classe spécialisée. Certains en sont à leur troisième et même à leur quatrième redoublement. J'ai bon espoir que Félix s'en tirera très bien cette année et pourra passer en classe régulière, l'an prochain.

En pénétrant dans le local, j'ai aussitôt remarqué la photographie de Canelle, toujours accrochée sur le babillard d'en avant. Félix l'a d'ailleurs pointée du doigt en souriant.

— Canelle… là !

S'il apprécie encore la présence de ce portrait, je mettrais ma main au feu qu'il ne lui est plus indispensable comme l'an dernier. Mon fils a grandi, mon fils semble moins perdu, mon fils prend de l'assurance. Mon fils est beau et j'en suis fière. Et moi, sa mère, je me réjouis de pouvoir respirer enfin, de regarder sans frémir le versant de la montagne qu'il reste à grimper avant de pouvoir regarder de l'autre côté. Mais je ne me sens plus seule maintenant, Jean-Patrick me soutient en dépit de ses maladresses et de ses hésitations. Dorénavant, je peux remplir mon coffre d'espoir d'éléments concrets et positifs. Félix a retrouvé son vrai père, et le vingt-cinq septembre prochain, Jean-Patrick verra à quel point je lui suis reconnaissante.

❧

Le jour fatidique du vingt-cinq est enfin arrivé. Tout marche comme sur des roulettes à une exception près. Ma belle-mère me racontera plus tard que vers les quatre heures de l'après-midi, Jean-Patrick se trouvait encore à quatre pattes par terre, la tête enfouie au fond de l'armoire sous le lavabo, en train de se battre avec un tuyau qu'il n'arrivait pas à fixer. Elle avait beau le supplier, il refusait d'abandonner.

— Si j'arrête, tu ne pourras pas te servir de ton robinet, maman. Dans une cuisine, c'est impensable ! Aussi bien le réparer tout de suite, ça m'évitera de revenir demain. Et tu en auras besoin ce soir, non ?

— Tu continueras plus tard, ou bien je ferai venir un plombier d'urgence demain matin, voilà tout ! Viens, lâche tout ça et va prendre ta douche. Geneviève va arriver d'une minute à l'autre avec les petits et toi, tu ne seras pas prêt.

En se redressant sur ses genoux, Jean-Patrick a, paraît-il, pris conscience tout à coup du fait que sa mère n'avait rien préparé pour le souper de fête auquel il s'attendait.

— Ben quoi ? On mange pas ici ?

— Non, on a changé d'idée. On s'en va au restaurant. Ta femme s'est occupée des réservations.

— Ah ? Elle ne m'en a pas parlé. D'habitude, elle me consulte.

— D'ailleurs, je ne vais pas partir avec toi et Geneviève. Mon frère doit venir me chercher.

— Mon oncle doit venir te chercher ? Comment ça, mon oncle vient aussi ? Ah bon…

Quand, une demi-heure plus tard, Jean-Patrick en complet et cravate vient me rejoindre dans la voiture avec plusieurs minutes de retard sur l'horaire prévu, il ne se doute pas de ce qui l'attend. Il m'apparaît plutôt préoccupé et s'assoit du côté du passager sans remarquer ma mise en plis toute fraîche, ni mon nouveau costume de velours bleu roi. C'est à peine s'il salue les enfants assis à l'arrière.

— Allo, mon chéri, as-tu passé une bonne journée?

— Pas vraiment, je ne suis pas venu à bout de ce maudit tuyau. Je devrai retourner chez maman, demain matin. Merde! Heureusement qu'on va manger au resto.

— Oublie tout ça, pour le moment, mon amour. On s'en va fêter ton anniversaire et c'est le temps d'être joyeux, Jean-Patrick. Très joyeux! Et heureux…

— Quarante ans, tu trouves ça joyeux, toi?

Doucement, je lâche le volant pendant quelques secondes et pose la main sur son genou, ce qui réussit à le calmer quelque peu.

— Je te trouve encore plus beau, dans tous les sens du mot, à quarante ans qu'à trente-huit ou trente-neuf, moi!

— On s'en va où, comme ça? Coudon, c'est quoi toutes ces combines? Je pensais qu'on mangeait chez ma mère, moi!

— Tu verras…

Lentement, la voiture parcourt quelques kilomètres et s'engage dans le stationnement de la maison-mère des Pères Oblats de Marie-Immaculée. Quand je vais me garer du côté de la petite chapelle surmontée d'un clocher, Jean-Patrick se tourne vers moi d'un air ahuri.

— Geneviève, veux-tu me dire…

Trop émue pour parler, je laisse aux enfants, mis au courant seulement cet après-midi, le soin d'expliquer la suite des choses. Et comme je le désirais secrètement, c'est Félix lui-même qui annonce à son père ce qui va se passer.

— Papa… toi… marier maman!

Et Gabrielle de renchérir, de sa petite voix cristalline.

— Et maman va s'appeler madame Lapierre à partir d'aujourd'hui !

— Ah ! ça, c'est moins certain, ma fille. De nos jours, les femmes mariées conservent leur nom de jeune fille, tu sais.

N'en croyant pas ses oreilles, Jean-Patrick me lance un regard ahuri.

— Comment ça, on va se marier ? Quand ça ?

— On va se marier tantôt, mon amour ! Le prêtre nous attend. À moins que tu ne refuses…

— Quoi ? On s'en va se marier tout de suite ? Là, maintenant ? Voyons donc, je dois rêver ! Et tu as manigancé ça toute seule ? Je n'en reviens pas, je n'en reviens tout simplement pas ! Mais comment as-tu pensé à ça, Geneviève, pour l'amour du ciel ?

— Comment ne pas y avoir pensé, tu m'as tant de fois dit avoir envie de m'épouser, Jean-Patrick. J'ai décidé de te devancer. Ma réponse c'est : oui, je le veux ! Voilà mon cadeau pour tes quarante ans : moi, moi toute entière et avec deux enfants collés à mes jupes ! Pour le meilleur et pour le pire ! Et pour toujours ! Es-tu content, mon amour ?

— Mais… Mais oui, je suis content, qu'est-ce que tu penses ! Mais je n'en reviens pas encore. Moi, Jean-Patrick Lapierre, je m'en vais me marier dans quelques minutes ! Wow ! J'y ai souvent songé, tu as raison, mais jamais je n'aurais pensé voir ce rêve se concrétiser de la sorte. Aujourd'hui même ! Mon amour, mon amour… Mais dis-moi, où va-t-on se marier ?

— Pour tout de suite, on se marie ici, dans la chapelle du monastère. Le frère de Philippe est prêtre missionnaire, le savais-tu ? Père Jean-Claude Beausoleil. Il se trouve justement en visite pour quelques semaines au Québec et il a gentiment accepté de bénir notre mariage dans une cérémonie courte et intime. Et puis, mardi soir prochain, nous avons rendez-vous chez un notaire pour signer le contrat civil.

Gabrielle trépigne d'impatience à l'arrière de la voiture en agitant un œillet blanc à fixer à la boutonnière de son père et un bouquet de roses blanches pour sa mère.

— Regarde, papa, c'est moi la bouquetière.

— Et moi… tit page !

Félix lui tend alors un petit écrin de velours contenant deux anneaux d'or tout simples, minutieusement choisis chez le bijoutier du quartier. Ces objets concrets et tangibles achèvent de ramener Jean-Patrick à la réalité. En sortant de la voiture, il me prend dans ses bras, le visage cramoisi par l'émotion. Non, nous ne sommes pas en train de rêver. Je sens les larmes me mouiller le visage. Un miracle est réellement en train de se produire. Un miracle… ça existe donc pour vrai ?

— Vite, entrons avant que mon maquillage ne se dilue dans le déluge d'amour du siècle. Venez, les enfants.

Félix, dans sa naïveté, contribue à détendre l'atmosphère.

— Moi aussi… veux marier maman !

C'est main dans la main tous les quatre, nos deux enfants entre nous, que nous pénétrons dans l'édifice. Dans l'immense hall d'entrée du monastère, nos proches nous attendent, et leurs applaudissements retentissent sourdement jusqu'à la voûte.

Les applaudissements les plus joyeux de ma vie… Oui, un véritable miracle !

CHAPITRE 31

Bien installée au fond du plus grand fauteuil du salon, un roman plutôt ennuyeux sur les genoux, je regarde distraitement par la fenêtre les oiseaux virevolter autour des arbres déjà parés des couleurs de l'automne. Les hirondelles ont abandonné la cabane de Gabrielle depuis belle lurette, mais lorsque survient un énorme geai bleu sur le perchoir de la mangeoire, les minuscules mésanges, les petites sittelles et tous les autres oiseaux de taille inférieure s'enfuient aussitôt sans même protester. Dure loi que cette loi de la nature, la loi du plus fort, la loi du geai bleu…

Les mois se sont additionnés pour former une année sans trop d'histoires, ni fantastiques ni pathétiques. Au printemps dernier, la femme de Maxime Sigouin a mis au monde une jolie petite fille en parfaite santé. Dès le début de sa grossesse, le médecin a prescrit une recherche génétique sur l'embryon afin de vérifier si le bébé était porteur ou non de la maladie de son père. En général, dans les cas de dystrophie musculaire, les filles en sont les porteuses mais n'en souffrent pas. Les tests s'avérant négatifs, mes amis Anne et Maxime sont finalement devenus parents d'un adorable trésor. Les parents les plus heureux du monde.

Quant à ma nouvelle existence de femme mariée, peu de changements sont survenus en réalité. Plus de treize mois se sont écoulés depuis notre mariage impromptu, et notre vie simple et normale suit son cours. Mon cher mari, s'il a complètement renoncé à ses idées de fuite, reste fidèle à lui-même et s'en remet à sa tendre épouse pour la thérapie et les exercices de son fils. J'en ai fait mon deuil avec l'aide de ma psychologue, et, depuis ce temps, l'atmosphère nous semble plus détendue. Jean-Patrick reste néanmoins un époux prévenant et un père aimant, adoré de tous les siens.

Gabrielle, quant à elle, commence à prendre des allures et des attitudes d'adolescente. Elle se montre de plus en plus indépendante et tournée vers elle-même au grand désespoir de son frère qui voudrait la voir se plier encore à ses caprices et se mêler avec autant d'intérêt qu'autrefois à ses jeux de cape et d'épée. Félix, lui, a beaucoup grandi et dépasse presque d'une tête certains élèves de son âge. Malgré nos problèmes familiaux réglés, la thérapie en orthophonie, la belle réussite dans sa classe de langage et la maturité venant avec l'âge, mon fils demeure un enfant différent, fragile et vulnérable, requérant des besoins bien particuliers.

La décision à prendre quant à son inscription scolaire pour cet automne ne s'est pas avérée facile. En dépit du succès indéniable de son intégration, l'an dernier, dans la classe de langage de mademoiselle Claire, valait-il mieux poursuivre dans une classe à effectif réduit ou bien l'inscrire au cours régulier ? L'enseignante nous a sagement conseillés, je crois.

— Félix est maintenant apte à affronter les exigences d'un enseignement normal. Évidemment, sa dysphasie serait davantage prise en considération dans une classe à effectif réduit d'un autre groupe d'âge, et ses apprentissages s'effectueraient plus facilement. Cependant, si vous l'inscrivez dans une deuxième année ordinaire, on pourra lui offrir une assistance pédagogique personnelle et des rencontres chez l'orthophoniste, non plus hebdomadaires mais toutes les deux semaines, cette fois. Selon moi, le plus vite il rejoindra une classe ordinaire, le mieux il bénéficiera de modèles normaux. Qu'en pensez-vous, madame Lapierre ?

Je me préparais à applaudir à la suite de ce discours quand a suivi la douche froide lancée sans ménagement.

— Félix maîtrise de mieux en mieux sa compréhension du langage et pour les matières académiques, il s'en tirerait assez bien, je crois, sauf naturellement en français pour lequel il recevrait de l'aide. Cependant, il ne saisit pas toujours du premier coup et, de temps à autre, il lui arrive de s'exprimer avec difficulté et hésitation. Tout cela peut risquer de le marginaliser quelque peu, je le crains.

— Ah ! mon Dieu… Pourrait-il souffrir d'intimidation de la part des autres élèves ?

— Tout est question de personnalité. Il s'agit de cultiver sa confiance en lui en travaillant ses habiletés sociales et en développant ses talents. La psychologue de l'école vous expliquerait cela mieux que moi. Et il importera d'en consulter une si jamais vous constatez cet état de choses. Malheureusement, les listes d'attente peuvent s'allonger jusqu'à six mois et même un an. À moins qu'il se trouve une psycho-éducatrice dans l'école de votre quartier pour faire le travail, ce qui n'est pas le cas partout.

Finalement, après réflexions et discussions, Jean-Patrick et moi avons néanmoins opté pour la classe ordinaire. Hélas, mademoiselle Claire ne se trompait pas. Après moins de deux mois d'école en deuxième année régulière, Félix rentre à la maison en pleurant, certains jours. On a ri de lui durant le cours d'éducation physique parce que, n'ayant pas bien compris la consigne, il a lancé le ballon dans son propre filet. L'autre jour, quand il a perdu le fil de son idée par nervosité lors d'un petit exposé oral pour lequel je l'avais pourtant bien préparé, il a fait l'objet de moqueries de la part de ses camarades. Dans la cour de l'école, certaines têtes fortes le surnomment cruellement « Ortho ». Trop souvent, il se retrouve seul dans son coin, laissé-pour-compte.

De plus, les dix heures d'aide pédagogique par semaine promises se réduisent à deux pour le moment, faute de personnel. Et on me laisse peu d'espoir de voir les choses s'améliorer dans un proche avenir malgré mes appels à répétition à la direction. Non seulement on manque de personnel, mais les budgets semblent de plus en plus limités. « Que voulez-vous, ma pauvre dame… »

Ce que je veux ? Surtout pas qu'on achète des meubles ou des chaises dans le salon du personnel avec l'argent qu'on devrait consacrer aux enfants en difficulté ! Tant et aussi longtemps que je n'obtiendrai pas gain de cause, la direction va entendre parler de Geneviève Martin-Lapierre, qu'on se le tienne pour dit ! La révolte gronde en moi. Pourquoi m'avoir promis ce qu'on savait très bien ne pas pouvoir offrir ? Même la psychologue, présente dans l'école uniquement deux jours par semaine, ne pourra nous recevoir avant le début du mois prochain.

En cet après-midi de congé où je devrais m'évader dans un roman me transportant au début du siècle et à l'autre bout de l'univers, je n'arrive pas à faire le vide. À la pensée de mon pauvre Félix, je sens monter la colère, une colère froide et insidieuse devant l'indifférence soudaine, sinon l'impuissance du milieu scolaire face aux problèmes des enfants handicapés.

Pendant encore combien d'années devrai-je me battre pour mener Félix vers la normalité ? Brusquement, je me lève et ferme les draperies d'une main rageuse. Je déteste les geais bleus et tous les gros oiseaux de la nature et je ne veux plus les regarder, fussent-ils les plus beaux. Qu'ils aillent au diable avec leur instinct de survie et leur rejet des plus petits !

⌘

— Vous savez, madame, l'intégration d'enfants en difficulté dans une classe normale ne va pas sans problèmes. Les ressources pour accompagner les enfants ne sont pas toujours au rendez-vous, on a dû vous prévenir.

— Prévenir, prévenir… Ça ne change rien au problème et ça ne constitue pas une excuse, que je sache, même si on nous a avertis ! En fait, Félix se tire très bien d'affaire dans les matières scolaires de base. Nous venons vous consulter au sujet de l'intimidation dont il fait l'objet dans la cour de l'école. L'intimidation et parfois même le rejet méchant. Je jette un œil à Félix, assis à mes côtés. Il reste sans réaction, complètement détaché de la conversation, obnubilé par l'agitation d'un petit robot démontable offert par la psychologue.

Elle me regarde avec un certain détachement. Cette femme d'une quarantaine d'années, élégante et plutôt distante, se trouve confrontée quotidiennement à ce genre de choses comme moi, je le suis à mon bureau avec l'itinérance et les troubles de santé mentale. Elle ne va pas se mettre à brailler de sympathie, de toute évidence. Cela ne réglerait rien, de toute manière.

— Je comprends votre emportement, ma chère dame. Nous allons revoir tout cela ensemble, si vous le voulez bien. Bien sûr, il ne s'agit pas pour vous et moi de changer le système scolaire ni le comportement de ses compagnons et compagnes de classe. Ce dernier élément relève de son professeur et elle y voit, soyez-en certaine. Son rôle est de stimuler chez ses élèves la conscience des autres, le respect des différences et l'empathie. Mais la nature humaine étant ce qu'elle est, certains requins continuent et continueront toujours d'exister en dépit des discours de morale, des rappels à l'ordre, des copies et des retenues. Il incombe à Félix de faire sa place en changeant d'attitude et en s'imposant au lieu de s'écraser. Voilà sur quoi nous allons travailler. Une personne irradiant la confiance et le respect devient rarement victime d'intimidation. Écoutez-moi bien, ce que je vous dis là s'avère de prime importance.

— Comment voulez-vous que mon fils se montre sûr de lui alors qu'il ne saisit même pas tout ce qui se dit autour de lui et éprouve de la difficulté à s'exprimer lui-même ?

— Il s'agit premièrement de cultiver son estime de soi. Commençons d'abord à la maison. Comme la plupart des mères d'enfant handicapé, vous avez dû le surprotéger depuis sa naissance. Ai-je raison ?

— … Oui !

— Vous avez dû tout prévoir, régler, orchestrer votre vie de famille en fonction de Félix, n'et-ce pas ?

— On n'avait pas le choix, il me semble !

Oui, tout a été organisé à cause de son handicap. Où est l'erreur ? S'imagine-t-elle qu'on aurait pu agir autrement et se ficher de lui ? Du bébé qui ne savait pas téter et qui pleurait tout le temps, du bambin qui se roulait par terre en hurlant pour un rien, du jeune enfant pas fichu de comprendre ni de dire des mots, du petit garçon encore aux couches à cinq ans et incapable de réussir normalement sa maternelle, cette femme s'imagine-t-elle que sa mère n'allait pas s'en soucier ? «Surprotéger» est un mot que je refuse d'entendre.

L'envie me prend tout à coup de me lever et de m'en aller en lui faisant un doigt d'honneur. Et elle va me dire que j'oriente même mes réactions émotives en fonction de mon fils, je suppose ? Allons, ma vieille, garde ton calme. Pense plutôt à Félix, tu es venue pour lui, pour lui seul…

Prenant conscience de la froideur de mon silence, à la suite de ses paroles, la femme s'empresse d'ajouter un peu de baume à ses prétentions.

— L'équilibre n'a pas dû s'avérer facile à trouver, je peux très bien comprendre cela, madame. Il ne s'agit pas ici de blâmer qui que ce soit. Je veux simplement vous faire réaliser que, de nos jours, même dans les familles normales, règnent très souvent, pour l'enfant-roi, le «tout cuit dans le bec pour mon trésor», le «tout prévu pour mon pauvre petit» quand ce n'est pas le «tout permis pour mon adorable petit monstre». Imaginez alors les familles comportant un enfant en difficulté ! Aujourd'hui, certains jeunes n'ont pas à se casser la tête pour organiser leurs temps libres, pas plus qu'ils doivent négocier pour faire valoir leur point de vue. Tout est anticipé, planifié et décidé à l'avance pour favoriser leur bien-être, leur plaisir et la réussite facile de leurs performances. On cherche le meilleur pour eux, quoi ! Je connais un père qui loue personnellement un aréna au complet, une heure par semaine, seulement pour améliorer les prouesses au hockey de son fils de huit ans ! Ce genre de zèle a pour conséquence de mal armer ces enfants-rois pour faire face aux vrais problèmes de la réalité, une fois à l'âge adulte. Cette réalité, vous le savez comme moi, ne ressemble pas toujours à un pique-nique ou à une partie de plaisir comme on a semblé vouloir le leur faire croire pendant des années.

— Mon fils a toujours fait valoir son point de vue à sa manière, vous saurez ! Des crises, il en a faites, probablement à cause de son incapacité à s'exprimer. La dureté de la vie, il la connaît déjà, n'en doutez pas un instant !

— Justement ! Le temps des crises doit s'estomper et Félix doit apprendre à faire valoir autrement sa façon de voir les choses.

— Mais il le fait depuis longtemps, madame ! Laissez-moi vous dire que ses crises deviennent des événements de plus en plus rares. Il sait maintenant se contrôler.

La femme se tourne vers lui et lui offre son plus beau sourire.

— Eh bien, bravo, mon Félix ! Tu deviens réellement un grand garçon raisonnable et je suis contente de toi !

Le grand garçon raisonnable, à cent lieues de notre conversation et toujours occupé à manipuler son jouet depuis une demi-heure, sursaute en s'entendant interpeller.

— Euh… quoi ?

L'idée me vient de lui répéter textuellement le compliment de la psychologue, mais cette dernière ne met pas de temps à m'interrompre.

— Excusez-moi, madame Lapierre, mais Félix peut très bien se débrouiller tout seul pour me répondre sans votre aide. Ainsi, il fera un nouveau pas vers l'autonomie. S'il n'a pas compris mon compliment, il est tout à fait en mesure de m'en aviser. Je reprendrai alors ma phrase et il se sentira fier de pouvoir échanger de lui-même avec moi, sans votre assistance.

Elle s'adresse alors à l'enfant.

— Dis donc, Félix, ta maman affirme que tu es devenu un grand garçon sage. Je te dis un beau bravo!

— Oui, moi sage. Bravo!

— Voilà! Ainsi naît la fierté. Dorénavant, madame Lapierre, il vous faudra en faire le moins possible à sa place. À la longue, de petite victoire en petite victoire, à force de s'en tirer tout seul, il prendra de l'assurance et améliorera l'estime de lui-même. Voilà le meilleur conseil que je puisse vous donner au sujet de ces malheureuses provocations subies à l'école. Je vous le répète : ceux qui ont confiance en eux se font rarement intimider. Au contraire, ils s'attirent des amis. Quant aux élèves de sa classe, je vous promets d'insister auprès de sa prof. Elle y verra de plus près.

Je ravale ma salive. Même si cela me remue passablement, cette femme parle en connaissance de cause et a parfaitement raison. Je dois l'admettre et accepter la leçon. Mais, emportée par son désir de me convaincre, elle ne me laisse pas le temps de lui répondre et poursuit son discours.

— Donnez-lui plus de responsabilités à la maison. Ses proches devraient être les premières personnes à le considérer désormais comme un enfant normal à part entière et non comme un pauvre petit handicapé souffrant de dysphasie. Et je parle autant pour la grande sœur, probablement très maternelle, que pour ses parents.

— En effet, Gabrielle se montre plutôt surprotectrice… comme moi !

— Au lieu de continuer à cultiver ses talents de manipulateur auprès des siens, Félix doit maintenant développer ses autres qualités, ses aptitudes, ses habiletés, ses centres d'intérêt, et se faire valoir dans ses activités préférées. A-t-il des dispositions pour certains arts ? Ou pour les sports ?

— Rien ne ressort vraiment pour le moment, à part une certaine habileté à dessiner. Nous aurions aimé l'inscrire dans un sport d'équipe mais n'avons pas osé. Trop risqué d'y subir de la discrimination, justement, à cause de son incompréhension des consignes, des règlements et tout…

— Dans ce cas, il existe des sports individuels pour le valoriser. Je ne sais pas, moi, la natation ou le karaté, par exemple. Et pourquoi pas adhérer à un club de jeu d'échecs ou de philatélie ? Il importe que Félix excelle dans une sphère ou une autre, quelque chose bien à lui où il se sentira sûr de lui-même. Grâce à cette activité, il pourra épater ses compagnons.

Voilà une bonne idée et j'y pense depuis longtemps. D'entendre la psychologue me la répéter m'encourage à m'y mettre plus sérieusement. Ou plutôt à y mettre Félix plus sérieusement ! Pourquoi pas le racquetball ou le tennis ? Il adorerait jouer avec son père au club sportif. On pourrait l'inscrire à des cours. Et l'été prochain, il pourrait jouer au parc dans l'équipe du quartier.

Soudain, je vois la psy se lever et se pencher au-dessus de Félix en appuyant ses mains sur les bras de la chaise.

— Quant à toi, mon garçon, pas question de te laisser achaler par les autres, compris ? Et il ne faut jamais pleurer devant les méchants qui veulent te faire pleurer. Quand ils t'agacent ou se moquent de toi, tu leur montres ta main et tu leur réponds : « Parle à ma main ! Moi, je ne veux pas te parler ! » Es-tu capable de me répéter cela, mon Félix ?

— Parle à ma main ! Moi... pas te parler !

— Super ! Puis tu te retournes en leur disant : « Va-t'en, j'ai pas besoin de toi ! »

— Va-t'en... pas besoin toi !

— Parfait ! Si tu agis de la sorte, sais-tu ce qui va se passer ? Les méchants vont s'en aller, déçus de ne pas te voir pleurer. Et tu vas pouvoir te faire des amis avec les autres enfants plus gentils. Comprends-tu bien ce que je te dis ? Si tu fais cela, ça va aller mieux, tu vas voir. Tu reviens me voir dans un mois pour me raconter ça, compris ? Et tu m'apporteras aussi tes plus beaux dessins, je veux les voir !

Félix fait un grand signe affirmatif. J'ignore s'il a vraiment tout saisi, mais je me promets de poursuivre le discours dans le plus proche avenir, même si je ne suis pas complètement convaincue de son effet magique.

Je quitte le bureau finalement satisfaite des conseils positifs de la psychologue, fruits de sa vaste expérience en la matière. Un nouveau combat à livrer se présente, un combat différent mais réel pour gagner la normalité, encore une fois. Je jure de m'y engager corps et âme. En sortant de l'école, nous croisons une petite fille qui traverse le corridor en courant. Reconnaissant Félix, elle s'arrête pile devant lui.

— Salut, Félix ! Ça va ?

Le sourire dont elle affuble mon fils me paraît des plus charmeurs. Ouais... pas si démuni que ça socialement, le fils !

CHAPITRE 32

L'estime de soi de Félix m'a obsédée pendant plusieurs jours à la suite de notre visite chez la psychologue. Chaque jour, je scrutais son visage au retour de l'école. A-t-il passé une bonne journée? S'est-on montré gentil avec lui ou bien l'a-t-on malicieusement molesté? A-t-il été capable de leur répondre: «Parle à ma main»? C'en est devenu une idée fixe. Je n'arrivais pas à y échapper et me retenais avec peine de téléphoner quotidiennement à son institutrice pour m'en informer. Mais infailliblement, le mot «surprotéger» remontait à la surface et ralentissait mes ardeurs. Pas facile de trouver l'équilibre entre protéger et surprotéger, et pas facile de renoncer à mes instincts naturels de mère poule! Instinct de survie là aussi, sans doute!

Un soir, Jean-Patrick et moi en avons discuté sérieusement. Félix était de nouveau rentré de l'école avec la larme à l'œil, incapable de m'expliquer clairement ce qui s'était passé. Son père m'a paru aussi désarmé que moi devant les faits.

— C'est promis, demain, je vais lui acheter une raquette et l'emmener à mon centre sportif. De faire une sortie «entre hommes» va lui changer les idées et le valoriser.

De mon côté, je n'ai pas résisté à la tentation de le reconduire moi-même à l'école le lendemain matin. Alors que je parlais à son professeur à l'entrée de la classe pendant qu'il suspendait son manteau sur les crochets du vestiaire, j'ai bien vu deux enfants lui crier gentiment : « Allo, Félix ! » Cela m'a enlevé un poids sur les épaules. L'institutrice a achevé de me rassurer en précisant que les larmes de la veille ne résultaient pas d'une intimidation mais plutôt d'une réprimande bien méritée, car il n'arrêtait pas de faire le clown dans la classe pendant la leçon de mathématiques. Il a dû aller réfléchir dans le corridor pendant une quinzaine de minutes.

— Il faisait vraiment le clown ou bien les enfants riaient de lui à cause de sa dysphasie ?

— Non, je vous l'assure, il s'agissait cette fois de grimaces et de mimiques drôles, et cela déclenchait les rires dans toute la classe. Cela devait lui faire plaisir car il ne pouvait plus s'arrêter. C'est pourquoi j'ai dû sévir un peu.

J'ai failli éclater de rire. Les humains ne malmènent pas les clowns. Règle générale, ils les adorent.

Histoire de me changer les idées, j'ai décidé d'appeler ma cousine pour aller luncher au resto, comme on se l'était promis depuis belle lurette. Avec l'âge, Isabelle Guay-Deschamps n'a rien perdu de sa fraîcheur ni de sa beauté. Une petite lumière au fond de son œil ne me trompe pas. En effet, elle ne tarde pas à m'annoncer joyeusement que Marie-Hélène se mariera l'été prochain et est maintenant employée comme travailleuse sociale à l'Institut pédiatrique.

— Grâce à toi, ma chère Geneviève !

— Grâce à moi ? Comment ça ?

— À l'adolescence, Marie-Hélène m'en faisait voir de toutes les couleurs. Tu te rappelles les gangs de rue, la drogue, le chum trafiquant ? J'avais alors essayé de l'intéresser à mon travail de détective et l'avais même emmenée visiter un bébé victime de secouage à l'Institut de réadaptation.

— Oui, je me rappelle. En as-tu des nouvelles ?

— De qui ? De l'enfant secouée ? Non, pas du tout. Son père l'avait prise en charge, si je me souviens bien. Pourquoi me demandes-tu ça ?

— Oh ! pour rien… Simple curiosité.

Je retiens ma respiration afin de ne pas trahir les eaux troubles dans lesquelles je viens de plonger. J'ai pourtant repoussé Charles Beauchemin aux calendes grecques depuis des lustres et je ne sais pas pour quelle raison l'évocation du drame de sa fille Marie-Soleil me rend nerveuse tout à coup. Un jour, peut-être, j'en viendrai à oublier ce moment fabuleux passé auprès de cet homme. Mon secret…

Ne soupçonnant aucunement ma soudaine agitation, Isabelle poursuit son récit au sujet de Marie-Hélène.

— La visite de cette enfant devenue très lourdement handicapée avait impressionné ma fille au point de l'influencer vers le choix d'une carrière au service des enfants. Nous t'avions alors rencontrée[10] quelques jours plus tard, et tu nous avais parlé longuement de ton travail. Cela s'est transformé en rêve pour Marie-Hélène : elle allait devenir travailleuse sociale comme la cousine Geneviève de sa mère. À partir de ce moment-là, s'étant enfin déniché un idéal, un but à atteindre, elle a totalement repris le droit chemin à notre grand soulagement. Tu ne t'en rappelles pas ?

— Euh… vaguement !

— Et la voilà maintenant en amour.

---

10. Pour les sans-voix, tome 1, *La Jeunesse en feu.*

— Ah oui ? Quel bonheur, Isabelle, de voir tes enfants casés ! Je suis loin d'être rendue là, moi !

— Oh ! ils ne le sont pas tous. Frédéric n'a pas encore terminé la dernière année de son cours d'ingénieur et Matthieu, encore au secondaire, demeure toujours à la maison, évidemment. Il devrait probablement s'orienter du côté scientifique comme son frère. Mais parlons donc de toi, Geneviève. Comme ça, tu t'es mariée l'automne dernier après toutes ces années de vie commune ? Quelle belle histoire romantique !

— Oui, nous avons fait un tout petit mariage, le jour des quarante ans de Jean-Patrick. Depuis longtemps, il avait envie d'officialiser notre union, mais ne bougeait pas. J'ai alors pris secrètement les choses en main, et on a célébré ça en surprise et dans la plus stricte intimité. Voilà pourquoi peu de gens ont été avisés, sauf l'oncle Eugène qui a servi de père à mon mari.

— La famille va bien ?

— Oui, tout va enfin pour le mieux, par les temps qui courent. Je me croise les doigts !

— Et Félix, alors ?

— Bien sûr, mon fils n'a pas parfaitement surmonté sa dysphasie, mais les choses semblent vouloir enfin prendre le bon côté. Cependant, il a un urgent besoin de valorisation, selon la psychologue rencontrée au privé. Il n'a d'intérêt que pour le dessin et ses histoires de chevalier. Peut-être, plus tard, illustrera-t-il des livres là-dessus, qui sait ! Son père l'a emmené l'autre jour au racquetball, mais il n'a pas grand talent ni intérêt, semble-t-il. Tout ça ne règle toutefois pas le problème de ses loisirs.

— Des histoires de chevalier, dis-tu ? Mais alors, pourquoi ne pas l'inscrire à des cours d'escrime ? Matthieu pratique ce sport depuis quelques années et il adore ça !

— L'escrime? Je n'y avais jamais songé! Ça existe ici, au Québec, des cours d'escrime pour les jeunes de huit ans?

— Mais oui! Tu pourrais l'inscrire et Matthieu se ferait un plaisir de l'aider à s'entraîner, j'en mettrais ma main au feu!

⌖

Depuis quelques mois, Félix ne vit plus que pour l'art de manipuler l'épée. Chaque samedi, Jean-Patrick va le reconduire au club d'escrime de la ville. Notre mousquetaire en herbe semble heureux comme un roi, ou plutôt heureux comme un preux chevalier au service du roi. Il y rencontre son cousin adolescent et une douzaine d'autres jeunes de tous âges, garçons et filles, pour de sérieuses séances d'apprentissage de cette activité vieille de nombreux siècles.

Avec sa gentillesse naturelle, Matthieu a en quelque sorte adopté Félix et il s'est donné pour mission de seconder l'entraîneur pour lui expliquer les consignes, s'il lui arrive de mal les saisir. Gagnant du tournoi provincial dans sa catégorie, l'été dernier, le grand cousin sera d'ailleurs en mesure de devenir lui-même entraîneur officiel dans quelques années.

Bien entouré, mon fils se sent donc à l'aise et non à part des autres. L'autre jour, j'ai assisté à un cours par curiosité. On débute par le réchauffement à l'aide d'un léger ballon, puis on s'amuse à voler le gant d'escrime enfilé dans la poche de pantalon d'un autre joueur. Peu habitué à ce genre d'exercice, je voyais mon Félix tout rouge, soufflant comme un engin.

Assise sur un banc au fond de la salle, j'ai appris plein de choses. Je sais maintenant que le sabre servait aux pirates et à la cavalerie, le fleuret, aux duels, et que l'épée découle de la rapière et est constituée d'une lame d'acier pointue munie d'une poignée. J'ignore si Félix retiendra tous ces détails, mais il sait dire maintenant, à voix haute et sans hésiter: «En garde!», «Prêt!», «Allez!».

De le voir avancer et reculer, branché à des fils électriques, devant son cousin ou un autre garçon, l'arme au bout du bras, portant masque, gant et plastron, m'a chavirée. Non seulement Félix pratique enfin une activité qu'il adore, mais il a trouvé en Matthieu le grand frère dont le destin l'a privé. Puisse le fils d'Isabelle lui servir de modèle et l'inspirer pour les années à venir. À bien y songer, cela constitue un juste retour des choses puisque, de mon côté, j'ai orienté sa grande sœur Marie-Hélène dans la bonne voie, semble-t-il, il y a quelque années.

⚜︎

Au fil du temps, les allégations de la psychologue se sont confirmées. Petit à petit, Félix prend de l'assurance, il se montre plus indépendant et sûr de lui. Le fait de réaliser un rêve et de savoir manipuler une épée comme un véritable chevalier impressionne les élèves de sa classe et suscite leur admiration.

Au printemps suivant, deux autres événements ont contribué à augmenter son estime de soi. Une promenade en vélo à la campagne a permis à Félix et Gabrielle de découvrir un étang rempli de grenouilles et de petites tortues. Avec l'aide de leur père, ils ont récolté quelques échantillons de chaque espèce dont deux têtards et ils les ont apportés à la maison. Quand je me suis retrouvée avec ces bestioles dans le lavabo de ma salle de bain, j'ai évidemment crié au meurtre. Jean-Patrick s'est empressé de nettoyer le vieil aquarium traînant sur une table du sous-sol, pour le transformer en un milieu habitable. Pendant ce temps, je suis allée à l'animalerie acheter de la nourriture pour ces animaux et chercher des livres sur les tortues et les grenouilles à la bibliothèque.

Si sa sœur s'en est aussitôt détournée, Félix, lui, s'est longuement intéressé à ses nouveaux petits amis et, en compagnie de son chat tout aussi fasciné, il les a observés pendant des heures, ébahi de voir les têtards se transformer petit à petit en grenouilles au fil des jours. Quand est venu le temps, à la fin de l'année scolaire, de faire une présentation devant la classe sur un sujet volontaire, Félix s'en est fort bien tiré avec sa tortue, sa grenouille et son têtard apportés dans un grand pot de vitre. Bien sûr, ses explications se sont avérées rudimentaires et hachurées, mais l'intérêt fut général et, selon les dires de son professeur, il s'est mérité d'intenses applaudissements. Le cauchemar de l'intimidation semble prendre définitivement le côté de l'histoire ancienne.

Quelques jours plus tard, Félix est allé, avec son père, remettre les animaux dans leur habitat naturel, non sans un soupir de satisfaction. Je me réjouis de le voir s'ouvrir aux merveilles de la nature, source précieuse d'apaisement, de renouvellement, voire de consolation. Déjà, en bonne mère, je ne résiste pas à voir, pour l'avenir, mon fils transformé en naturaliste ou en biologiste, d'autant plus qu'il a terminé sa deuxième année en beauté dans une classe ordinaire. S'il a éprouvé quelques difficultés en français, il a obtenu, pour les autres matières, une évaluation dépassant nos espoirs. Un autre événement d'importance a apporté un éclat de soleil dans notre foyer avec la visite surprise de Simon, le parrain de Félix, un jour paisible de juillet. Il tenait dans ses bras un adorable petit chiot noir avec le museau et le bout des pattes blancs et le cou entouré d'un foulard rouge marqué *Mira*. Il s'agissait d'un chien adopté en foyer d'accueil par la petite famille de mon frère dans le but de l'entraîner à devenir chien-guide pour les aveugles.

Gabrielle et Félix ne tenaient plus en place.

— Oh! papa, maman, on devrait en adopter un, nous aussi!

— Mais nous avons déjà Canelle et Noiraud. Deux animaux, tu ne trouves pas ça suffisant?

L'oncle «gâteau» s'est empressé de préciser qu'au contraire, une famille constituée d'enfants et d'animaux domestiques représente une condition encore plus favorable aux besoins de la Fondation Mira. Le futur chien-guide doit socialiser avant tout, autant avec les humains qu'avec les autres animaux et ce, durant sa première année d'existence. Des entraîneurs s'occupent de lui par la suite. Félix n'a sans doute rien compris à la thèse de socialisation de son oncle, mais une chose me paraît certaine : l'idée d'adopter un chien semblable a pris racine dans sa tête. En effet, il ne s'est pas passé une journée sans qu'il ne m'en parle.

Après en avoir discuté avec Jean-Patrick, affichant invariablement un drôle de sourire quand il en était question, j'ai fini par conclure que lui aussi rêvait de vivre une telle expérience sans oser me l'avouer. Le jour où il m'a présenté son argument le plus convaincant, je n'ai pu résister.

— Le fait de s'occuper de ce chien et de l'emmener partout va attribuer une certaine importance à Félix et lui donner confiance en lui.

— D'accord, mon amour, mais tu t'occupes toi-même des démarches pour poser notre candidature. Quant à la charge du chien, tu sais ce que je pense, n'est-ce pas ? Ce serait bien de le recevoir avant la période des Fêtes.

En ce jour du 20 décembre, le facteur a déposé deux cartes de Noël dans ma boîte aux lettres. La première enveloppe m'intrigue, adressée avec une écriture fine que je n'arrive pas à reconnaître. Je comprends l'énigme en voyant, en guise de signature sous le message imprimé, un énorme cœur maladroitement dessiné. Maxime Sigouin et Anne ne m'ont pas oubliée.

La deuxième carte me saisit tellement que Jean-Patrick, en train de lire son journal, se lève spontanément et vient poser sa main sur mon épaule. L'envoi provient de Simon et de sa femme. Il s'agit d'une carte officielle portant le sigle de l'employeur de mon frère. Chaque année, l'entreprise d'importation qui l'emploie lance un concours parmi les enfants de sept à dix ans de l'entourage de ses employés, afin de choisir un dessin pour illustrer les centaines de cartes de Noël envoyées par cette grosse maison d'affaires dans plusieurs pays du monde. Les dessins, affichés à la cafétéria de façon anonyme, font l'objet d'un vote secret par tout le personnel.

L'image choisie, cette année, consiste en un petit garçon habilement dessiné, assis au pied d'un immense arbre de Noël servant de toile de fond. Devant lui se trouve une énorme boîte de cadeau barbouillée de plusieurs couleurs. De la boîte, on voit dépasser la tête de deux chiens, l'un très grand, coiffé d'une tuque de père Noël et ressemblant à s'y méprendre à Canelle, et l'autre, un petit chiot, dont le cou est entouré d'un foulard rouge.

Mon coquin de frère m'a joué un tour en inscrivant secrètement mon fils au concours. Le dessin porte, au bas à droite, la signature de l'enfant dont le dessin a été choisi : Félix Lapierre.

CHAPITRE 33

Félix adore lire et, depuis qu'il sait mieux reconnaître les mots, il passe des heures le nez dans les livres, surtout des bandes dessinées. Il prend plaisir à se remplir la tête d'images et à essayer de comprendre le sens des mots pour les mettre bout à bout et saisir les histoires qu'ils racontent. Hélas, il n'arrive pas toujours à établir parfaitement les séquences et à comprendre le sens réel des histoires, mais ses efforts marquent des points de jour en jour, et je m'en réjouis, bien sûr !

Je profite de cette journée de congé pédagogique pour l'emmener avec sa sœur à la bibliothèque municipale. Une fois à l'intérieur, les deux enfants m'abandonnent aussitôt pour se diriger vers la section Jeunesse. Je m'approche alors de la bibliothécaire en train de remplir une fiche. Je ne peux réprimer un sourire quand je remarque le livre dans lequel elle s'apprête à accoler une fiche : *Paysages effleurés* de Maxime Sigouin.

— Ce roman est-il beaucoup lu, madame ?

— On le réclame tellement qu'il a fallu en commander d'autres exemplaires. Il s'agit d'un excellent roman. Le connaissez-vous ?

— Oui, je l'ai adoré. Madame, je cherche des livres de chevalier pour un petit garçon passionné.

— La section *Jeunesse* se trouve là-bas, tout au fond.

Soudain, je sens quelqu'un me taper sur l'épaule.

— Salut Geneviève! Que fais-tu ici, en plein jour?

— Catherine! Quelle belle surprise! Journée pédagogique des enfants, ma chère! Et congé obligatoire pour la mère! Congé… c'est une façon de parler, n'est-ce pas? Et toi, comment va ton Julien?

— Il se rend toujours à l'usine trois jours par semaine. Je l'ai emmené ici avec moi aujourd'hui, car je ne peux le laisser seul à la maison. Mais toi, parle-moi donc de tes enfants.

— Ils sont justement ici, eux aussi, déjà en train de fouiner dans les livres pour les jeunes. Et ils en ont profité pour emmener Carbone, leur chien de Mira arrivé depuis quelques semaines.

— Tu as un chien de Mira en plus de l'autre? Tu joues à la masochiste ou quoi?

— Tu n'as pas idée comme la responsabilité du chien, avec l'aide de son père, bien sûr, change mon Félix. Il se sent important et indispensable, il fait même l'envie de toute sa classe. Sincèrement, cela vaut l'effort.

— Ah! je vais toujours bien aller les saluer une minute, ces petits-là!

Catherine et moi nous dirigeons à grands pas vers la salle de lecture pour la jeunesse, située à l'arrière de la bibliothèque sous une voûte vitrée. Soudain, nous nous arrêtons pile, à l'insu de nos trois enfants, saisies par la scène adorable offerte à nos regards dans un rayon de soleil éblouissant.

Le grand Julien a quitté son fauteuil motorisé et s'est assis par terre aux côtés de Gabrielle et de Félix, installés sur des petites chaises autour d'une table ronde à hauteur d'enfant. Carbone s'est sagement étalé de tout son long derrière eux. Les trois, en grande discussion, regardent le même album de Tintin déposé sur la table directement devant mon fils qui n'arrive pas à lire correctement une boutade du capitaine Haddock. À sa droite, Gabrielle tente de l'aider à prononcer «mille sabords». De l'autre côté, Julien l'interrompt aussitôt et prononce la boutade sur le ton nasillard qu'aurait sans doute utilisé le capitaine Haddock.

— Non, non, c'est pas ça! Y en a bien plus que mille, des sabords! Tu dois dire: «Mille millions de mille sabords de tonnerre de Brest!»

Félix tente d'imiter le ton de Julien et tous les trois éclatent de rire. Ce rire sonne à nos oreilles de mères comme le Chant du monde. Catherine et moi nous gardons bien d'intervenir et nous nous serrons l'une contre l'autre, le cœur étranglé par l'émotion en regardant nos trésors, heureux dans leur bulle, chacun à leur manière. Chacun avec sa vision du monde, ses capacités, ses ressources, son potentiel de bonheur.

Chacun avec son destin.

— Tu vois, Geneviève, le bonheur, ça se vit au moment présent. Eux le perçoivent d'instinct et bien mieux que nous. Sans le savoir, ils nous donnent une leçon: nul n'échappe au destin, tout est dans la façon de l'assumer.

Et le soleil finit toujours par briller même au-dessus des paysages de vie éclatés…